For

John Unrah

this biography

of

ARTHUR CONAN DOYLE

with the grateful thanks and
best wishes of the author

DU MÊME AUTEUR

MAURRAS ET SON TEMPS, Éditions Albin Michel, 1978.

JAMES McCEARNEY

ARTHUR CONAN DOYLE

LA TABLE RONDE
40, rue du Bac, Paris 7ᵉ

Ma véritable vocation ne sera ni littéraire ni politique. Elle sera religieuse.

Sir Arthur CONAN DOYLE

I

ANTÉCÉDENTS

> « ... l'individu représente dans son dévelop-
> pement toute la série de ses ancêtres... le résumé
> de l'histoire de sa propre famille. »
>
> Sherlock HOLMES

Méfions-nous.

« Un Rousseau anglais est inconcevable », disait sir
Arthur Conan Doyle ; « ce qui caractérise l'autobiographie anglaise, c'est le manque de franchise ». Sa propre
autobiographie, *Souvenirs et aventures* (1924), confirme
parfaitement la règle. Ce n'est pas une confession, c'est un
reportage. Sa lecture renseigne sur son action, non sur son
être. Cette réticence doit moins à la modestie qu'à la
pudeur. L'homme ne se livre pas ; il faudra forcer sa
confiance.

Commençons donc par le commencement.

La famille d'Arthur Conan Doyle se disait d'origine
normande, et cela est sans doute exact. Mais les vrais
ancêtres normands ne sont pas forcément ceux que l'on
croit. Le nom vient du gaélique *dubh-ghall*, signifiant
étranger brun. Ce fut à l'origine un terme générique
désignant les envahisseurs scandinaves qui colonisèrent
les côtes irlandaises entre les IXe et XIe siècles de notre ère.
C'est aujourd'hui le douzième patronyme en Irlande pour
la fréquence, et les Doyle, répandus partout dans le
monde, se comptent par centaines de milliers.

Au milieu du XIXe siècle, cependant, ces Doyle vikings,
barbares et pilleurs de monastères, ne sont pas des
ancêtres très convenables dans une Angleterre fascinée

par les grandes épopées chevaleresques. On s'en trouva donc d'autres, plus présentables pour les lecteurs d'*Ivanhoé,* livre dans lequel figure, d'ailleurs, un sir Baldwin d'Oyley qui prendra place dans l'arbre généalogique d'Arthur Conan Doyle. En effet, la tradition familiale, faisant remonter ses origines aux seigneurs de Pont-d'Ouilly-sur-l'Orne, s'attribue en toute propriété les armoiries et les hauts faits de cette lignée. Les armoiries des d'Ouilly — trois têtes de daim sur fond azur — sont à peu près identiques à celles adoptées plus tard par les Doyle irlandais.

Dans l'Irlande du Moyen Age, la féodalité normande se superpose à la société tribale celte à laquelle ces autres Normands les Vikings avaient fini par s'intégrer. Les chefs de clan, se muant en ducs et barons, se font un devoir d'acquérir des blasons semblables à ceux des conquérants. Ils les inventent ou, profitant d'une homonymie fortuite, s'approprient des armoiries existantes. Comme ils restent chefs de clan avant tout, ces nouveaux blasons sont plus le bien commun de la tribu que la propriété exclusive d'une seule famille. Celle d'Arthur Conan Doyle ne pense cependant pas à partager les d'Ouilly — et les trois têtes de daim sur fond azur — avec les autres Doyle éminents qui remplissent les annales britanniques, et encore moins avec tous les Doyle sans grade en Irlande et ailleurs qui, pourtant, y ont droit au même titre. Que l'on ne crie pas à l'usurpation d'ancêtres. L'histoire est un grand magasin d'antiquités où chacun se sert à sa guise. La famille d'Arthur Conan Doyle avait besoin d'un passé utilisable.

On peut choisir ses ancêtres ; on subit sa famille.

C'est vers 1820 que John Doyle, le grand-père de l'écrivain, quitte Dublin, où sa famille tient une mercerie, pour tenter sa chance à Londres. Il est artiste et, à défaut d'argent ou de relations, il a du talent. Pendant vingt-cinq ans, les grands événements de la vie politique britannique trouveront en lui un témoin minutieux et spirituel. Avec

John Doyle, la caricature politique devient un art. Aux dessins grossiers — dans tous les sens du terme — de ses prédécesseurs, il substitue des portraits tout en finesse. Le public s'arrache ses gravures au point de provoquer des embouteillages dans les rues de Londres quand leur parution est annoncée. Le *Times* consacre un éditorial à l'exégèse de chacune de ses œuvres. Metternich en fait collection.

L'artiste se cache sous le pseudonyme *HB,* mais c'est un secret de polichinelle pour l'élite littéraire et artistique dans laquelle John Doyle reconnaît son véritable public. Patriarche austère, il sort rarement de sa grande maison à Cambridge Terrace, près de Regent's Park, mais jusqu'à sa mort en 1868 tout ce que Londres compte d'artistes et d'écrivains se presse dans son salon. On y voit Wordsworth et Coleridge et, lors de ses rares passages à Londres, sir Walter Scott. Landseer et Millais, Holman Hunt et Rossetti, Dickens et Thackeray, sont des habitués ; Ruskin et le jeune Disraeli aussi. John Doyle, parti de Dublin avec quelques souvenirs de famille pour tout bagage, est devenu un notable de la vie londonienne.

Arthur Conan Doyle gardera le souvenir des visites que son grand-père fit à sa famille à Edimbourg. *HB* laissera à son petit-fils son goût de l'observation, son sens du détail, et, surtout, son exemple. John Doyle, sans être un homme de parti, se posa en ambassadeur de la nation irlandaise et de la religion catholique. Bien qu'issu d'une minorité nationale et religieuse, il parvint à s'imposer sans se renier. S'il se targuait d'origines aristocratiques, il ne devait son succès qu'à lui-même. Son petit-fils en conclut que la société anglaise était ouverte à tous les talents. Et puis, tout en cultivant sa différence, John Doyle n'en avait pas moins amorcé une stratégie d'intégration sociale qu'Arthur devait conduire à son aboutissement.

John Doyle avait épousé Marianna Conan, sœur du critique d'art franco-irlandais Michael Conan. Elle lui donna sept enfants, dont cinq fils. *HB* assure lui-même

leur formation artistique. James, surnommé *le prêtre* tant
en raison de son allure cléricale que de la rigidité de ses
principes religieux, écrira une histoire de l'Angleterre,
illustrée par lui-même, avant de se consacrer aux études
généalogiques. Richard, le plus doué, fera les beaux jours
de la revue humoristique *Punch* jusqu'en 1850, quand il
la quitte pour protester contre la campagne menée par le
journal contre le Saint-Siège ; il fera par la suite une belle
carrière d'artiste indépendant. Henry sera, à partir de
1869, un brillant directeur de la *National Gallery of
Ireland*. Francis meurt à quinze ans, laissant quelques
belles miniatures. Charles Altamont Doyle, le dernier fils,
ne manque pas non plus de talent, mais il sera un peu
laissé pour compte. Sa mère meurt peu après sa naissance.
Son père se fait vieux, il est fatigué et durement éprouvé
par la mort de Francis. James, Dicky et Henry entrent
dans la carrière, et tout ce qu'*HB* possède encore
d'influence est mobilisé pour les aider. Son train de vie
opulent avait absorbé le plus clair des revenus, pourtant
substantiels, tirés de son œuvre. Ses filles sont en âge de se
marier ; il faut prévoir leur dot, et cela au moment même
où il songe à la retraite. John Doyle est un pater familias
victorien sévère et consciencieux mais, quand son dernier
fils arrive à l'âge d'homme, il n'a plus l'énergie de
l'emploi.

Le mieux qu'on puisse trouver pour Charles est un
poste de deuxième adjoint à la direction des Travaux
publics à Edimbourg. Charles a 17 ans. Il n'a aucune
envie d'échanger Cambridge Terrace et les plaisirs de la
vie londonienne pour la lointaine et rude capitale écossaise, un poste de petit fonctionnaire et un salaire
modique, mais son père lui fait comprendre son devoir.
En tout état de cause, Edimbourg ne doit être qu'une
étape. Quand il aura fait ses preuves, on lui trouvera
quelque chose de mieux. A Londres.

Charles Altamont Doyle s'installe à Edimbourg en
1849. C'est sans doute par le truchement du curé de sa

paroisse — dès son arrivée, il est nommé secrétaire de l'association de Saint-Vincent-de-Paul — qu'il prend pension chez Mme Catherine Foley, elle aussi irlandaise et catholique. Elle est cependant issue d'une famille protestante bien connue, les Pack. Ce fut en épousant William Foley, médecin catholique à Dublin, qu'elle adopta la religion de son mari. Reniée par sa famille protestante à cause de sa mésalliance, elle fut tolérée plutôt qu'accueillie par sa belle-famille catholique. Les rapports sont corrects, même cordiaux, mais il n'y a aucune intimité. C'est sans doute pourquoi, à la mort de son mari, la jeune veuve, au lieu de choisir le domaine familial des Foley dans le Waterford, préfère quitter l'Irlande avec ses deux fillettes pour s'installer à Edimbourg, où elle ouvre une pension.

L'Eglise irlandaise n'aime pas que ses ouailles se marient en dehors de leur communauté religieuse. Elle ne tolère de tels mariages, et encore à contrecœur, que si les conjoints s'engagent à élever les enfants dans la religion catholique. Catherine Pack Foley tient d'autant plus à tenir sa parole que, nouvelle venue dans une ville étrangère, elle trouve dans la communauté catholique, véritable tribu regroupée autour de son clergé, un réseau précieux d'amitiés et d'entraide. Son catholicisme, en effet, est surtout sociologique, et les principes religieux qu'elle inculque à ses filles ne sont pas toujours, d'un point de vue romain, très orthodoxes.

Charles Doyle est charmant, bien élevé et distrait. Il est loin de sa famille, il n'a que 17 ans. Mme Foley a la fibre maternelle ; Charles sera bientôt presque un fils pour elle. Il le deviendra tout à fait, car il épousera Mary, sa fille aînée. Mary Foley avait douze ans quand Charles Doyle s'installa chez sa mère. Comme Edimbourg ne possédait pas d'établissement scolaire pour jeunes filles catholiques, Mme Foley l'envoya faire ses études secondaires en France. Elle en revient une jeune personne belle et cultivée. Pour Charles Doyle, les jeunes filles catholiques d'un niveau social et culturel comparable au sien sont rarissimes à Edimbourg. Mary Foley, quant à elle, avait peu de chances de trouver parmi ses relations écossaises un compatriote et coreligionnaire d'aussi bonne famille et qui, de surcroît, semblait promis à un avenir brillant. Sans doute avec la complicité de Mme Foley, Charles fait à Mary une cour pressante. Ils se marieront le 31 juillet 1855. Il a 23 ans, elle en a 17.

Charles Doyle se montrera aussi incapable de gérer sa carrière que d'assumer ses responsabilités de chef de famille. Au fur et à mesure que les difficultés s'accumulent, il cherchera refuge dans les deux consolations que sont l'art et l'alcool. Mary Foley Doyle n'a que 21 ans à la naissance d'Arthur, son troisième enfant, en 1859. Elle est orpheline de père. Sa mère, malade, mourra bientôt. Son mari sombre lentement dans l'alcoolisme. Toute la charge de la maison — les enfants à élever, les corvées ména-gères, les factures à payer, les commerçants à enjôler pour qu'ils fassent crédit — retombe sur ses épaules. Mais si son mari ne lui est d'aucun secours, Mary Foley Doyle a du caractère pour deux.

Une famille noble mais tombée bien bas. Un père alcoolique et une mère héroïque. Le petit Arthur qui atteindra le succès à force de travail et de courage autant que de talent. On pense lire l'une de ces histoires sentimentales et édifiantes dont les victoriens furent si friands. En effet, Arthur Conan Doyle vécut pleinement le mélodrame — et le psychodrame — de son époque. Mais de même que les nobles d'Ouilly normands mas-quent les humbles Doyle irlandais, cette vie exemplaire, contée avec brio dans son autobiographie, est loin d'être toute la vérité. Dans sa vie comme dans son œuvre, Arthur Conan Doyle se montrera capable de la banalité la plus plate comme de l'originalité la plus déconcertante, toujours sous les apparences d'une simplicité bourrue. Rien n'est pourtant plus trompeur que la simplicité.

Méfions-nous.

II

L'ENFANT DE L'EXIL

> « Doyle, vous êtes chez nous depuis sept ans,
> je vous connais intimement. Je vais vous dire
> quelque chose dont vous vous souviendrez toute
> votre vie : Doyle, vous ne ferez jamais rien de
> bon ! »
>
> Un Père Jésuite

Cette même année 1859 voit la publication des *Idylles du Roi* d'Alfred Tennyson et de *De l'origine des espèces* de Charles Darwin. D'une part, une épopée chevaleresque, imaginative, mystique et moralisatrice ; de l'autre, un rigoureux enchaînement de raisonnements à l'appui d'une vérité scientifique toujours soumise au contrôle de faits empiriquement constatés. Mysticisme moralisateur et rigueur scientifique seront les deux pôles de la sensibilité et de la pensée de la seconde moitié du XIXe siècle. C'est aussi sous ce double signe que se place l'évolution affective et intellectuelle d'Arthur Conan Doyle. Aussi en 1859, Samuel Smiles publie *Self-Help,* un énorme succès de librairie qui apprendra à des générations de jeunes ambitieux comment les grandes réussites se bâtissent sur les petites vertus. Conscience professionnelle, rectitude financière, prévoyance, travail, sobriété, sont les qualités qui vaudront aux *self-made men,* dont Arthur Conan Doyle, indépendance, considération, promotion sociale. Il est tout à fait logique qu'Arthur Conan Doyle, lui aussi, naisse en 1859.

Charles Altamont Doyle épouse Mary Foley à la cathédrale d'Edimbourg le 31 juillet 1855. Il naîtra dix enfants de ce mariage, dont trois mourront en bas âge. Restent cinq filles et deux garçons. Le troisième enfant

— mais le premier fils — vient au monde le 22 mai 1859, dans un appartement bourgeois situé à Picardy Place, non loin de la cathédrale. Il sera baptisé Arthur Ignatius Conan Doyle. Arthur, pour le Roi Arthur et Arthur, Prince de Bretagne ; les légendes chevaleresques sont à la mode. Ignatius, car le jour de mariage de ses parents est la Saint-Ignace. Conan, en l'honneur de son parrain, son grand-oncle Michael Conan. Celui-ci n'a pas d'enfants. Il est donc entendu que l'enfant ajoutera Conan à son patronyme pour que ce nom honoré dans la famille ne s'éteigne pas.

Au moment où naît le petit Arthur, le rêve de bonheur de ses parents commence à se transformer en cauchemar. La maison est encore en deuil, car une sœur est morte depuis quelques mois à peine. Sa grand-mère, Mme Foley, le véritable chef de famille tant sur le plan moral que sur le plan financier, est en train de succomber à un cancer, auquel s'ajoute une hydropisie généralisée. La pension est fermée. Charles Doyle, avec son modique salaire d'employé, doit assumer toutes les dépenses du ménage et d'une grande malade. Il faut quitter le bel appartement de Picardy Place. Parents, enfants et la grand-mère malade s'entassent tous dans un logement étriqué à Portobello, une banlieue au bord de la Forth. On dit que ce déménagement est motivé par la santé des enfants. Il est vrai que les tanneries, les usines de gaz et de colle et les effluves des nombreuses distilleries rendent l'atmosphère du centre-ville presque irrespirable. Cela ne gênait pas les Doyle tant qu'ils pouvaient encore payer le loyer, mais les beaux quartiers sont maintenant au-dessus de leurs moyens. Tous les jours ouvrables, qu'il pleuve ou qu'il vente, Charles Doyle fait à pied les quelque six kilomètres jusqu'à son bureau, car même l'omnibus serait une extravagance. Un parcours quotidien qui lui donne amplement le temps de ruminer ses malheurs, et jalonné de débits de boissons où il cherche trop souvent à s'en consoler.

L'agonie de Mme Foley durera des années. Elle sera pourtant précédée dans la tombe par une autre petite fille, née en 1861 et morte la même année. Mme Foley s'éteint enfin en 1863. Son cadavre, étendu raide et blanc sur son lit de mort, sera le premier souvenir du petit Arthur. Avec la maladie et la mort de sa belle-mère, Charles Doyle se trouve pour la première fois confronté aux responsabilités de chef de famille que Mme Foley avait jusqu'alors assumées. Ses qualités sont réelles et ses intentions sont bonnes, mais il est de caractère trop faible, il a déjà trop le sentiment d'avoir raté sa vie, pour résister à l'épreuve.

Son exil à Edimbourg dure depuis plus de dix ans. Il sait, même s'il parle parfois de se faire chercheur d'or en Californie, en Australie ou n'importe où, qu'il est condamné à y rester. Ses frères, en lui envoyant les nouvelles de Londres, renforcent son sentiment d'être tenu à l'écart de tout ce qui fait l'intérêt et l'agrément de l'existence. Plus leurs carrières sont florissantes, plus il ressent combien la sienne est médiocre. En trente ans d'activité professionnelle, il n'aura jamais le moindre avancement. A la différence de son père et de ses frères, il n'arrive pas à vivre de son art, non faute de talent mais de volonté. Ses dessins illustrent mieux son propre désarroi que les textes qu'ils accompagnent. Ses tableaux sont offerts et non vendus, car il a trop de délicatesse, et trop peu confiance en lui, pour fixer un prix. Assailli de difficultés financières, accablé de responsabilités familiales, pénétré d'un morne dégoût de lui-même, il cherche à fuir ce foyer où, au lieu de la joie et la tranquillité escomptées, règnent la misère, la maladie et la mort. Le week-end, il part seul pour d'interminables parties de pêche ; les soirs de semaine, il rentre de plus en plus tard, et de plus en plus souvent ivre.

La déchéance de Charles Doyle sera longue et progressive. Pendant des années, son vice n'est connu que de sa famille. Il continue de jouer un rôle de premier plan au sein de la communauté catholique. Pour ses collègues, c'est toujours le même homme raffiné et élégant. Il se lie facilement; trop facilement. Certes, il est catholique et irlandais, ce qui n'est pas à son avantage dans une ville calviniste où les immigrés irlandais sont craints, méprisés, rendus responsables de tous les crimes, gratifiés de tous les vices. Mais Charles Doyle est un homme d'une éducation parfaite, il s'habille à la dernière mode, il a du charme et de la conversation. Il apporte des nouvelles toutes fraîches du grand monde de Londres que les gens d'Edimbourg jalousent tout en affectant de le dédaigner. Sa politesse tranche avec les manières plus rudes des Ecossais. Le don d'une esquisse lui ouvre bien des portes. La notice nécrologique du *Scotsman,* pourtant publiée dix ans après son départ d'Edimbourg, évoque son esprit, sa culture, sa courtoisie et l'accueil chaleureux qui lui était réservé partout où il se montrait. Il plaisait.

En public, en effet, il parvient longtemps à sauver les apparences. Il a certes un penchant pour le vin, mais dans une ville remarquable pour sa forte consommation de whisky, un faible pour le bourgogne est un péché mignon et presque distingué. Seule sa famille, quand il rentre tard le soir, voit l'ivrogne capricieux et exigeant, violent à l'occasion, volant l'argent du ménage et cassant les tirelires des enfants pour rafler les quelques sous qui lui permettront de s'offrir un dernier verre. Ayant cuvé son vin, il se confond en remords. Pendant quelques jours, voire quelques semaines, il est un mari attentif et un père dévoué. Il promène ses enfants dans les jardins publics, les palais et les musées d'Edimbourg; il leur raconte, comme il sait si bien le faire, ses souvenirs enchantés du grand spectacle de la vie londonienne. Et puis, tout en jurant de ne jamais recommencer à boire, il recommence.

Cela durera vingt ans ainsi, vingt années de misère matérielle et de détresse morale, ponctuées par des déménagements successifs vers des appartements de moins en moins salubres dans des quartiers de plus en plus sordides. Et comme Charles Doyle, s'il néglige ses devoirs paternels, n'en réclame pas moins ses droits conjugaux, les enfants naissent de plus en plus nombreux. Chacun d'eux, malgré la joie et l'espoir qu'il apporte, représente un surcroît de travail, de fatigue et de dépenses pour Mary Foley Doyle.

Si Charles Doyle était peu présent dans l'enfance de son fils, il se retrouve dans sa vie et son œuvre. Le Londres de Sherlock Holmes est celui de Charles Doyle. Au moment d'écrire les premières aventures du grand détective, Arthur Conan Doyle ne savait presque rien de la capitale anglaise ; s'il en évoque l'atmosphère avec autant de bonheur, c'est qu'il se souvient des descriptions à la fois précises et enchanteresses que faisait son père du décor où il avait connu ses plus grandes joies. Arthur se savait l'enfant de l'exil ; il avait la nostalgie de Londres avant de le connaître.

Il suffit de regarder les œuvres de Charles Doyle pour comprendre que son fils soit devenu un maître de l'épouvante. La flore et la faune que Charles Doyle rend avec une exactitude méticuleuse grouillent d'une vie invisible et menaçante. Ses fées fragiles tremblent devant des merles géants d'autant plus effrayants qu'ils sont immobiles. Le dessin a beau être naturaliste, c'est une nature troublante, où on ne sait quel monstre peut à tout moment jaillir. Charles Doyle est un catholique fervent, habité d'une vie spirituelle intense. Il y avait chez lui un atavisme celte — mysticisme pour les uns, superstition pour les autres — qui finira par reprendre ses droits chez son fils. Ce n'est pas un hasard si Arthur Conan Doyle attend d'avoir reconnu lui-même l'existence de ces fées que Charles prétendait avoir vues, avant de rendre un premier hommage public à la mémoire de son père.

En effet, Arthur garde à son père une rancune profonde et durable. Il n'en hérite pas moins de lui une certaine naïveté, une incapacité à croire du mal de son prochain, qui sera l'un des traits saillants de son caractère. Il hérite aussi de ces besoins complémentaires de solitude et de

convivialité qui poussaient Charles Doyle à délaisser sa
famille. Par contre, il ressent durement les absences
paternelles; toute sa vie il aura la nostalgie du père et le
culte du foyer. Il juge sévèrement les faiblesses qui
conduisent son père à sa déchéance. Son premier article
dans la presse médicale sera consacré au fléau de l'alcoolisme; dans sa fiction, ce thème, pourtant rebattu, est
traité avec un réalisme qui tranche avec le moralisme
facile de l'époque. C'est sans doute le contraste terrifiant
entre Charles Doyle à jeun et Charles Doyle ivre qui lui
suggère ces personnages à double visage qui peuplent son
œuvre. Enfin, l'art était trop souvent le prétexte de la
lâcheté pour Charles Doyle pour que son fils consente à se
considérer comme un artiste. Certes, Arthur Conan Doyle
avait son côté bohème, mais l'égoïsme de la vie d'artiste le
rebutait. Sherlock Holmes n'est jamais si inhumain que
quand il s'adonne à l'art pour l'art. Charles Doyle, avec
ses méditations solitaires, son ignorance des contingences
matérielles, ses beuveries nocturnes, ses gestes de grand
seigneur quand il offrait un tableau qui, vendu, aurait
rempli un garde-manger bien dégarni, invoquait trop
souvent le tempérament artistique pour excuser ses faiblesses. Son fils en conclut que la vie d'artiste convient à
un célibataire fortuné et non à un petit fonctionnaire
chargé de famille. Si Arthur Conan Doyle croit si
profondément au devoir moral de l'artiste, c'est qu'il en
constata l'absence chez son père. Celui-ci, en méprisant
l'argent dont il avait tant besoin pour nourrir sa famille,
était un faux *gentleman*; Arthur, lui, veut être un vrai.

Cette notion de vrai *gentleman,* c'est Mary Foley Doyle
qui va la lui apprendre. Le rejet du père a pour
conséquence naturelle de rapprocher l'enfant de sa mère.
Son influence et son exemple seront déterminants. Avec le
temps, la jeune Irlandaise devient une petite femme ronde
avec une abondante chevelure auburn coiffée en ban-
deaux et des lunettes aux montures d'acier. Arthur se
souvient d'elle, à la fois grande dame et bonne à tout faire,

langeant le dernier bébé tout en lisant *La Revue des Deux Mondes*. C'est elle qui, tout en élevant ses enfants dans la joie et la générosité, gère le budget de manière à assurer, grâce à des prodiges d'économie et d'improvisation, des conditions d'existence décentes. Le petit Arthur est témoin de cette lutte de tous les jours. C'est une leçon de courage, de dignité, d'abnégation, de bon sens pratique. En souvenir de sa mère, enchaînée autant par les lois de son pays que par le dogme de sa religion à un mari indigne, Arthur Conan Doyle mènera campagne en faveur du divorce. La femme dans sa fiction sera toujours à l'image de sa mère ; garante de la cellule familiale et victime innocente de l'exploitation masculine. La femme ange du foyer pour Arthur Conan Doyle n'est pas une banalité sentimentale mais une expérience vécue. Mary Foley Doyle se bat pour ses enfants et non pour elle-même. Si Charles Doyle, au moment de prendre sa retraite, reçoit un certificat attestant qu'il a rempli ses fonctions « avec diligence et conscience professionnelle », il le doit à son épouse qui, après chaque beuverie, remet le poivrot en état de reprendre son travail sans éveiller les soupçons de ses chefs. Ce travail, et les maigres revenus qu'il apporte, sont tout ce qui sépare ses enfants de l'indigence absolue.

Certes, il y a plus pauvres que les Doyle à Edimbourg. Leur budget annuel de quelque £200 — moins ce que Charles dépense en vin et en élégances vestimentaires — serait une fortune pour les masses d'immigrés irlandais qui grouillent dans les bas quartiers de la ville. La famine sévissait en Irlande pendant les années 1840, et l'Ecosse, en pleine expansion industrielle, draine vers ses usines une foule de paysans irlandais frustes et incultes qui, entassés dans des taudis malodorants, forment le *lumpenprolétariat* de la revolution industrielle.

C'est justement parce qu'elle sait dans quelle misère vivent ses compatriotes et coreligionnaires que Mary Foley Doyle lutte pour éviter à ses enfants de partager leur sort. Eviter la prolétarisation, s'accrocher à la respectabilité bourgeoise, devient pour elle plus important que son appartenance nationale ou religieuse. Quand elle confie son drame au clergé catholique, elle ne reçoit ni aide matérielle ni soutien moral. Charles Doyle est trop connu comme ambassadeur du catholicisme dans la bonne société d'Edimbourg pour que le clergé ose s'immiscer dans ses affaires familiales. La foi de Mary Foley Doyle dans le dogme romain n'avait jamais été entière ; peu à peu, elle perd sa confiance en l'Eglise en tant que communauté solidaire et protectrice. Son fils suivra la même évolution.

Malgré la solidarité agissante de quelques amies sûres, Mary Foley Doyle est très seule. Aucune famille ne la soutient. Les Foley en Irlande et les Doyle à Londres sont trop loin pour lui être d'une utilité quelconque ; au contraire, leurs rares visites l'obligent à jouer la comédie de la prospérité, ce qui est presque aussi désagréable que d'être considérés comme les parents pauvres. Par leur niveau culturel et leur mode de vie, sinon par leurs revenus, les Doyle appartiennent à la bourgeoisie ; par leur appartenance nationale et religieuse, ils sont assimilés aux travailleurs immigrés. De quelque côté qu'elle se tourne, Mary Foley Doyle se trouve marginalisée. Elle se détache progressivement de sa communauté nationale comme des consolations de la religion. Pour élever ses enfants, elle ne peut compter que sur sa volonté et son orgueil.

C'est ainsi qu'il faut comprendre son culte des ancêtres. Elle est, en effet, aussi férue de généalogie que sa belle-famille. Sans doute y avait-il un certain snobisme dans ce déploiement d'armoiries, dans cette surabondance de grands hommes qu'elle appelait à la rescousse, mais Mary Foley Doyle, même si elle se laissait parfois prendre à son propre jeu, n'était pas dupe. Son fils non plus. Arthur utilisera l'une de ses premières nouvelles pour tourner en dérision les prétentions aristocratiques et la piété envers des ancêtres aussi glorieux qu'imaginaires. Mais, en bon Britannique, il ne se moquait que de choses importantes. Le culte des ancêtres était bien plus qu'un jeu pour intéresser les enfants aux leçons d'histoire. C'était aussi un moyen d'éveiller l'imagination, de s'évader des difficultés du présent dans un passé glorieux, plein de mouvement et de couleur. Pour les enfants Doyle, serrés dans un logement sordide, il était bon de savoir qu'il y avait autre chose dans la vie que les privations et les humiliations de la lutte quotidienne pour sauver les apparences et manger à sa faim, ceci étant d'ailleurs moins important que cela ; que l'existence pouvait réserver d'autres émotions que l'attente angoissée du père, la peur de ses cris et de ses coups, la hantise du scandale et la honte de sa déchéance. Il leur fallait, pour leur équilibre psychologique, se pénétrer de la certitude qu'il y avait une autre vie, ailleurs et autrefois, et qui pourrait un jour renaître. Dans ses romans historiques, Arthur Conan Doyle, comme sa mère, ramène l'histoire à des histoires, sans oublier que le propre d'une histoire est d'avoir une morale. Car Mary Foley Doyle veillait à ce que les ancêtres soient autre chose qu'un moyen d'évasion ; un exemple et une inspiration. Il fallait lutter contre le renoncement et la démoralisation, donner aux enfants, et surtout au fils aîné, le sens de la dignité et du respect de soi. Elle a beau s'empêtrer dans des filiations généalogiques douteuses, elle n'a rien d'une nostalgique. Les glorieux aïeux qu'elle s'approprie sans scrupule firent de grandes choses dans le passé ; à condition d'imiter leur courage et leurs vertus, on fera donc de grandes choses dans l'avenir. Elle apprend à Arthur qu'il n'est pas le fils d'un raté, ivrogne de surcroît, mais le dernier d'une lignée de héros dont il faut se montrer digne. Les malheurs présents ne sont pas une fatalité à subir mais un défi à relever. Noblesse oblige.

Il s'agit, n'en déplaise aux ancêtres, d'une noblesse de caractère et non de naissance. Mary Foley Doyle apprend à son fils à régler sa vie sur le code de la chevalerie. Il faut être attentif aux autres, servir la collectivité, faire preuve en toutes circonstances de modestie, de bonne humeur et de courage. Il ne faut jamais mentir. Il faut se montrer généreux envers les faibles, défendre la justice, au besoin contre les forts ; juger les êtres sur leur valeur morale et non sur leur rang ou leur fortune. C'est parce que sa mère lui parla tant des croisés qu'Arthur fut toujours si prompt à partir en croisade. Elle lui inculque ainsi un système de valeurs qui correspond parfaitement à celui en vigueur dans une société victorienne où la réussite matérielle et la promotion sociale sont considérées comme la juste récompense des vertus et des efforts individuels. Arthur Conan Doyle fut élevé dans ce qu'il faut bien appeler une inconscience de classe, mais le reflet qu'il donne, dans son œuvre et dans sa vie, des attitudes et des aspirations de la bourgeoisie dont il est issu n'est que plus fidèle pour être involontaire. Sa mère, sans le savoir, le relie à la sensibilité dominante de son époque. La chevalerie, ressuscitée par Scott, reprise en politique par Disraeli et la « jeune Angleterre », en littérature par Tennyson et toute une école du roman historique, en peinture par les préraphaélites, en architecture par le mouvement néogothique, est l'un des grands mythes dynamisants de la société victorienne. Par le truchement des *public schools,* alors en pleine expansion, l'idéal du chevalier sans peur et sans reproche, au moment même où Arthur Conan Doyle s'en imprègne, est en train de se transformer en celui du parfait *gentleman* anglais. Arthur Conan Doyle sera donc en symbiose parfaite avec son public.

Il n'est cependant pas en symbiose avec le milieu où il vit son enfance. Son père avait la nostalgie de Londres, sa mère celle de la France où elle avait fait ses études. Le petit Arthur, que son imagination d'enfant fait entrer de plain-pied dans le monde merveilleux que sa mère évoque pour lui, a la nostalgie d'un passé où il n'y avait pas de paysage sans dragon à pourfendre et où les Doyle comptaient parmi les puissants du jour. Pour eux tous, Edimbourg était un lieu d'exil ; la vraie vie était ailleurs.

Et pourtant, il fallait bien y vivre. Le petit Arthur, ne serait-ce que parce que ses sœurs, Catherine, née un an avant lui, et Mary, née deux ans après, ne vécurent que quelques mois, fut particulièrement choyé. Il était grand et robuste pour son âge. Mais si son développement physique ne laissait rien à désirer, il n'en allait pas de même sur le plan affectif. Le comportement imprévisible de son père, tantôt doux et affectueux, tantôt indifférent et violent, le troublait. Il cherchait refuge et réconfort dans l'amour de sa mère, et supportait mal que celle-ci, malgré toute sa tendresse, ne fût pas toujours disponible. Il y avait déjà Annette, sa sœur aînée ; deux autres sœurs, dont une ne survivra pas à la petite enfance, naquirent avant qu'Arthur n'atteigne sa septième année. Les Doyle sont mal logés, et Arthur, seul garçon dans cette nichée de filles, est le plus difficile à caser. En tout état de cause, sa mère estime que le vice de Charles Doyle constitue pour Arthur un danger moral, voire physique. Elle s'efforce donc de l'éloigner autant que possible du foyer. Pour cela, elle fait appel à ses cousins irlandais ; le petit Arthur fera plusieurs séjours chez les Foley à Lismore. Quand il a six ans, sa mère, sous prétexte de le mettre à l'école, le confie à une amie, Mme Burton, à Liberton, un faubourg d'Edimbourg. Mme Burton sera une deuxième mère pour lui, et son neveu William, qui deviendra professeur à l'Université de Tokyo, sera son premier ami. Mais le petit garçon supporte mal de ne voir ses sœurs et sa mère adorée qu'en fin de semaine. L'expérience scolaire est désastreuse. Newington Academy, qu'il fréquente avec William Burton, était un établissement où l'on distribuait aux élèves punitions et coups de martinet sous prétexte de leur former le caractère. C'était le plus mauvais régime imaginable pour un enfant en mal de tendresse. Il fut soulagé autant que ravi quand, au bout de deux ans, il put regagner le foyer familial.

Tout ce qu'il savait, c'est sa mère que le lui avait appris. Le culte des ancêtres était d'abord une stratégie pédagogique. Apprendre les devises et les armoiries des grandes familles était à la fois une leçon d'histoire et un exercice de mémorisation. Mary Foley Doyle enseigne l'histoire de l'Angleterre et de la France comme une histoire de famille. Les Conan de Bretagne rejoignent les d'Ouilly dans la troupe des aïeux glorieux. Guillaume le Conquérant et Richard Cœur de Lion furent de grands rois, car ils avaient su s'entourer de Doyle plus valeureux les uns que les autres. Il fallait apprendre les croisades, car les Doyle y étaient. Edouard III fut admirable, puisque ce fut lui qui octroya aux Doyle des terres en Irlande. Et pour expliquer comment ils en furent chassés, il fallait tout savoir sur la Réforme, la guerre civile, le régime cromwellien, les lois pénales. De même, on ne devait rien ignorer des interminables batailles que se livrèrent Anglais et Ecossais le long de leur frontière commune, car les Percy, grande famille anglaise chargée, justement, de la défense de cette frontière, avaient aussi leur place dans l'arbre généalogique. Et les Percy étaient alliés aux Plantagenêts. Quant à l'histoire contemporaine, comment mieux l'aborder qu'à travers l'œuvre du grand-père, *HB*, qui en était le meilleur chroniqueur ?

Au fur et à mesure que Charles Doyle sombrait dans l'alcoolisme et que son épouse s'éloignait, du moins intérieurement, du catholicisme, elle mettait moins l'accent sur la tradition des Doyle pour mieux exploiter son propre héritage protestant. Elle s'étendait sur les hauts faits des Pack au service de la suprématie anglaise et protestante en Irlande. Un Pack s'était illustré dans la répression de la révolte nationaliste de 1798 avant de commander la brigade écossaise à Waterloo, bataille où se distinguèrent également trois autres Pack. Ce n'est pas étonnant qu'Arthur Conan Doyle ait considéré la morne plaine comme faisant partie de son domaine familial. Sa mère rappelait volontiers qu'un Foley — il était gallois, celui-là, mais peu importe — était vice-amiral sous Nelson à Aboukir. Entre le général Pack, l'amiral Foley et ses souvenirs français, elle avait de quoi alimenter un cours sur les guerres napoléoniennes. Et quand elle crut le moment venu d'aborder sir Walter Scott, elle rappela — ou inventa — que celui-ci était aussi un cousin de la famille. Un cousin éloigné, sans doute, mais un cousin tout de même. Il était cependant rare qu'elle invoque une parenté écossaise. Arthur se sent irlandais et catholique par son père, protestant et britannique par sa mère, et même un peu français par les deux, car en plus des d'Ouilly, Froissart, Sully, Montaigne, saint François de Sales, Napoléon même, figuraient en bonne place dans le panthéon de sa mère. Mais il ne se sent pas écossais. L'histoire écossaise — le fait est presque unique pour un écrivain né à Edimbourg — est absente de son œuvre. Edimbourg apportera beaucoup à Arthur Conan Doyle, mais non le sentiment d'appartenir à la communauté nationale écossaise. En cela aussi, il est un enfant de l'exil.

Au fur et à mesure qu'il grandit, sa mère n'a plus le monopole de son éducation ; il y a aussi la lecture. C'est un moyen d'évasion autant que d'instruction. L'appétit de lecture est aussi précoce qu'insatiable. La bibliothèque de prêt doit lui rappeler qu'il est interdit de changer les livres plus de deux fois par jour. A huit ans, il a déjà dévoré Scott et Dumas, ainsi que Dickens et Thackeray, les amis de son grand-père. Mais comme c'est, après tout, un petit garçon, il se plaît surtout à lire les récits d'aventures. *Chasseurs de scalps* de Mayne Reid est son livre préféré, mais il ne dédaigne pas les histoires de marins de R.M. Ballantyne, les contes des chercheurs d'or de Bret Harte, les fresques historiques de Charles Lever et Bulwer Lytton, et des dizaines de romans de cape et d'épée. Le garçonnet lit tout, pourvu qu'il y ait de l'action et de l'exotisme pour faire travailler son imagination. Il est inconcevable qu'il n'ait pas lu, car ils firent sensation, les souvenirs romancés de James McLevy racontant ses triomphes à la tête de la police d'Edimbourg. McLevy, un ancien terrassier irlandais, n'est certes pas Sherlock Holmes, car il comptait sur la chance et sa connaissance du milieu et non sur l'intelligence, mais le journaliste béat et la troupe de gamins des rues dont il fit ses auxiliaires ne seront pas oubliés.

Arthur Conan Doyle, cependant, n'aura pas besoin de souvenirs livresques pour imaginer les francs-tireurs de Baker Street. Le petit garçon est aussi à l'école de la vie, c'est-à-dire de la rue. Délaissé par son père, élevé par sa mère, dorloté par ses sœurs, il avait sans doute besoin de prouver sa masculinité. A l'image de tous les héros dont sa mère lui rebat les oreilles, le petit Arthur est toujours au milieu de la bagarre. Catholiques contre protestants, Irlandais contre Ecossais, enfants du peuple contre fils de bourgeois, gamins du quartier contre bandes errantes, ce n'était pas les bagarres qui manquaient à Edimbourg. Il courait les rues avec les garçons de son âge. Il faisait volontiers le coup de poing — il était même le champion attitré de sa bande — pour revenir chez lui couvert de plaies et de bosses, les vêtements en lambeaux, mais fier comme un petit coq. Certes, avec sa mère il était doux et obéissant. Bien sûr, il était studieux et même pieux. Son père, si négligent par ailleurs, était intraitable sur le chapitre du catéchisme. Mais, sous l'influence des garnements sans feu ni lieu qui étaient ses compagnons, et privé de la discipline d'un père, il risquait fort, comme tant d'autres chenapans qui dissipaient leurs énergies dans des combats de rue et des distractions mal vues de la police, de prendre le mauvais chemin, celui qui mène à la maison de redressement.

Il venait d'avoir huit ans. Il était grand pour son âge, vif, remuant et batailleur. Sa mère avait d'autant plus de mal à le tenir qu'il commençait à se prendre pour l'homme de la maison. Ses connaissances littéraires et historiques étaient exceptionnelles pour un garçon de son âge, mais ne pouvaient remplacer de véritables études. Il fallait lui

trouver une école. Son père insistait pour que ce soit une
école catholique. Sa mère, soucieuse de le mettre à l'abri
de son père, voulait que ce soit un pensionnat. Cependant, à l'exception d'un petit séminaire sorti de la
clandestinité au moment où les droits civiques furent
rendus aux catholiques, l'Ecosse ne comptait aucun
pensionnat catholique. Ce fut alors que la notoriété de
Charles Doyle parmi ses coreligionnaires se révéla d'une
certaine utilité. Les Jésuites d'Edimbourg connaissaient
les Doyle ; ils avaient cru déceler chez le petit Arthur les
signes d'une vocation religieuse. Ils se proposèrent donc
pour prendre en charge son éducation dans leur collège à
Stonyhurst, dans le Lancashire. Comme ils savaient aussi
pour quel motif Mary Foley Doyle voulait éloigner son fils
du foyer, ils acceptèrent même de le garder pendant les
vacances de Noël et de Pâques. De 1868 à 1876, Arthur ne
passera que deux mois d'été dans sa famille ; sa destinée
est désormais entre les mains des Pères Jésuites.

Les Jésuites anglais, chassés par Elizabeth Ire en raison
de leurs menées subversives, s'étaient installés à Saint-
Omer. Ce ne fut qu'en 1794 que, sous la menace des
armées révolutionnaires, ils purent réintégrer une Angleterre où tout ennemi de la Révolution française, fût-il
jésuite, était accueilli en ami. Ils s'installèrent dans le
Lancashire car, de tous les comtés anglais, c'était celui-là
qui était resté le plus fidèle au catholicisme. Au début du
XIXe siècle, le tiers des terres de ce comté, malgré les lois
pénales, reste entre les mains de hobereaux catholiques.
Ce sont les rejetons de ces vieilles familles qui forment
l'essentiel de la clientèle de Stonyhurst, avec quelques
étrangers venus apprendre l'anglais dans un cadre catholique et des Irlandais dont les familles n'ont ni les moyens ni
le désir d'envoyer leur fils dans l'un des pays catholiques
d'Europe. Du temps d'Arthur Conan Doyle, un de ces
élèves irlandais, dont l'ignorance encyclopédique faisait le
désespoir de ses professeurs et la joie de ses camarades,
portait un nom prédestiné : Sherlock.

Arthur est d'abord inscrit à Hodder, établissement situé tout près de Stonyhurst et qui accueille les petites classes. Là, il passera les deux années les plus heureuses de sa vie d'enfant. Les raisons de ce bonheur sont simples. Chez Arthur, quand le cœur va, tout va. Il ne retrouve sa mère et ses sœurs que pendant l'été, mais les liens familiaux ne sont pas pour autant distendus, puisqu'il ne se passe guère de jour sans échange de lettres entre le petit garçon et sa mère. Il ne s'intègre pas à ce milieu, inconnu pour lui, de fils de propriétaires terriens, mais en James Ryan, le seul Ecossais parmi ses condisciples, il trouve un ami d'élection. Surtout, il y a le directeur d'études, le frère Francis Cassidy, qui n'a pas encore terminé son noviciat. C'est un pédagogue de génie. Sachant allier douceur et fermeté, aussi capable de raconter des histoires passionnantes que de faire la classe, il partage les jeux de ses élèves tout en surveillant de près leur travail scolaire. Bien que déjà atteint de la tuberculose, Francis Cassidy s'investit tout entier dans sa mission d'éducateur ; il se donne à ses élèves comme il s'était donné à Dieu. Toute sa démarche respire la joie et l'amour. Surtout pendant les vacances de Noël et de Pâques, quand il est presque seul à Hodder, le petit Arthur trouve en Francis Cassidy la chaleureuse affection paternelle qu'il n'avait jamais connue auprès de Charles Doyle. Cette sécurité affective lui permet un épanouissement nouveau. Il est pieux, studieux, obéissant et heureux. « *Je ne saurais exprimer la joie que j'ai ressentie en recevant mon Créateur* », écrit-il à sa mère le jour de sa première communion. « *Si je vis jusqu'à cent ans, je n'oublierai jamais ce jour heureux.* » Il est facile d'aimer Dieu et son prochain quand on se sent soi-même soutenu, apprécié, aimé. Le petit Arthur en vient presque à considérer Francis Cassidy comme son vrai père et Hodder comme son vrai foyer.

La rupture n'en est que plus brutale quand il faut quitter Hodder pour Stonyhurst proprement dit. Autant l'ambiance à Hodder était chaleureuse et familiale, autant celle de Stonyhurst est glaciale et inhumaine. Cette grande bâtisse, qui servira de modèle pour le manoir des Baskerville, n'a rien d'accueillant. Le régime alimentaire est spartiate ; du pain sec, du lait coupé d'eau, peu de viande, un liquide marronnâtre qu'on fait passer tantôt pour du thé, tantôt pour de la bière, selon son degré de tiédeur. Le petit Arthur, qui espérait trouver parmi ses nouveaux maîtres un père supplétif pour remplacer Francis Cassidy, doit vite déchanter. Il n'y a aucune sympathie, aucune chaleur, dans les rapports entre maîtres et élèves. Les études se caractérisent par un bachotage intensif et une discipline de fer maintenue au moyen de punitions corporelles répétées et sévères.

D'emblée, Arthur Conan Doyle ressent le mode de vie qui lui est imposé comme une agression. Il sent que les Jésuites veulent le former à leur image ; instinctivement, il résiste. Généreux, impulsif, émotif, il s'arme d'une carapace de jovialité parfois brutale pour ne pas souffrir des sarcasmes de ses maîtres et des moqueries de camarades tous plus privilégiés que lui par la naissance et la fortune. La vie de l'imagination, nourrie par les lectures les plus variées, lui est plus réelle que les brimades incessantes et les études arides qui sont son lot quotidien. Stonyhurst, comme toutes les communautés où l'on vit en vase clos, est animé d'une vie interne intense. Cette vie, Arthur la partage sans s'y impliquer. La vraie vie pour lui est toujours ailleurs. « *Il était assez paresseux, et il n'était jamais très bien classé* », disait de lui plus tard un condisciple, « *mais il avait l'imagination fertile, et il n'arrêtait pas d'écrire des vers et des parodies sur les événements et les personnalités du collège* ». En effet, si un poème sur le passage de la mer Rouge était écrit sur commande et récompensé d'un prix, la plupart de ses effusions littéraires circulaient clandestinement et lui attiraient des punitions. La dérision lui permettait de garder ses distances. Il était privé de l'amitié de James Ryan, car celui-ci était d'un an son cadet, et les Jésuites interdisent les contacts entre élèves de classes différentes. Ryan ne sera pas remplacé ; Arthur Conan Doyle ne se lie pas. Les amitiés nouées au collège ne joueront aucun rôle dans sa vie d'adulte ; le fait est rare pour un Britannique de sa génération. Stonyhurst est pour lui une période d'attente, qu'il vit dans une sorte d'exil intérieur.

Ceci ne l'empêche pas de devenir populaire. D'abord, c'est un athlète remarquable. C'est dans l'exercice physique qu'il se défoule des tensions et des frustrations, qu'il dépense son trop-plein d'énergie. A Stonyhurst comme dans les autres collèges anglais, le sport, loin d'être une simple distraction est un moyen pédagogique destiné à apprendre aux jeunes les vertus de l'effort, de la solidarité, de la maîtrise de soi. Le respect des règles du jeu et de l'arbitre enseigne celui des lois et des institutions ; un beau joueur deviendra un bon citoyen. Les études assurent la formation intellectuelle et le sport la formation morale et civique. Dans toutes les *public schools* qui se multiplient à partir de 1840, le caractère est plus important que l'intelligence. Le sujet moyen, mais honnête et consciencieux, est plus prisé que le sujet brillant mais réfractaire à l'esprit d'équipe. Les Jésuites, en raison de leurs traditions propres, s'attachent davantage à l'intelligence que les autres collèges auxquels, pourtant, ils s'efforcent de ressembler. Le contraste entre l'intellectuel et le sportif est donc plus accusé à Stonyhurst qu'ailleurs. C'est là l'origine de la dichotomie Holmes/Watson. Arthur, comme la société anglaise dans son ensemble, préfère Watson. Les valeurs du *fair play* sont trop proches du code de chevalerie appris de sa mère pour qu'il ne les intègre pas pleinement.

En effet, si Arthur Conan Doyle est considéré comme un mauvais sujet, voire un élément perturbateur, il se rachète sur le terrain de sport. Il est grand et bien bâti, avec déjà une certaine tendance à la corpulence. Il excelle dans tous les sports, surtout le cricket et la boxe. Comme les autres collèges, Stonyhurst avait des jeux qui lui étaient propres, mais n'échappait pas à la tendance générale vers la normalisation des règles qui caractérise la seconde moitié du XIXᵉ siècle. Dès 1860, Stonyhurst adopte « le cricket de Londres » — le jeu pratiqué par tout le monde — sans renoncer au « cricket de Stonyhurst », jeu aux règles obscures pratiqué depuis leur départ en exil par les seuls élèves des Jésuites. Ce ne fut qu'en 1884, bien après le départ d'Arthur Conan Doyle, que Stonyhurst consentit à pratiquer le rugby et le football selon d'autres règles que les siennes. Mais ce n'est pas l'absence de règles communes qui empêche les équipes de Stonyhurst de se mesurer à celles des autres collèges ; ces établissements se méfient des catholiques en général et des Jésuites en particulier. Ce ne fut qu'en 1874 que Stonyhurst obtint de disputer un match de cricket contre un autre collège. La presse ultra-protestante, indignée, vit dans la défaite de celui-ci le signe certain du courroux divin. En effet, l'équipe de Stonyhurst, vêtue pour la circonstance en pantalon blanc, chemise rose et casquette bleue, remporta la victoire, grâce surtout à une brillante prestation d'Arthur Conan Doyle. Si ses prouesses au cricket lui valaient l'admiration, ses qualités de boxeur lui garantissaient la paix et la tranquillité. Les fils des grandes familles du Lancashire, tous plus ou moins cousins, avaient tendance à se comporter en propriétaires à Stonyhurst. Ils dédaignaient superbement cet Ecossais désargenté et ses prétendus ancêtres. L'expérience leur apprit qu'Arthur Conan Doyle, à défaut de terres ou de fortune, possédait un direct du droit qui était un argument tout à fait concluant dans toute discussion généalogique.

Et puis, par les jours de pluie où le sport était exclu, Arthur était un conteur incomparable. Grâce à ses lectures, il connaissait quantité d'histoires extraordinaires. En les racontant pour distraire ses camarades, il fait son apprentissage d'écrivain. Ses motivations sont bassement matérielles. L'ordinaire est à peine suffisant pour un adolescent en pleine croissance. Ses camarades plus fortunés pouvaient s'acheter des compléments, mais lui n'en avait pas les moyens. Il consentait donc, en échange de quelques provisions de bouche, livrables immédiatement et consommées de suite, à raconter des histoires. Devant ce public de collégiens, un public payant, donc exigeant, il apprend sa technique de narration ; comment lancer une intrigue, capter l'attention, éveiller la curiosité, amener l'auditoire à un point de suspense tel qu'elle offrira quelques pâtisseries de plus pour connaître le dénouement. Si l'histoire ne plaît pas, on lui jette des bouteilles d'encre à la tête et il reste sur sa faim ; si elle plaît, il s'arrête au moment crucial, sachant que ses camarades subjugués videront leurs poches pour ne pas rester sur la leur. Rude école, où il apprend qu'un conteur n'existe que par et pour son public. Il ne l'oubliera pas.

Dans un passé encore récent, le niveau des études à Stonyhurst avait été faible. Le Saint-Siège interdisait aux catholiques de fréquenter les universités, et l'administration, la politique et les professions libérales leur étaient pour ainsi dire fermées. Rien ne poussait les élèves à l'effort intellectuel. L'interdiction du Vatican, cependant, visait nommément Oxford et Cambridge ; elle ne mentionnait pas les nouvelles universités qui se fondaient afin d'offrir à la jeunesse anglaise une formation plus moderne et plus exigeante que celle proposée par les deux vieilles universités, dont la distinction était mondaine plutôt qu'intellectuelle. Vers 1840, les éléments les plus ouverts du corps professoral à Stonyhurst obtinrent, non sans mal, de présenter leurs élèves à l'examen d'entrée de l'Université de Londres. Dès lors, l'honneur de l'Eglise catholique et de la Compagnie de Jésus exige que les résultats soient du moins aussi bons que ceux obtenus par les grands collèges protestants. La concurrence était rude. La grande réforme éducative menée à Rugby par le Dr Arnold portait ses fruits dans tous les collèges où les

disciples du maître occupaient des postes de responsabilité. Une loi de 1868 réorganisait les *public schools*. La
mise en place de concours de recrutement pour les emplois
de la fonction publique et de l'administration coloniale
oblige les collèges à veiller au niveau des études autant
qu'aux performances sportives. Les Jésuites ont d'autant
plus de mal à supporter la concurrence qu'étant surtout
des littéraires, ils sont d'une insigne faiblesse dans les
matières scientifiques. Ils compensent cette lacune par
leur excellence dans les autres disciplines. A l'époque
d'Arthur Conan Doyle, l'esprit d'émulation avait fait son
œuvre ; en philosophie, en histoire, en langues vivantes,
en lettres classiques et modernes, Stonyhurst ne craignait
personne.

La pédagogie n'en était pas moins rébarbative. Tout
était basé sur la mémoire. La spontanéité et la créativité
étaient durement réprimées. L'imagination était proscrite.
Arthur y acquit des connaissances solides et une faculté de
mémorisation phénoménale mais, sauf en allemand où un
père autrichien mettait en œuvre des méthodes plus
dynamiques, il refusa d'emblée de s'intéresser à ce qu'on
lui faisait faire. Le dogmatisme aride des Jésuites, leur
autoritarisme intellectuel le conduisaient à exercer sa
curiosité en dehors du programme. Il gardera toute sa vie
une profonde aversion pour l'esprit de système. En même
temps, le dégoût du raisonnement abstrait que lui inspirent les Jésuites le conduira à un manque certain de
discipline intellectuelle. Homme de pulsions et de passions plutôt que de raison et de réflexion, il aura une
fâcheuse tendance à prendre ses instincts pour des idées.
S'il avait mieux assimilé la rigueur jésuite, il eût peut-être
par la suite évité certains égarements.

De même qu'il était réfractaire à l'emprise intellectuelle
des Jésuites, il oppose une résistance irréductible à la
discipline. Dès son arrivée, il fut blessé par l'absence
totale de chaleur humaine. « *Je n'enverrais pas mon fils
chez les Jésuites* », écrivait-il à Ryan en 1889, « *ils*

comptent trop sur la peur, pas assez sur l'amour ou la raison ». L'instrument de punition était une épaisse lanière de caoutchouc nommée *tolley*. Un élève qui avait reçu la dose réglementaire — neuf coups sur chaque main — avait les doigts tellement enflés qu'il était incapable d'ouvrir une porte sans aide. De tous les élèves de sa génération, Arthur Conan Doyle fut celui qui accumula le plus de punitions. « *Naturellement sensible à la bonté et à l'affection, qu'on ne me montrait jamais* », expliqua-t-il, « *je m'insurgeais contre les menaces et ressentais un orgueil pervers à montrer que la violence n'aurait pas raison de moi.* » Gardons-nous de voir ici le plaidoyer du délinquant qui prétend être seulement un incompris. C'est plutôt que le règlement draconien avait réveillé les instincts batailleurs du gamin qui courait les rues d'Edimbourg à la recherche d'une belle bagarre. Est-ce que les Doyle et les Pack perchés sur son arbre généalogique se seraient laissé impressionner par le *tolley* ? Bien sûr que non ; alors, lui non plus. Il suffisait qu'une règle soit édictée pour qu'il mette un point d'honneur à l'enfreindre. Le tabac étant interdit, il économise son maigre argent de poche pour acheter une pipe, qu'il fume de manière ostentatoire. Il lui a fallu longtemps, car il est aussi naïf qu'entêté, pour comprendre que sa conduite lui vaut, avec des punitions, l'estime et l'affection de ses maîtres. Les Jésuites, en effet, préfèrent le mauvais caractère à l'absence de caractère.

Aussi la rupture avec les Jésuites intervient-elle, non au niveau des méthodes pédagogiques, mais à celui de leurs finalités. Car, confusément mais irrésistiblement, Arthur perçoit la contradiction inhérente au projet éducatif jésuite.

Le catholicisme est marginal par rapport aux valeurs dominantes de la société anglaise. Ainsi que le fait remarquer le cardinal Manning, « *le langage moral et politique de ce pays est le protestantisme, comme l'anglais est sa langue maternelle* ». Le patriotisme des catholiques est suspect depuis l'époque élisabéthaine, et cette suspicion, entretenue par toute une littérature populaire dans laquelle le jeune Conan Doyle se plonge avec délices, est renforcée, à son époque, tant par la dissidence irlandaise que par le rétablissement en Angleterre de la hiérarchie catholique, que la presse présente comme la revendication par le Saint-Siège d'une souveraineté temporelle sur le territoire britannique. Pendant son séjour à Stonyhurst, le premier concile du Vatican renforce le sentiment que les catholiques, se reconnaissant dans le Saint-Siège et non dans la Couronne britannique, forment ainsi un corps étranger dans la nation.

Certains catholiques, surtout les convertis de fraîche date, s'emploient à cultiver leur différence. Le cardinal Manning voit dans l'ultramontanisme le seul moyen d'empêcher le catholicisme anglais de se fondre dans le protestantisme ambiant. A Stonyhurst même, le père Kingdon, lauréat de la Faculté de Médecine grâce à une brillante dissertation sur les rapports entre la science et la religion, se distingue, après sa conversion, par un refus de la société anglaise qui est aussi un refus du monde moderne. D'autres préfèrent promouvoir le rayonnement de l'Eglise par l'intégration des catholiques dans les élites du pays.

Le père Purbrick, recteur de Stonyhurst, malgré ses convictions ultramontaines, est un partisan résolu de l'ouverture. Sous sa direction, Stonyhurst ressemblera autant que possible aux autres collèges anglais. D'où sa volonté de voir ses équipes sportives rencontrer celles des collèges protestants. D'où son attachement à l'examen d'entrée à l'Université de Londres. D'où le prestige de la carrière militaire. Chaque fois qu'un ancien élève est décoré, c'est la fête au collège. Le jeune père Wellesly est l'objet d'un culte, car c'est le propre neveu du grand Wellington. Malgré la présence d'élèves irlandais dont le loyalisme envers la Couronne est tout relatif, Stonyhurst est, de tous les collèges anglais, celui où les démonstrations de patriotisme sont les plus exubérantes.

Cette volonté d'ouverture et d'assimilation, ce patriotisme hautement affiché, sont tout à fait du goût du jeune Arthur. C'était la stratégie de son grand-père. C'était l'assurance que la synthèse réalisée par sa mère entre la tradition catholique des Doyle et son propre héritage protestant était valable. C'était, surtout, conforme à la vision de l'univers qu'il s'était lui-même forgée au fil de ses lectures.

Son parrain, Michael Conan, qui avait appris l'anticléricalisme à Paris, lui avait envoyé les œuvres de l'historien Macaulay. A la différence du discours aride des Jésuites, Macaulay parle à l'imagination autant qu'à la raison. En effet, Macaulay est à l'Angleterre ce que Michelet est à la France ; un grand écrivain qui, par la puissance de son verbe plus que par le sérieux de sa documentation, se fait l'artisan des mythes fondateurs de l'identité nationale. Pour Macaulay, l'identité anglaise se forge dans l'évolution qui, partant de l'arbitraire royal, aboutit à l'Etat de droit incarné dans le régime parlementaire, et son instrument essentiel est la mentalité protestante. Le jeune Arthur accepte en bloc et sans réserve cette histoire protestante d'autant plus volontiers qu'elle est confirmée par tous les livres d'aventures qu'il dévore insatiablement. S'il lit des Français comme Jules Verne (dans le texte, sa mère avait insisté) ou des Américains comme Oliver Wendell Holmes, son choix se porte surtout sur des auteurs anglais. Il n'existe pas de livre d'aventures anglais mettant en scène un héros catholique. Au contraire, la supériorité protestante est constamment affirmée. Comme il est normal chez un adolescent en mal d'évasion, le jeune Arthur se sent solidaire de ses héros. Il se reconnaît donc dans la volonté jésuite d'ouverture sociale, dans le maintien de la spécificité religieuse seulement dans la mesure où celle-ci n'empêche pas celle-là. L'éloignement de sa famille, son isolement parmi ses camarades, caché par une camaraderie superficielle, la froideur de ses maîtres, avaient créé chez lui un immense vide affectif qu'un sentiment généreux de solidarité humaine et un patriotisme exalté lui permettent de combler. Il faut donc qu'il n'y ait aucune incompatibilité entre catholicisme et patriotisme. Il ne peut ni ne veut prendre en compte les doutes qu'auraient pu faire naître à ce sujet la montée de l'ultramontanisme ou l'anti-catholicisme qui revient comme un leitmotiv dans ses lectures préférées. Et puis, soudain, ses doutes refoulés reçoivent une éclatante et irréfutable confirmation.

Lors d'une retraite prêchée à Stonyhurst, le père Murphy, jésuite irlandais, déclare catégoriquement, avec toute l'autorité de l'infaillibilité papale récemment proclamée, que tous les non-catholiques sans exception sont condamnés inévitablement et sans appel à la damnation éternelle. Ainsi le veut la doctrine de l'Eglise. Arthur Conan Doyle est traumatisé par cette méchanceté absurde et sectaire. Il ne veut ni ne peut rester solidaire d'une Eglise qui se désolidarise ainsi de ses compatriotes. Le père Murphy, que l'idée de damner éternellement la quasi-totalité de la population anglaise remplissait d'une évidente satisfaction, confirmait les thèses de Macaulay et tant d'autres de moindre envergure : le catholicisme est un ramassis de superstitions émanant des sociétés arriérées du Sud de l'Europe, et l'Eglise romaine une institution obscurantiste, ennemie de toute liberté, servie par un clergé borné et mesquin au point d'être fermé à toute charité chrétienne. Il ne veut pas de cette Eglise-là, surtout si elle le coupe de sa patrie et du rôle qu'il pourrait jouer dans son avenir. Macaulay lui avait appris comment la Grande-Bretagne était devenue le pays le plus évolué, le plus libre du monde ; Disraeli, dans ses discours à Manchester et au Crystal Palace en 1872, avait invité l'Angleterre à vivre son épopée impériale comme une grande aventure. Arthur Conan Doyle veut en être. Il ne

se voit pas au premier rang ; il est trop modeste pour cela.
Il se destine à une carrière, humble mais utile, d'ingénieur
des travaux publics. Construire des routes et des ponts
dans quelque lointaine colonie, participer à sa manière à
la mission civilisatrice de l'Empire britannique lui semble
une entreprise humaine autrement exaltante et généreuse,
et autrement utile, que le repli stérile dans un dogmatisme
haineux que lui propose l'Eglise.

Les Jésuites sont des éducateurs trop expérimentés pour
ignorer ce qui se passe dans la tête et le cœur de leurs
élèves. Arthur est d'ailleurs trop honnête, trop naïf aussi,
pour cacher ses sentiments. Ses maîtres, à sa grande
surprise, ne s'en offusquent point. Ils se sont engagés
auprès de sa mère à assurer son éducation ; ils tiendront
leur promesse. Charles Doyle est scandalisé, mais Arthur
ne se reconnaît guère de devoir filial envers cet homme
qui avait tant négligé son rôle de père. Quant à sa mère, la
personne au monde qui compte le plus pour lui, son
catholicisme n'est pas profond et ses vues sur l'étroitesse
d'esprit du clergé catholique rejoignent celles de son fils.
Les Jésuites s'arrangent pour que le fait qu'il ne fréquente
plus les sacrements ne soit pas un sujet de scandale.
Arthur, qui tient à respecter les croyances des autres
comme il veut que les siennes soient respectées, accepte
sans mal d'observer la plus grande discrétion sur son
évolution religieuse. En apparence, donc, rien n'est
changé à sa vie. En 1875, il présente l'examen d'entrée à
l'Université de Londres. Il est quelque peu surpris d'apprendre qu'il est reçu, encore plus étonné quand les
Jésuites, le trouvant, à seize ans, trop jeune pour entrer en
Faculté, l'intègrent au petit groupe de privilégiés qui iront
passer un an dans le collège jésuite à Feldkirch, en
Autriche.

C'est sans regret qu'Arthur Conan Doyle quitte Stonyhurst. Il y a beaucoup appris et beaucoup souffert. Sa
personnalité s'est affirmée. Les Jésuites avaient trouvé en
lui tout le contraire d'un sujet malléable, mais ils n'en

laissent pas moins dans son imagination une marque indélébile. Leur attachement hargneux au dogme le fait frémir, mais leur intelligence, leur abnégation au service de l'Eglise, leur désintéressement, leurs victoires quotidiennes sur les faiblesses de la chair, lui imposent un respect admiratif. Il ne trouve jamais chez eux cet esprit retors que la légende leur attribue ; il leur reproche plutôt la brutalité de leur franchise. Leur discipline est sévère, mais administrée avec une impartialité parfaite et fondée, non sur le plaisir malsain de faire souffrir, mais sur une analyse lucide et pessimiste des exigences de la vie en collectivité. S'ils sont durs pour les autres, ils le sont encore plus pour eux-mêmes. Ils sont inhumains, mais leur inhumanité a quelque chose de noble dans sa force et sa sincérité. C'est un type d'homme qui fascine Arthur Conan Doyle autant qu'il le rebute. Dans ses raisonnements froids, dans son idéal abstrait de justice, dans son mépris des sentiments humains et son invulnérabilité aux tentations, dans ses manies de célibataire endurci, dans ses sarcasmes et dans son orgueil intellectuel, Sherlock Holmes est un père jésuite.

III

LE GRAND PLONGEUR DU NORD

L'Université d'Edimbourg est une grande
machine indifférente, mais ceux qui ont reçu son
diplôme sont formés pour la vie.

Girdlestone & Cie

Pendant ses études à Edimbourg, Arthur s'efforcera de
partir aussi souvent et aussi loin que possible. Il réussira
notamment à se faire nommer médecin à bord du
baleinier-vapeur *Hope* pour la campagne de 1880. Il
montre alors une telle aptitude à tomber à la mer que les
matelots le surnomment *le grand plongeur du Nord*. La
vie n'est pas moins dangereuse que les mers arctiques. Le
jeune homme se trouve confronté à des situations bien
difficiles, dont il ne se tirera que grâce à sa formidable
santé physique et morale. Sa santé physique est un don de
la nature. Sa santé morale, il la doit à l'exemple de sa
mère, à l'enseignement des Jésuites et, surtout, à l'expérience chèrement acquise à cette rude école qu'est l'Université d'Edimbourg.

Il se trouve d'emblée plongé dans une situation familiale nouvelle. Annette et Lottie, les sœurs avec lesquelles
il avait passé sa petite enfance, sont de grandes jeunes
filles. Il connaît à peine sa troisième sœur, Connie, et son
seul frère, Innes, nés pendant ses années au collège. Sa
mère est de nouveau enceinte en cet été 1875. Pour ces
derniers enfants, et ceux encore à naître, Arthur sera
davantage un père qu'un grand frère. Alors qu'il arrive
difficilement à prendre en main sa propre destinée, il est
angoissant de se voir chargé de celle des autres, et cela

d'autant plus qu'il est dans l'impossibilité matérielle de faire face à cette responsabilité qu'un autre, heureusement ou malheureusement, assume déjà à sa place. En effet, les Doyle présentent, à son retour de Stonyhurst, les apparences d'une prospérité inhabituelle. Il ne retournera pas dans le sordide petit logement de son enfance : la famille vient de s'installer dans un bel appartement aéré, en bordure d'un parc, dans le meilleur quartier résidentiel de la ville. Le loyer de ce beau logis est le double de celui de l'ancien, mais ce n'est pas Charles Doyle qui le paie. Ce luxe est dû à un nouveau venu : Bryan Charles Waller.

Ce Waller est un jeune homme qui a du talent, de l'ambition et de la fortune. Issu d'une vieille famille anglaise — un aïeul fit prisonnier le roi de France à Poitiers en 1556 — qui compte autant de poètes que de soldats, il monte d'abord à Londres depuis son Yorkshire natal. La poésie et les mathématiques sont ses violons d'Ingres, la médecine, sa carrière et sa vocation. Tout en commençant sa médecine, il fréquente surtout les poètes. Avec un premier recueil de vers en 1875, il estime avoir assez sacrifié aux Muses ; il quitte donc Londres pour achever ses études médicales dans la faculté de médecine la plus réputée du monde anglophone, celle d'Edimbourg. Ses fréquentations littéraires l'avaient amené à approcher les Doyle londoniens. Dès son arrivée dans la capitale écossaise, il se met en quête de Charles Doyle. L'alcoolisme de celui-ci n'est pas évident à première vue ; le jeune Anglais ne voit en lui qu'un compagnon cultivé qui a ses entrées partout, et dont l'épouse montre des talents de maîtresse de maison que déshonore le taudis insalubre où elle les exerce. Bien qu'encore étudiant, Waller vise déjà une chaire à la Faculté aussi bien qu'une clientèle privée. Ces ambitions exigent une implantation sociale qu'un étranger isolé ne peut réussir seul ; Charles Doyle, avec ses relations, et son épouse, avec ses dons de maîtresse de maison, peuvent lui apporter un concours précieux. C'est ainsi que les Doyle se voient installés dans un appartement de grand standing, où Waller compte sur eux pour l'aider à recevoir ses futurs clients et invités. Entre le jeune Waller et les Doyle, il existe d'ailleurs une amitié réelle, qui résistera à la découverte de l'alcoolisme de Charles Doyle. Waller a beau être égoïste, vaniteux et dominateur, il a un sens aristocratique de l'honneur — qui plaît à Mary Foley Doyle — et qui lui interdit d'abandonner ses amis. La famille Doyle devient vite la sienne ; aussi Charles Doyle trouvera-t-il en lui un médecin discret et consciencieux. Et puis, le jeune Waller compte faire d'Annette, la fille aînée, la future Mme Waller.

Il acquiert rapidement une influence décisive dans les affaires de famille. Arthur en fait rapidement l'expérience. Son projet de s'inscrire à l'école d'ingénieurs avec son ami d'enfance William Burton doit être abandonné ; Waller insiste pour qu'il fasse sa médecine. La médecine n'a pour Arthur aucun attrait particulier, mais il croit devoir se conformer aux vœux de ses parents qui, eux, n'ont rien à refuser à Bryan Charles Waller.

C'est donc un futur étudiant en médecine qui, à la fin de l'été 1875, s'en va passer sa dernière année chez les Jésuites à Feldkirch, en Autriche. La discipline est moins sévère qu'à Stonyhurst et, fait non négligeable pour un jeune colosse qui, à 16 ans, fait déjà 1,83 m et 90 kg, le régime alimentaire est bien meilleur. Arthur s'amuse à faire le journal du collège ; il joue du bombardon dans l'orchestre, uniquement, il est vrai, parce qu'il est le seul capable de supporter le poids de l'instrument. L'Autriche, avec ses paysages grandioses, ses paysans solides, ses bourgeois tranquilles, lui plaît infiniment ; il la choisira comme décor de quelques-unes de ses premières nouvelles.

Ce séjour à Feldkirch aura une influence déterminante sur sa conception du patriotisme. Il n'y a de sa part aucun rejet des cultures étrangères. Tout en se plongeant dans le romantisme allemand, il rédige sa correspondance en français, pour plaire à sa mère. Il sera ainsi l'un des rares

auteurs britanniques à posséder et une formation scientifique et une réelle compétence en deux langues étrangères.
Sa fréquentation de Goethe, de Richter, de Heine, le
rapproche de compatriotes d'inspiration allemande, tels
que Carlyle. Tout en s'ouvrant aux influences intellectuelles, il constate que les élèves anglophones forment un
bloc indissociable ; la langue est un facteur de différencia-
tion incontournable. Constatation moins banale qu'il n'y
paraît, car le patrimoine culturel anglais n'est pas l'apa-
nage d'une seule nation. Arthur est mieux placé que
quiconque pour savoir que le Royaume-Uni est une entité
politique composite. Partagé entre ses ascendances irlandaises, ses origines écossaises et cette Angleterre où les
membres les plus éminents de sa famille avaient élu
domicile, il se résout, dès Feldkirch, à dépasser d'abord
les jalousies nationales britanniques pour ensuite œuvrer,
car il pratique beaucoup les auteurs américains, à l'unité
morale, intellectuelle et même politique du monde anglophone.

C'est aussi à Feldkirch qu'il lit Edgar Allan Poe. Tout
en admirant sa maîtrise, il trouve chez Poe une morbidité
étrangère à sa vie chez les Jésuites autrichiens. Il sait qu'à
Edimbourg l'attendent des études ardues qu'il aura à
mener à bien dans des conditions morales et matérielles
difficiles. Il tient à profiter au mieux de ce repos avant
d'entrer dans la lutte pour la vie ; il tient aussi à s'y
préparer et, pour ce faire, l'évangile de l'effort selon
Carlyle est plus utile que la décadence macabre d'un Poe.

Waller, entre-temps, ne cesse d'adresser au jeune
Arthur, qu'il considère comme son protégé, manuels de
mathématiques et traités scientifiques, assortis d'exhorta-
tions philosophiques. *Faire est un mot plus beau que
Croire,* écrit-il, *Action une meilleure devise que Foi.*
Arthur partage assez ce point de vue, mais le ton lui
déplaît. Waller a beau mépriser toutes les Eglises, il
prêche comme un missionnaire. Ayant passé sept années
de sa jeune existence à résister à l'emprise des Jésuites, il

ne veut pas succomber à celle d'un garçon d'à peine six
ans son aîné. Feldkirch est une trêve entre deux combats,
trêve qui se prolonge, sur le retour, par une visite chez son
parrain, Michael Conan, à Paris. Conan est vieux et
fatigué ; Waller est jeune et dynamique. Cette visite
parisienne, Arthur le ressent non sans trépidation, représente une passation de pouvoir.

Waller devient *Bachelor of Medecine* au printemps de
1876 ; Arthur entre en Faculté à la rentrée d'automne. Le
climat familial se complique en se dégradant. Jane Doyle
naît en 1875, suivie en 1877 par une dernière fille qui, en
l'honneur du bienfaiteur, sera baptisée Bryan Mary.
Entre-temps, Charles Doyle avait été mis à la retraite
d'office. Il n'a que 47 ans, mais il a trente ans d'ancienneté
dans son poste, ce qui lui vaut une retraite de £150. Cette
diminution de ressources, alors que son salaire était déjà
insuffisant, accroît la dépendance des Doyle vis-à-vis de
Waller, dépendance qui n'est pas que financière. Charles
Doyle, malgré des tentatives pour relancer son activité
d'artiste, ne résiste pas à l'oisiveté forcée. Son alcoolisme
s'aggrave, les premiers signes d'épilepsie apparaissent.
Waller se charge de le soigner, se créant ainsi un titre de
reconnaissance de plus que les Doyle ne peuvent honorer.

Bryan Charles Waller est de plus en plus le véritable
chef de cette famille qui compte maintenant sept enfants,
dont trois en bas âge. A la mort de son père en 1877,
Waller hérite de ses terres à Masongill, dans le Yorkshire,
et de sa fortune, ce qui lui permet d'installer les Doyle
dans un appartement encore plus grand, encore plus beau
— et deux fois plus cher — situé au 23 George Square. Cet
hôtel particulier, qui abrite aujourd'hui l'aumônerie
catholique de l'Université, est une adresse encore plus
prestigieuse que celle qu'ils quittent à Argyle Park Terrace. Le mode de vie des Doyle, dans ces deux appartements, servira de modèle pour le 221B Baker Street, avec
Waller dans le rôle de Holmes et Mary Foley Doyle dans
celui de Mrs Hudson, alors qu'Arthur s'attribue, modeste-

ment, celui de Watson. Waller, en effet, comme
Holmes, reçoit ses clients au salon, parfois en présence
d'Arthur qui, humble étudiant, se laisse éblouir par les
brillants exposés du maître. Le salon d'Argyle Park
Terrace possède, d'ailleurs, une belle baie vitrée comme
celle décrite dans *Le diadème de béryls* et qui, au grand
dam des sherlockiens, n'orne aucune façade de Baker
Street. La coutume qui consiste à assortir les numéros
des rues de A et de B est rare à Londres mais courante
à Edimbourg, notamment à George Square. Le Londres
de Sherlock Holmes, comme celui de *Dr Jekyll et Mr
Hyde,* rappelle étrangement Edimbourg.

Sans doute de nombreux camarades d'Arthur, logés
dans des chambres de bonnes glaciales et mangeant à
leur faim un jour sur trois, lui envient-ils le luxe de
George Square; Arthur le fuit. Les crises, alcooliques
ou épileptiques, de son père provoquent disputes, récri-
minations, stratagèmes pour cacher la réalité aux voisins. Waller devient plus difficile à vivre. Ayant obtenu
la médaille d'or de la Faculté pour une thèse brillante
préparée en deux ans seulement, il se fait nommer
chargé de cours en pathologie. Le titulaire de la chaire
est malade, mais Waller n'est pas seul à briguer la
succession, et son arrogance lui vaut des inimitiés
solides et durables. Ces difficultés professionnelles s'accompagnent de frustrations personnelles. Charles Doyle
absorbe un temps et une énergie qu'il aurait voulu
consacrer à ses recherches et à sa carrière. Sa volonté
d'exercer un droit de regard sur les études, les opinions,
les fréquentations d'Arthur se heurte à une résistance
respectueuse mais ferme. Surtout, la cour qu'il fait à
Annette Doyle rencontre, de la part de la jeune fille,
une opposition constante et, pour Waller, incompréhen-
sible. Cette ambiance passionnelle, où les conflits couvent sous les apparences de l'harmonie, est pénible, et
la présence de très jeunes enfants la rend encore plus
épuisante. Annette, quant à elle, ne trouve d'autre issue

que dans la fuite ; dès 1879, elle accepte un poste de gouvernante dans une famille portugaise à Lisbonne.

Waller ne figure pas dans l'autobiographie d'Arthur Conan Doyle : celui-ci se borne à indiquer que sa mère prit un hôte payant, et que les conséquences furent désastreuses. S'il pouvait éliminer Waller de ses souvenirs, il ne pouvait le bannir de sa vie. Devant ce despotisme qui se voulait bienveillant, cette présence envahissante et pourtant indispensable, la seule solution, pour Arthur comme pour Annette, était la fuite.

Alors que les universités anglaises couvent jalousement leurs étudiants, celle d'Edimbourg, une fois ses droits d'inscription touchés, ne s'intéresse pas aux siens. Arthur ne tarde pas à l'apprendre. Ayant sacrifié l'été 1876 à l'étude, il remporte une bourse de £40 mise au concours par l'Université. La somme est importante, mais il ne la touche pas ; elle est versée par erreur à un autre candidat. Arthur n'aura ni compensation ni excuses ; un règlement obscur s'y oppose. La rage au cœur, il se résigne à l'injustice. Bientôt, cependant, il comprend que l'indifférence de l'autorité universitaire a du bon, car si l'étudiant n'est pas pris en charge, il n'est assujetti non plus à aucune obligation. Arthur en profite pour partir le plus souvent et le plus longtemps possible ; de retour à Edimbourg, il prétexte du besoin de boucler le programme de l'année en quelques mois pour se réfugier dans le travail.

Pour la médecine, il ne montre ni goût ni aptitude particuliers. Rien dans ses études chez les Jésuites ne l'avait préparé aux disciplines scientifiques. Les Jésuites l'avaient cependant doté d'un atout capital : une faculté de mémorisation phénoménale. Grâce à elle, il sera reçu, sans éclat, à tous ses examens. C'est un étudiant solide plutôt que brillant. Rappelons cependant que 10 % seulement des étudiants inscrits en première année seront diplômés. Encore plus rares sont ceux qui, comme Arthur, ne redoublent jamais. Son parcours sans faute, même avec douze de moyenne, est une performance.

La conscience qu'il a de ses propres limites accroît le respect admiratif qu'il accorde à ses professeurs. L'âge d'or d'Edimbourg touche à sa fin — le départ de Lister pour Londres en 1877 est significatif — mais les mandarins sont des personnages plus grands que nature, auréolés souvent d'une réputation internationale et enclins à des polémiques virulentes qui se prolongent souvent par des pugilats entre leurs disciples. Arthur y participe parfois, non par adhésion à l'une des thèses en présence mais par simple goût de la bagarre. Il est particulièrement impressionné par Rutherford, avec sa voix tonitruante et sa barbe carrée, aussi brillant et agressif en chaire que timoré et discret dans la vie privée. Arthur l'immortalisera sous les traits du Professeur Challenger. Tous les professeurs se doivent d'être des originaux. L'originalité de Joseph Bell, professeur de chirurgie, réside dans ses déductions fulgurantes. Il suffit de lui présenter un individu pour que Bell pose un diagnostic assorti d'un récit exact de sa vie antérieure, sa situation familiale, sa profession, le tout mis en scène avec un goût théâtral parfois douteux. Ses connaissances de l'allemand — Bell a parfois besoin de traductions — valent à Arthur d'être choisi comme assistant. Il a donc tout loisir d'étudier les méthodes du maître, qu'il prêtera par la suite à Sherlock Holmes. Son rôle d'assistant n'autorise aucune familiarité ; quand Arthur rencontre Bell par hasard à l'île d'Aran, il n'ose même pas le saluer, tout étonné qu'il est de voir un pareil demi-dieu faire quelque chose de si banal que de prendre des vacances. Comme les Jésuites sacrifiaient tout à l'Eglise, les professeurs d'Edimbourg sont dévoués à la science ; Arthur souffre de rencontrer le même dogmatisme, la même étroitesse d'esprit, la même froideur, le même manque de chaleur humaine.

Cette chaleur humaine, il la retrouve chez ses camarades. Il n'a guère d'amis intimes, mais c'est le plus sociable des hommes. Il n'a ni l'argent ni le temps pour les interminables beuveries qui sont la distraction préférée des apprentis-carabins, et l'exemple de son père est un avertissement solennel, mais il apporte sa contribution. Les étudiants adorent chanter pour se donner soif ; les couplets les plus appréciés, parce que les plus outrageusement diffamatoires pour le corps enseignant, sont l'œuvre d'Arthur Conan Doyle.

Il préfère cependant l'air pur et l'effort physique à l'atmosphère enfumée des arrière-salles de bistrot. Son ami Burton l'initie à la photographie. Ils partent ensemble pour des expéditions, dont le récit, publié dans la presse spécialisée et assorti de détails techniques d'autant plus précis qu'ils sont imaginaires et de conseils absolument inopérants, permet d'amortir les frais. Il y est notamment question d'un trépied parfaitement rigide qui suscite chez les lecteurs du *British Journal of Photography* un enthousiasme mal venu dans la mesure où cet appareil possède toutes les vertus sauf celle d'exister. Ces expéditions conduisent les amis vers les îles écossaises et même chez les cousins Foley en Irlande.

Arthur est privé de cricket, car ce sport, étant le jeu national anglais, est de ce fait peu pratiqué en Ecosse. En revanche, il continue à s'entraîner à la boxe, il s'initie au rugby. Sa taille, son poids et sa vaillance en font un joueur de première classe. Il représente son Université ; s'il avait été disponible tout le long de la saison, il eût même pu connaître les honneurs internationaux.

En effet, il ne portera jamais le maillot bleu de l'Ecosse surtout parce qu'il doit faire ses preuves sur d'autres terrains que ceux de rugby. Certains certificats nécessaires à l'obtention du diplôme de médecin sanctionnent des stages d'application et sont délivrés par des praticiens agréés par la Faculté à cet effet. Arthur choisit ses stages le plus loin possible d'Edimbourg, et il les prolonge, dès qu'ils sont rémunérés, inconsidérément. Il retourne à plusieurs reprises chez le Dr Radcliff Hoare, dans la banlieue de Birmingham, où il trouve l'ambiance familiale qui faisait tant défaut à George Square. Il finit, en effet, par être moins un stagiaire qu'un fils de la famille. On peut tout obtenir d'Arthur Conan Doyle quand on le prend par les sentiments, et le Dr Hoare, pour son bien, l'accable de travail. Il commence par faire office de préparateur en pharmacie ; les généralistes confectionnent eux-mêmes les médicaments qu'ils prescrivent, ce qui représente une part considérable de leurs gains. Le Dr Hoare a une clientèle si nombreuse qu'il use cinq chevaux dans sa tournée quotidienne. Arthur, au fur et à mesure que ses études progressent, se voit confier des tâches de plus en plus difficiles. C'est sur l'attestation du Dr Hoare qu'il obtient son certificat de gynécologie ; quand on a, comme Arthur, officié à quelques centaines d'accouchements dans les taudis de Birmingham, on n'a plus grand-chose à apprendre d'un cours magistral dispensé en Faculté.

Il profite de ses rares loisirs pour lire, certes, mais aussi pour tomber amoureux, souvent plusieurs fois par semaine. Miss Elmore Welden, une plantureuse blonde irlandaise, l'impressionne particulièrement, mais elle n'est pas la seule. Sa mère s'inquiète de sa versatilité. « *Mes intentions sont pourtant honorables* », lui écrit-il. « *J'espère bien* », répond Mary Foley Doyle. C'est aussi à Birmingham qu'il se met à écrire. Un correspondant — sans doute Waller — remarque qu'il a un joli brin de plume ; pourquoi ne pas en tirer profit ? Sa première nouvelle, *Le mystère de Sassassa Valley,* paraît dans *Chamber's,* une revue d'Edimbourg, en septembre 1879. Les quelques livres qu'elle lui rapporte le poussent à récidiver, mais sans grand succès ; une seule nouvelle est publiée en 1880, trois en 1881. On comprend la réticence des directeurs de revue à acheter sa prose ; il s'agit de récits d'aventures sans grande originalité, plantés dans des décors lointains — choisis parce que les lecteurs ne les connaissent pas mieux que l'auteur — et qui ne sont rachetés que par un certain humour bon enfant. L'humour est en effet une qualité toujours sous-estimée chez

Arthur Conan Doyle, et qui semble avoir échappé à ses traducteurs. Il n'en reste pas moins qu'il aurait fallu un œil particulièrement averti pour deviner que ce jeune plumitif serait un jour un écrivain.

Ce n'est que plus tard que l'expérience vécue à Birmingham nourrira son œuvre. Dans l'immédiat, ses longues journées, coupées d'un court repos où il dévore un livre en guise de déjeuner, dans les quartiers les plus défavorisés d'une grande ville industrielle le replongent dans la misère qui avait entouré sa petite enfance. Il réapprend la solidarité et la générosité des pauvres. La tristesse de ces vies sordides suffit à le prévenir contre tout romantisme déplacé, mais la richesse humaine qui se cache aussi dans ces ruelles sales ravive chez lui un idéalisme que l'aridité scientiste de la Faculté avait éteint. Une maladie est seulement un problème scientifique, mais un malade est un homme à secourir; quand le médecin se présente comme le chevalier des temps modernes, Arthur Conan Doyle est prêt à se donner à la médecine.

Il avait espéré obtenir son diplôme en quatre ans; il lui en faut cinq, à cause des sept mois passés dans les mers arctiques sur le baleinier-vapeur *Hope*. En février 1880, Arthur, impulsif comme toujours, accepte de remplacer, au pied levé, le médecin de bord défaillant. Une dispute violente éclate au moment même de son arrivée à bord. Il croit devoir s'interposer entre les combattants, ce qui l'amène, au cours de l'échauffourée qui s'ensuit, à décrocher la mâchoire de l'officier en second. Celui-ci ne lui en tient pas rigueur, et l'incident lui vaut une popularité immédiate. L'équipage est ravi d'avoir un médecin plus apte à distribuer plaies et bosses qu'à les soigner. Les matelots du *Hope* sont de ceux qui meurent avant de se porter malades. Par conséquent, Arthur n'a pas grand-chose à faire, sauf arbitrer les querelles, souvent à coups de pied et de poing, et tenir compagnie au commandant. Comme cela ne lui suffit pas, il participe au travail de l'équipage. Sa maladresse le fait tomber à la mer deux fois le premier jour, mais il se dégrossit vite. Quand on chasse le phoque sur la banquise, il est de la partie ; quand la vigie signale une baleine, il est le premier dans les canots. Son apprentissage est si bien réussi qu'à la fin de la campagne, on lui propose un engagement, non comme médecin mais comme harponneur.

L'effort physique intense, l'air pur, le froid antiseptique lui procurent un merveilleux sentiment de bien-être, alors que l'immensité de l'Arctique l'incite à la réflexion. Sous la luminosité de la nuit crépusculaire, debout sur le pont, un livre ouvert à la main, il médite les origines de l'univers et les fins de l'homme. Son rejet du catholicisme était motivé par le sectarisme des catholiques ; ce qu'il reprochait à l'Eglise, c'était de manquer de charité chrétienne. A l'Université, c'est tout l'édifice doctrinal du christianisme qui est détruit par ce tremblement de terre intellectuel qu'était le darwinisme. Tous les scientifiques se rejoignent dans le rejet du récit biblique des origines de l'univers. Arthur reste fermement attaché à la morale chrétienne, tout en étant persuadé qu'elle n'a aucun fondement intellectuel sérieux. De même, la seule explication de l'univers qui soit scientifiquement respectable, le matérialisme, ne permet de dégager aucune morale. Dans l'Arctique, avec cette banquise qui s'étend à l'infini et ce soleil qui ne se couche jamais, il est facile d'imaginer un univers immense et impersonnel, régi par ses propres lois et indifférent aux agissements de l'animal humain. Mais, de même que cet univers vide n'est qu'à quelques jours de navigation des villes animées d'Ecosse, sa propre vie lui semble incompatible avec un univers matérialiste. Comment croire que l'homme est seulement, pour employer une expression qui reviendra souvent sous sa plume, *trois seaux d'eau et une poignée de sel* ? Comment croire que toute émotion n'est qu'un état physiologique, que l'amour qu'il porte à sa mère, ou ce mélange d'audace et de timidité qui le remplit quand il regarde une jolie fille, ne sont que des réactions chimiques ? Comment croire, lui si féru des hauts faits de ses ancêtres, qu'il ne reste rien de l'homme après la mort ? Il s'accroche à une parole de Carlyle, qui disait que rien n'est perdu, que tout retourne dans le vaste réservoir de la Nature, où il servira aux générations futures. En réalité, Arthur subit le matérialisme faute de savoir le réfuter mais, dans son for intérieur, il ne l'accepte pas ; il attend autre chose.

En attendant, il faut vivre. Quand le *Hope* regagne l'Écosse, Arthur touche la cinquantaine de souverains qui sont sa part des fruits du voyage. Il coud les pièces étincelantes dans divers endroits de la doublure de ses vêtements pour que sa mère ait le plaisir de les découvrir une à une. Le geste a beau être enfantin, Arthur, parti adolescent, est maintenant un homme. Il a encore grandi et forci ; il a fait le bilan de ses possibilités et de ses limites. Il est tout entier tendu vers deux buts : subvenir aux besoins de sa famille et, dès que la réalisation de cet objectif lui en donnera le loisir, percer le mystère de l'homme dans l'univers.

Il est reçu *bachelor of medecine* au printemps de 1881. Ainsi muni de ce qu'il aime appeler son *permis de tuer,* il cherche sa voie. Il n'a pas les moyens de s'établir à son compte. Il songe à l'armée, à la Compagnie des Indes, mais sa mère s'y oppose. Ses démarches pour obtenir un internat échouent. Il semble condamné à servir d'assistant à Waller quand, un jour d'octobre, arrive un télégramme en réponse à une demande d'emploi qu'il avait oubliée, tant ses lettres infructueuses avaient été nombreuses. Il n'hésite pas un instant à se plonger de nouveau dans l'inconnu ; la semaine suivante le trouve en rade de Liverpool, à bord du *Mayumba,* en partance pour l'Afrique occidentale.

Les tropiques lui réussissent moins bien que l'Arctique. Deux fois, le jeune médecin frôle la mort : une première fois quand, par pure bravade, il fait le tour du navire à la nage parce que des requins sont signalés dans les parages, une seconde fois quand il succombe presque à la fièvre à

Lagos. Ses récits de cette croisière font ressortir une ambivalence vis-à-vis des populations africaines ; celles-ci sont tantôt des singes malodorants, tantôt de braves paysans, victimes de la rapacité européenne. La première attitude reflète les thèses évolutionnistes apprises en Faculté, selon lesquelles les races noires représenteraient un stade inférieur de l'évolution humaine. La seconde s'inspire de sa rencontre avec un Noir américain remarquable, Henry Highland Garnet. Celui-ci, en route pour un poste diplomatique au Liberia, est un vieux militant anti-esclavagiste. Tout au long de leurs trois jours de discussions à bord du *Mayumba,* les certitudes du jeune impérialiste imbu de la supériorité européenne sont confrontées à l'expérience de l'oppression — Garnet est né esclave — vécue par un homme qui, ayant beaucoup lutté, beaucoup médité, beaucoup prié, rayonne de la sagesse que donne l'acceptation dans la foi d'une mort qu'il sait prochaine. Le choc donnera un chef-d'œuvre, *La déposition de Habakuk Jephson,* et marquera l'ensemble de son œuvre, car, s'il retrouve assez vite son assurance un moment ébranlée, la hantise d'une revanche des vaincus de l'histoire ne le quitte jamais. On touche là à l'une des clés de sa maîtrise de la nouvelle d'épouvante.

Cela, c'est encore l'avenir. Il est encore au stade où l'expérience s'engrange dans la conscience ; il faudra du temps pour la faire fructifier. Dans l'immédiat, il retire de la croisière malheureuse du *Mayumba* — le navire prit feu sur le retour et eut bien du mal à regagner Liverpool — la conviction que la médiocrité cossue de la vie d'un médecin de bord est à la fois un piège moral et une impasse professionnelle. Désormais, il cherchera son salut sur la terre ferme.

Justement, dès son retour en janvier 1882, une planche de salut lui est offerte par sa famille londonienne. Ses oncles, un peu tardivement, s'intéressent au jeune homme. Il est convoqué à Londres pour un conseil de famille. L'occasion est solennelle. Il leur avait déjà fait deux brèves visites à Londres, mais c'est la première fois qu'il est convié à prendre place à la fameuse table de Cambridge Terrace, cette table où Dickens et tant d'autres s'étaient assis avant lui. Ses oncles n'ont ni poste ni argent à lui proposer, mais ils ont des relations. Qu'Arthur s'installe dans la ville de son choix : ses oncles, par l'entremise de l'évêque du lieu, se font fort de lui obtenir sans délai toute la clientèle catholique. L'Eglise n'est-elle pas une grande famille, et les Doyle parmi ses enfants préférés ? Arthur est scandalisé. Tout de go, il déclare qu'il n'est pas médecin catholique, ni même catholique tout court. C'est au tour de ses oncles de se scandaliser. Dans toutes les annales de la famille, c'est la première fois qu'un Doyle renie l'Eglise romaine. Chacun étant sûr de sa bonne foi et de son bon droit, le ton monte ; on se traite de bigot et de traître, de sectaire et de renégat. N'était l'âge respectable de ses oncles, on en serait venu aux mains. Toujours est-il qu'entre Arthur et sa famille londonienne les ponts sont coupés.

De retour à Edimbourg, Arthur constate que les portes se ferment les unes après les autres, alors que la famille semble sur le point de se désagréger. Lottie et Connie ont déjà suivi Annette à Lisbonne. L'état du père est tel qu'il est question de l'hospitaliser définitivement. Waller, n'ayant pu obtenir la chaire qu'il convoitait, n'a guère de raison, en l'absence d'Annette, de rester à Edimbourg, d'autant plus que la résidence sur ses terres à Masongill est une condition de son héritage à laquelle il ne peut plus longtemps se soustraire, sous peine de perdre son bien. Etant donné le départ, effectif ou imminent, de la moitié de la famille, on prend un appartement plus petit à Lonsdale Terrace. Waller reste, en effet, ce qu'il a toujours été : à la fois un rempart et un reproche. Un rempart, parce qu'il fait vivre la famille, un reproche parce qu'en l'absence de son père, c'eût été normalement à Arthur de le faire. L'amitié reconnaissante et admirative qu'Arthur voue à Waller se teinte plus que jamais d'une jalousie refoulée, née du désir d'accéder à l'indépendance pour lui-même et pour sa famille. Seulement, jeune médecin désargenté et sans emploi, il ne voit aucun moyen d'y parvenir. Quant à vivre de sa plume, malgré ses quelques nouvelles publiées, l'idée ne lui vient jamais à l'esprit.

Vers la fin du printemps 1883, il reçoit une proposition alléchante d'un camarade de Faculté installé à Plymouth, George Turnavine Budd. A l'en croire, ses affaires marchent à merveille, à tel point qu'il lui faut un confrère pour le seconder. Qu'Arthur le rejoigne tout de suite, la fortune l'attend. Arthur, pour une fois, hésite. Budd est sympathique, certes ; brillant, sans doute ; mais aussi imprévisible et instable. Mary Foley Doyle et Waller, qui avaient bien connu Budd à Edimbourg, sont d'accord : cet homme est un fou, un escroc et un charlatan. Le Dr Hoare, consulté, confirme ce jugement. Il s'est aventuré une seule fois dans sa vie à publier un article dans la presse médicale, et cet article avait été un éreintement impitoyable de Budd. Les avis les plus autorisés sont donc concordants ; il ne faut en aucun cas se compromettre avec cet homme. C'est compter sans l'entêtement orgueilleux d'un jeune homme qu'une pénurie et une dépendance humiliantes poussent aux solutions les plus extrêmes. Envers et contre tous, Arthur prend le train de Plymouth.

Au cours de ses dernières années fort mouvementées, le grand plongeur du Nord a bien mérité son surnom ; il n'a jamais craint l'inconnu, la nouveauté, le risque. Mais en remettant son destin entre les mains de George Turnavine Budd, il risque bien de faire le dernier plongeon.

IV

ROMAN D'UN JEUNE HOMME PAUVRE

> Je n'ai jamais vu de créatures aussi stupides,
> aussi malfaisantes, aussi malodorantes et aussi
> brumeuses que les médecins anglais.
>
> A. MAUROIS, *Les silences du colonel Bramble*

George Turnavine Budd est issu d'une dynastie médicale anglaise implantée depuis des générations dans le
Sud-Ouest du pays. Les Budd sont si nombreux et si
appréciés dans la région qu'un praticien désireux de s'y
installer doit y renoncer parce que *les populations sont
buddistes.* Sir William Budd, père de George, est nommé
Fellow of the Royal Society en 1870, en reconnaissance de
ses services éminents à la santé publique, tant dans le
domaine de la recherche pure que dans celui de la
médecine préventive. Il est, en effet, un pionnier dans la
lutte contre les maladies contagieuses chez l'homme
comme chez l'animal. La prévention de la typhoïde, du
choléra et de la peste bovine doit beaucoup à sir William
Budd.

La réputation du père ouvre les colonnes des revues
médicales à George Budd alors qu'il est encore étudiant en
médecine. Fils et petit-fils de médecin, George Budd croit
connaître d'instinct toutes les ficelles du monde médical ;
il en use et, surtout, en abuse. Il a l'intelligence et le sens
de l'innovation de son père, mais non son honnêteté ni son
désintéressement. Comme son condisciple à Edimbourg,
Arthur Conan Doyle, il pratique la boxe et le rugby, mais
leur amitié s'explique plutôt par l'attirance des contraires.

Arthur est grand et fort, beau garçon d'un type

classique ; sa volonté et son ambition se cachent sous la timidité d'un jeune homme trop conscient de son inexpérience. Il se réfugie dans le respect des convenances, qu'il conteste pourtant dans son for intérieur. Il est gentil, serviable, d'une droiture morale parfaite. Budd est de taille moyenne, mais ses larges épaules le font paraître plus petit. Sa chevelure abondante est bariolée de noir et de jaune, car il avait voulu se déguiser au moment où il enlevait sa femme, et la teinture avait mal pris. Ses yeux sont injectés de sang. La boxe et le rugby, qu'il pratique avec une brutalité insouciante, ont laissé leurs traces sur des traits déjà irréguliers. Les dents écartées, le nez écrasé, l'oreille en feuille de chou, Budd a un physique d'homme de Néanderthal.

Son caractère est tout aussi primaire, malgré sa vive intelligence. Excessif et instable, il est brillant, insolent et sans scrupules. Quand il a besoin de spécimens pour ses recherches, il cambriole les laboratoires de l'Université, pour se livrer à des expériences malodorantes dans la cuisine de son appartement, dont toutes les issues sont bouchées afin d'éviter les odeurs qu'il prétend malsaines et qui proviennent, en fait, du fromager du rez-de-chaussée. Il imagine des inventions mirobolantes — des boucliers pare-balles, un blindage magnétique amovible pour navires de guerre — qui, selon lui, lui auraient déjà valu gloire et fortune sans le conservatisme indécrottable de la bureaucratie militaire. Ce côté farfelu et bohème, à la fois naïf et cynique, charme Conan Doyle.

Arthur dans son innocence ne comprend pas que Budd, avec ses crises de rage et de rire imprévisibles, est non seulement un original mais aussi un dangereux paranoïaque. Son entourage est plus lucide. L'amoralisme de Budd choque Mary Foley Doyle, son mépris de l'étiquette médicale scandalise Waller. Arthur persiste à le fréquenter malgré les avertissements de ses proches et même, sans doute, pour marquer son indépendance. Il trouve Budd amusant, il est impressionné par sa confiance en lui, ses airs d'homme du monde, il croit à moitié à son génie. Mais il ne se laisse pas subjuguer. Budd, susceptible et soupçonneux, exige de ses amis une soumission pleine et entière ; il ne l'obtient pas d'Arthur Conan Doyle. D'où un sentiment de rancune qui se transformera, dans son cerveau instable, en une véritable soif de vengeance.

Cette vengeance vise moins Arthur que ses proches, perçus par Budd comme les représentants de cette méde-cine officielle qu'il tient pour responsable de ses déboires. Car Budd, en ce printemps de 1882, vient de traverser une période difficile. Sa manie de la persécution lui fait chercher, sinon des responsables, du moins des boucs émissaires.

Diplômé en 1880, Budd s'installe à Bristol, où il tente, sans succès, de reprendre la clientèle de son père, qui vient de mourir après sept ans de maladie. Espérant que l'apparence de la prospérité lui en attirera la réalité, il loue une maison luxueusement meublée, engage des domesti-ques, roule en carrosse. Son nom suffit pour qu'on lui fasse crédit. Il se fait de la publicité en publiant des articles pseudo-scientifiques dans la presse médicale. L'intervention du Dr Hoare dans le *British Medical Journal* le chasse des revues savantes. Les malades de Bristol préfèrent des praticiens plus classiques. Ses crédi-teurs se font pressants. Au début de 1882, Budd est au bord de la ruine, mais il est plein de ressources et son effronterie n'a pas de bornes. Il convoque ses créanciers, leur fait un discours qui les émeut jusqu'aux larmes, obtient un délai de grâce. Sur quoi, il déménage à la cloche de bois.

Budd avait reçu Arthur chez lui à Bristol, sans rien lui cacher, au contraire, de la précarité de sa situation. Budd sait que c'est par amitié pour Arthur que Hoare l'avait discrédité aux yeux du monde médical ; il sait que Mary Foley Doyle et Waller le considèrent comme un danger moral pour ce même Arthur. C'est pour Arthur qu'ils se sont dressés contre lui, c'est par Arthur qu'il se vengera.

C'est pourquoi il somme Arthur de venir le rejoindre à son nouveau domicile à Plymouth. Arthur, pour sa part, voit dans l'invitation de Budd le seul moyen de gagner son indépendance ; l'opposition de ses proches ne fait qu'accroître sa détermination.

Quand il arrive à Plymouth, donc, fin mai 1882, c'est avec la ferme résolution de voir les agissements de Budd sous le jour le plus favorable. Les faits semblent d'abord lui donner raison. Budd est toujours égal à lui-même ; brillant et cynique, fourmillant d'idées originales et d'inventions saugrenues, sujet à de violentes sautes d'humeur mais, en général, plein d'amitié et d'optimisme. Les Budd de Bristol, soucieux de l'honneur de la famille, avaient discrètement remboursé ses créanciers, et à Plymouth les affaires marchent mieux. Budd fait ce qu'il faut pour cela.

Arthur se demandait s'il fallait d'abord soigner la maladie ou le malade ; Budd soigne son compte en banque. Pour lui, l'exercice libéral de la médecine signifie la concurrence sauvage et la maximisation des bénéfices. Sir William Budd, spécialiste de la médecine préventive, était, selon son fils, un traître à la profession. Pourquoi diminuer le nombre de clients ? Un médecin habile et soucieux des intérêts de la corporation devrait plutôt empoisonner l'eau potable, bloquer les égouts, répandre des bactéries. Dans quel autre métier, disait-il, les concurrents étaient-ils déguisés en confrères, s'interdisaient toute publicité, subissaient une étiquette étouffante ? Tout cela, affirme Budd devant un Arthur ébloui mais sceptique, n'est qu'un système inventé par les vieux médecins pour empêcher les jeunes de faire leur place au soleil. Eh bien, lui, George Turnavine Budd, ne se laissera pas faire.

Les médecins de Plymouth ne tardent pas à constater que Budd est un concurrent aussi déloyal que redoutable. Chez le Dr Budd, seuls les médicaments sont payants ; la consultation et le spectacle sont gratuits. Sa chevelure noire et jaune au vent, Budd arrive en courant, gratifie les

malades qui l'attendent de quelques remarques prophétiques, obscures ou injurieuses, monte l'escalier quatre à
quatre, malmène le client dans son cabinet avant de se
précipiter à la fenêtre pour haranguer de sa voix de
stentor les nouveaux arrivants dans la cour. Budd, en
effet, n'a rien de la suavité du médecin mondain, mais ses
colères, ses fous rires, son mépris des règles les plus
simples de la courtoisie, impressionnent le bon peuple. Il
promet monts et merveilles et parfois, car il possède le
magnétisme animal des fous, ses promesses sont tenues.
« *Vous vous sentirez mieux à 10 h 45 précises* », hurle-t-il,
en secouant par les épaules une petite fille terrorisée mais
ravie qui se sentira effectivement mieux à l'heure dite.
Budd ne s'en tient pas à la suggestion ; il prescrit des
médicaments à doses de cheval. Cela ne guérit pas
toujours, mais cela fait de l'effet ; un traitement du Dr
Budd est quelque chose que l'on n'oublie pas. Ce qui,
avec l'originalité du personnage, lui vaut un succès
énorme. Tous les soirs, il rentre à pied avec la recette de la
journée, en prenant soin de passer devant les cabinets des
confrères pour que ceux-ci, pâles de rage derrière leurs
rideaux en dentelle, puissent bien voir les sacs de souverains qu'il balance « ostensiblement » à bout de bras, et
même entendre le tintement des pièces. Arthur trouve cet
exhibitionnisme à la fois déplaisant et comique, mais il ne
sait pas très bien quelle attitude prendre.

Bien sûr, cela ne peut pas durer. Les résultats de Budd
sont spectaculaires, en mal comme en bien. Il obtient
quelques guérisons quasi miraculeuses, mais le remède est
souvent pire que le mal. Des décès suspects amèneront le
médecin légiste à mettre en cause, d'abord à mots
couverts, ensuite de manière plus précise, les surdoses de
médicaments prescrites par le Dr Budd. Celui-ci réagit
avec sa violence coutumière, évoquant une cabale de
confrères jaloux, mais le scandale sera sa ruine. C'est une
chance pour Arthur Conan Doyle que son association
avec Budd ait depuis quelque temps déjà pris fin.

Arthur, en effet, reste chez Budd à peine six semaines. Il traite fort peu de cas, surtout de petites interventions chirurgicales dont Budd ne daigne pas s'occuper lui-même. Pour Budd, Arthur est moins un associé qu'un témoin. C'est par l'entremise d'Arthur que ceux qu'il prend pour ses persécuteurs — Hoare et Waller — doivent apprendre son triomphe. La présence de leur protégé chez lui en tant que disciple admiratif est déjà pour lui une belle revanche. Et pour mieux la savourer, il prend l'habitude de lire le courrier adressé à Arthur.

En réalité, Arthur est admiratif mais nullement disciple. Certes, il est énergique et ambitieux ; il croit comme Budd que l'étiquette professionnelle fait la part trop belle aux situations acquises, mais il ne tient pas à bafouer tous les usages en vigueur entre confrères. De même, il est d'une prudence extrême dans sa thérapeutique. Surtout, il est venu à Plymouth pour gagner son indépendance et non pour la perdre. Cela n'est pas du goût du Dr Budd.

La cohabitation — Arthur loge chez son associé — devient rapidement orageuse. Les querelles sont certes suivies de réconciliations, mais le climat est tendu, et cela d'autant plus que ce que Budd lit dans le courrier intercepté n'est pas flatteur. Waller, Hoare et Mary Foley Doyle ne désarment pas. Plus ils s'efforcent d'arracher Arthur aux griffes de Budd et plus Arthur se croit obligé de prendre sa défense. Ce qui amène des reproches encore plus véhéments. C'est ainsi que Budd tombe un jour de juillet sur une lettre où Mary Foley Doyle, ayant appris ses façons cavalières avec ses créanciers, le traite d'*escroc en faillite*. C'en est trop. Budd est pour l'instant prospère et ses créanciers ont été remboursés. Il n'avait pas déboursé un sou pour cela lui-même, mais il ne s'arrête pas à ce genre de détail. Dans son cerveau dérangé, Arthur cesse d'être un témoin pour devenir une victime.

Budd explique donc à Arthur que leur association est préjudiciable au développement de sa clientèle. Les malades veulent à tout prix consulter le Dr Budd ; ils ne viennent pas de peur d'être envoyés chez le Dr Doyle. Comme Budd le sait bien, Arthur n'est pas homme à supporter ce genre de réflexion. Il se saisit aussitôt d'une paire de pinces, arrache sa plaque et se déclare prêt à partir sur l'heure.

Mais où aller ? Ce serait trop humiliant de retourner chez Hoare à Birmingham. Il n'a plus de famille à Edimbourg. Ses sœurs Annette, Connie et Lottie sont à Lisbonne. Son père est maintenant à Fordoun House, un établissement écossais spécialisé dans les cures de désintoxication. Waller, voyant sa carrière universitaire bloquée, a renoncé à la médecine pour se retirer sur ses terres à Masongill, amenant avec lui Mary Foley Doyle et ses trois derniers enfants. Arthur ne supporte pas l'idée de vivre de la charité de Waller dans un coin perdu du Yorkshire, avec pour seule conversation les reproches de son bienfaiteur. Ce réflexe d'orgueil, Budd l'a prévu aussi. Pourquoi ne pas s'installer à son compte ailleurs ? Quand Arthur proteste qu'il n'a pas le moindre argent pour cela, Budd, faussement magnanime, propose, en compensation de la rupture de leur association, de lui verser une livre par semaine à titre de frais d'établissement. Fort de cette promesse, Arthur fait ses maigres bagages et prend le ferry pour Portsmouth, ville faisant face à Plymouth sur l'autre rive du Spithead, où il espère trouver une clientèle semblable à celle qu'il commençait à connaître. En tout état de cause, il n'a guère le choix, le moindre billet de chemin de fer étant au-dessus de ses moyens.

Il se met aussitôt en quête d'une maison pouvant lui servir de cabinet. Son choix se fixe rapidement sur le nº 1 Bush Villas dans le quartier résidentiel de Southsea. C'est une grande et belle maison, située près d'un carrefour animé et, espère-t-il, meurtrier ; les accidents de la circulation lui feront un début de clientèle. Mais le loyer annuel est de £40, et Arthur n'a même pas £10 en poche. Il découvre alors que la famille, même quand on est fâché, a du bon ; quand il cite ses oncles comme références — un artiste connu, le directeur de la *National Gallery of Ireland* et un Compagnon de l'Ordre du Bain — l'agence immobilière est si impressionnée qu'elle oublie de lui réclamer une caution et un trimestre d'avance. Il peut donc entrer dans les lieux sans bourse délier.

Il achète, à crédit bien sûr, pour £4 de meubles et £12 de médicaments et de fournitures médicales. Ainsi paré, il attend le premier client. Celui-ci s'avère être un matelot ivrogne, venu faire soigner une bosse qu'Arthur, l'ayant surpris en train de battre sa femme dans la rue, lui avait lui-même infligée la veille. Les jours passent, et ce premier client reste le seul. Arthur se met à penser qu'il serait temps de trouver quelque autre dame en détresse, afin qu'il puisse administrer une correction à son bourreau pour pouvoir le soigner après. Il attend avec impatience les subsides de Budd, car sa bourse est vide. Il garde cependant le moral, puisqu'il écrit à sa mère : « *D'ici trois ans, je gagnerai £1000 par an à Portsmouth, ou je me trompe de beaucoup.* » En effet, il se trompe de beaucoup.

Budd sait pertinemment que l'installation de sa victime à Southsea ne peut se faire qu'à crédit ; le moment est venu de faire jouer le piège. Il écrit donc à Arthur que sa bonne lui avait apporté les débris d'une lettre déchirée ; pensant lui rendre service, il avait recollé les morceaux et, en ce faisant, il n'avait pu s'empêcher de lire. Or, cette lettre, dit Budd avec une belle indignation, comporte des propos injurieux à son égard. Dans ces conditions, il ne peut plus être question de la livre hebdomadaire promise.

Admirons le machiavélisme de George Turnavine Budd. Il s'agit de la lettre où Mary Foley Doyle le traite d'*escroc en faillite* et Arthur la conserve, nullement déchirée, dans la poche de son veston. Budd savait qu'Arthur, confiant dans ses promesses, allait prendre des engagements qu'il serait maintenant dans l'impossibilité de tenir. Autrement dit, Arthur serait bientôt vis-à-vis de ses créanciers de Southsea dans la même situation que

Budd vis-à-vis des siens à Bristol. Il savait aussi que la malhonnêteté faisait horreur à Arthur Conan Doyle. Bientôt ce serait Arthur *l'escroc en faillite*. Il serait non seulement ruiné mais, ce qui était pire, déshonoré, et sa famille et ses amis avec lui. Ravi de son astuce, Budd se réjouit de l'humiliation imminente des Doyle.

Il sera déçu. Extravagant lui-même, il avait compté sans la sobriété tout écossaise de sa victime, et il ne pouvait pas prévoir qu'Arthur s'installerait sans caution ni loyer d'avance. Les dettes d'Arthur sont donc plus modestes que Budd ne l'escomptait, et si elles dépassent ses possibilités, sa mère, tout heureuse de retrouver un fils qu'elle croyait perdre — et perdu — chez Budd, se fait une joie de les payer. Ses moyens sont certes faibles mais, depuis l'hospitalisation de son mari et le départ d'Edimbourg, ses besoins le sont encore plus. Pendant quelques années encore, elle sera pour Arthur l'indispensable bailleur de fonds.

George Turnavine Budd, en cherchant la ruine d'Arthur Conan Doyle comme médecin, fait sa fortune d'écrivain. Arthur a besoin d'argent frais. Les trop rares clients qui échouent par hasard dans son cabinet ne lui rapportent même pas de quoi assurer la vie quotidienne pour lui-même et son frère Innes, venu le rejoindre dès le mois d'août, et encore moins les £10 de loyer qu'il faut verser à la fin du trimestre. Vendre sa prose n'est plus une question d'argent de poche, mais une nécessité vitale. Et de la nécessité, comme chacun sait, naît l'invention.

Cette invention se nourrira de l'affaire Budd. Arthur avait connu une enfance et une adolescence difficiles, mais c'est dans la trahison de Budd qu'il rencontre pour la première fois la mauvaise foi à l'état pur, la méchanceté longtemps mûrie et cyniquement préméditée ; il en est traumatisé. Où que l'on regarde dans son œuvre, on trouvera les traces de George Turnavine Budd. Le récit de l'affaire, à peine romancée, fera la trame des *Lettres de Starke Munro*, où Budd apparaît sous le nom de Culling-

worth. Cette parfaite symétrie dans la vengeance hantera
son imagination. Son premier roman, *Girdlestone & Cie*,
est une suite de trahisons qui se termine sur un renversement de situation semblable à celui qu'avait voulu
provoquer Budd. Dans de nombreuses nouvelles, on
verra les protagonistes pris à leur propre jeu, victimes du
sort qu'ils réservaient aux autres. *Le seigneur de Château
Noir, La fin de lady Sannox, La retraite de signor
Lambert* ne sont que trois exemples de cette correspondance parfaite entre action et réaction, offense et vengeance ; ce sera l'une des marques distinctives de son
œuvre.

Girdlestone & Cie, dont le jeune protagoniste Ezra
Girdlestone n'est pas sans rappeler Budd, ne sera écrit
qu'en 1884/85 ; dans l'immédiat, Arthur est encore trop
échaudé par l'affaire pour l'exploiter directement. Pour
lui, écrire n'est un acte gratuit dans aucun sens du terme.
Il ne fait ni de l'art ni de la psychothérapie. Son père était
artiste, imprévoyant et irresponsable ; il préfère le bon
sens pratique de sa mère. Exorciser ses démons dans sa
fiction est donc un luxe qu'il ne peut se permettre ; un
homme d'affaires n'a pas d'états d'âme.

La littérature a cet avantage qu'elle n'exige aucune mise
de fonds ; papier, plumes et encre sont à la portée même
de bourses aussi légères que celle d'Arthur. Ces années
1880 sont particulièrement favorables au lancement des
carrières littéraires. La lecture est la principale, voire la
seule, distraction d'une population qui commence à
bénéficier de quelques loisirs. Les éditeurs voient la
demande solvable tripler entre 1850 et 1880. Les progrès
de l'éducation et la croissance démographique s'allient
pour créer des lecteurs de plus en plus nombreux. Une loi
de 1870 aboutit à la scolarisation même des classes les plus
défavorisées. Ce nouveau public, pendant les années
1880, aura un poids économique suffisant pour susciter
une production littéraire correspondant à son attente. Le
traditionnel roman en trois tomes ne plaît guère aux

nouveaux lecteurs ; leurs goûts les portent plutôt vers les
journaux, les revues, les magazines illustrés. Les nouveaux titres fleurissent. Le capital social des entreprises
de presse britanniques, inférieur à quinze millions de
livres en 1875, dépasse deux cents millions dix ans plus
tard. Le papier se vend bien, et ceux qui le noircissent
peuvent espérer leur part des bénéfices.

Arthur Conan Doyle est bien placé pour servir ce
public, ne serait-ce que parce qu'il en fait partie. Carlyle
et Macaulay, Heine et Richter ont beau être ses auteurs de
prédilection, cela ne l'empêche pas d'être un lecteur assidu
de Jules Verne et de Dumas, de Bret Harte et de Wilkie
Collins, de tous les récits à sensation et romans gothiques.
Les personnages de Mayne Reid, de Marryat, de Ballantyne peuplent encore son imagination. Le collégien qui
subjuguait ses camarades avec ses récits d'aventures et
d'épouvante pour obtenir quelques suppléments de nourriture, se croit toujours capable de charmer de nouvelles
générations pour gagner de quoi financer ses débuts en
médecine.

La présence à ses côtés de son frère Innes, alors âgé
d'une dizaine d'années, lui permet de tester ses productions. Ce qui plaît à Innes plaira sans doute aux lecteurs
juvéniles du *Boy's Own Paper* et autres publications
similaires où Arthur s'efforce d'écouler sa marchandise.
Les déceptions sont nombreuses ; ses nouvelles sont
souvent, dira-t-il, des *boomerangs en papier* qui reviennent à l'envoyeur avec une rapidité désolante. Il réussit
pourtant à faire publier une vingtaine de nouvelles entre
1882 et 1885, dans les revues les plus diverses depuis la
très populaire *London Society* jusqu'à la très littéraire
Cornhill. Il ne néglige rien ; il traduit des articles allemands sur les conduites de gaz, il imagine des histoires
pour accompagner des gravures, participe aux concours
pour auteurs débutants — et conteste la décision des juges
quand il ne gagne pas. En 1883, il écrit à sa mère : « *Il
faut que j'écrive quelque chose de plus important et de plus*

ambitieux. Je veux des chèques de plus de £100, et je les aurai. »

Il ne les aura pas avant longtemps, les nouvelles d'auteurs inconnus étant généralement payées £5 environ. Un versement de £10 de James Hogg, directeur de *London Society,* à titre d'avance lui permet de payer le dernier trimestre de 1882. Pour l'ensemble de cette année, ses revenus sont si faibles qu'il n'est même pas astreint à l'impôt. « *Déclaration insuffisante* », lui dit le percepteur, pensant à la fraude fiscale. « *Tout à fait d'accord* », répond Arthur, pensant à la modicité de ses gains. Les quelques livres gagnées par sa plume comptent double.

Toute œuvre, si alimentaire soit-elle, reflète peu ou prou la vision du monde de celui qui la produit. Dans *Les lettres de Starke Munro,* roman épistolaire qui retrace les grandes étapes de sa vie intellectuelle, Arthur Conan Doyle affirme : « *La véritable science doit être synonyme de véritable religion.* » Il trouve cette fusion dans les œuvres d'Alfred Russel Wallace précurseur avec Darwin de l'évolution et déjà rallié à la cause du spiritisme, et, surtout, dans un livre qui, selon Sherlock Holmes dans *Le signe des Quatre,* est *parmi les plus remarquables jamais écrits,* à savoir *Le martyre de l'Homme,* de William Winwood Reade.

Pour Winwood Reade, le martyre de l'homme, c'est la lutte pour la vie, lutte qui explique toutes les souffrances de l'humanité. Le mal, pourtant, n'existe que pour servir le bien, puisque la lutte pour la vie conduit l'homme sur la voie royale du progrès. Les guerres entre classes sociales, entre peuples, entre religions, avec toutes les souffrances et toutes les injustices qu'elles entraînent, sont la condition nécessaire de l'évolution de l'espèce humaine. Arthur avait déjà appris de Macaulay que le progrès des institutions vers la liberté était une loi de l'histoire ; de même, il apprend de Winwood Reade que l'amélioration constante de l'espèce est une loi de la nature.

Ou, plus exactement, une loi divine, car *la nature est la*

véritable révélation de Dieu à l'homme. Arthur, à la différence de Winwood Reade mais comme Russel Wallace et bon nombre de darwiniens, est croyant. Ce n'est ni un hasard ni une nécessité si l'évolution aboutit à cet être doué de raison et de conscience morale qu'est l'homme. Les ordres inférieurs de la création sont peut-être livrés aux aléas de la sélection naturelle, mais l'homme, lui, est l'objet de la providence divine dont l'évolution est l'instrument d'élection. Arthur Conan Doyle se reconnaît pleinement dans cette version téléologique de l'évolution : « *Je ne suis jamais venu à bout de me rendre compte de la thèse d'un athée. J'en suis même arrivé à douter qu'il en existe.* » Si l'évolution est une loi, il faut bien qu'il y ait législateur, et c'est cette intelligence organisatrice de l'univers qu'il appelle Dieu. Il lui attribue la justice et la bonté envers l'homme, tout en affirmant pour celui-ci, créature à moitié formée, l'impossibilité de connaître son créateur. « *On n'a nul besoin de foi pour arriver à la conviction qu'il existe une Providence infiniment vigilante. Et c'est là une certitude qui nous donne évidemment tout ce dont nous avons besoin pour une religion élémentaire. Quoi qu'il arrive après la mort, nos devoirs en cette vie nous apparaissent avec la plus grande clarté ; les règles morales de toutes les croyances concordent assez entre elles pour qu'il ne semble pas possible qu'il y ait des différences d'opinion à cet égard.* » Ainsi, Arthur Conan Doyle, parti de la nécessité de la lutte pour la vie, aboutit, par le biais de la morale chrétienne, à l'impératif de la solidarité. Les devoirs de l'homme éclairé sont la tolérance et la charité. La tolérance, car personne ne peut percer les desseins de la Providence ni détenir le monopole de la vérité. La charité, car la cruauté de la nature, exposée de manière provocatrice par Winwood Reade, ne saurait justifier celle de l'homme. La sélection naturelle s'opère d'une manière aussi inévitable que le mouvement des planètes ; l'homme n'a pas à intervenir, sauf pour en adoucir les souffrances, comme un médecin entoure de ses soins un malade qu'il sait condamné. *La nature, travaillant sans bruit selon la méthode de l'évolution, fortifie la race de deux manières ; l'une, qui tiendrait à perfectionner les êtres moralement forts, ce qu'elle fait par l'accroissement des connaissances et en élargissant les doctrines religieuses ; l'autre, qui n'est guère moins importante, qui consiste à tuer, à faire disparaître, les êtres moralement faibles, ce qui se réalise par la boisson et l'immoralité.* En effet, les alcooliques et les débauchés, incapables de se perpétuer au-delà de la deuxième génération, laisseront vite la place aux éléments plus sains.

C'est une doctrine de prime abord curieuse pour un fils d'alcoolique. Pour Arthur Conan Doyle, cependant, les qualités qui donnent la victoire dans la lutte pour la vie correspondent aux vertus prônées par Samuel Smiles et les prophètes du *self-made man*. L'accent est mis, non sur l'hérédité et le milieu social, mais sur chaque individu et la force morale qui lui est propre. Ecossais d'origine irlandaise, issu d'une famille peu fortunée, Arthur Conan Doyle est doublement marginalisé dans un Royaume-Uni dominé par la ploutocratie anglaise. Mais il n'oublie pas son grand-père HB. La société anglaise est ouverte aux talents. Il rejette donc tout déterminisme biologique ou social ; ce qui compte, ce sont les capacités que chacun montre dans la mise en valeur du capital biologique et social qui est le sien. Et sur ce plan-là, un Doyle, même fils d'alcoolique, ne craint personne. Il ne doute pas un seul instant de compter parmi les *êtres moralement forts*.

L'évolution n'est pas terminée. On ne saurait s'en prévaloir pour affirmer que l'état actuel des choses, étant voulu par la Providence, est donc légitime et éternel. *N'est-il pas glorieux de penser que l'évolution est encore vivante et agissante, que si nous avons pour ancêtre un singe anthropoïde, nous pouvons avoir pour descendants des archanges.* Sa foi dans le progrès est inébranlable : *Les nations les plus civilisées ont maintenant acquis un tel ascendant sur les autres qu'un retour vers la barbarie n'est plus possible,* ce qui lui permet d'expliquer en la justifiant l'entreprise impérialiste. Winwood Reade flétrissait *cette école maladive de politiciens qui déclarent que tous les pays appartiennent à leurs habitants et que c'est un crime que de s'en emparer.* Arthur Conan Doyle est moins porté que son maître aux paradoxes, mais il est bien d'accord avec lui que dans la perspective de l'évolution, *la conquête, c'est l'émancipation.* Les peuples et les civilisations peuvent en effet être situés, selon leurs croyances, leur organisation sociale, la couleur de leur peau voire la forme de leur crâne, à leur place dans la hiérarchie de l'évolution, bien qu'Arthur, se souvenant d'Henry Highland Garnet, reconnaisse volontiers que ce qui est vrai d'un peuple ne l'est pas forcément des individus. Quant à la Grande-Bretagne, *les peuples de langue anglaise se fondront en un seul, qui aura son centre aux Etats-Unis.* Notons encore une fois que le patriotisme d'Arthur Conan Doyle est une affaire de langue et non de géographie.

En attendant ce passage à un stade supérieur, la société dans laquelle il vit lui semble éminemment perfectible. Il est hostile à la peine de mort, cette survivance d'une étape antérieure, il est favorable à la suppression du principe héréditaire, donc de la Chambre des pairs ; il se dresse contre les Eglises qui, accrochées à des livres saints vieux de deux mille ans, appartiennent elles aussi à une époque révolue. Dans la perspective évolutionniste qui est la sienne, tout ce qui existe est par définition appelé à disparaître. En s'installant au n° 1 Bush Villas, il sentait une contradiction entre ses principes et sa joie d'avoir enfin un logement qui ne soit pas payé par un autre. Sa joie peut sembler déplacée dans la mesure où le logement en question n'était encore payé par personne, et surtout pas par lui-même. Son malaise est pourtant révélateur ; même le principe sacro-saint de la propriété privée n'échappe pas à la mise en cause.

En effet, les privilèges de la naissance et de la fortune,

en faussant les règles de la concurrence entre individus, entravent l'opération de la sélection naturelle. Instruit par l'expérience de son enfance encore plus que par l'enseignement de Winwood Reade et de Russel Wallace, il croit les femmes moralement supérieures aux hommes. L'amélioration morale et physique de la race passe donc par l'émancipation de la femme. Il constate que dans les grandes questions politiques, les couches populaires, plus que les élites, ont montré les vues les plus larges et les plus ouvertes au progrès. La sagesse politique n'appartient pas aux classes dirigeantes, mais au peuple. Russel Wallace, socialiste autant que spiritiste, réclamait la nationalisation des terres ; Arthur Conan Doyle se contente d'appeler de ses vœux *un régime social plus rapproché du socialisme*. Il entend par là, non la victoire d'une classe, mais l'égalité des chances, une méritocratie civilisée, humanisée, par une solidarité dépassant les clivages socio-économiques, ethniques, religieux, et libérée des rigidités héritées du passé.

Qui dit évolution dit gradualisme. Arthur hait la violence et le sectarisme, signes selon lui d'un comportement régressif et dangereux. Ces idées évolutionnistes, démocratiques et impérialistes sont tout à fait caractéristiques de l'aile avancée du parti libéral ; sur les plans politique et religieux, Arthur Conan Doyle a tendance à se croire unique alors qu'il est en réalité assez représentatif ; cette représentativité sera, en effet, l'une des clés de son succès.

Vers la fin de 1882, il rassemble ses convictions dans *un sacré pamphlet politique* intitulé *le Récit de John Smith,* qu'il prétend diffamatoire pour les personnalités politiques alors en vue. Il est permis d'en douter, Arthur ayant quelque peu tendance à exagérer l'originalité de ses positions. Il s'agit sans doute d'une première version des *Lettres de Starke Munro,* mais on n'en connaîtra jamais la teneur exacte, car le seul exemplaire du manuscrit fut perdu par le service des postes, heureusement peut-être pour la suite de la carrière de son auteur. Dans sa fiction, Arthur Conan Doyle n'est pas encore un auteur engagé ; il ne se prend pas pour un artiste et encore moins pour un maître à penser, mais ses nouvelles mettent souvent en scène des jeunes gens peu fortunés qui ont leur chemin à faire dans le monde, et elles respirent la bonne humeur et l'optimisme nés de sa profonde conviction que la société britannique, déjà la plus évoluée du monde, ne cesse de se libérer des entraves du passé pour s'améliorer encore.

Dans ce jeu du doute et de la confiance qui forme la trame de ses nouvelles, c'est donc cette dernière qui l'emporte. L'univers est en équilibre instable entre le passé et l'avenir. L'état actuel des choses — un univers régi par les lois de la science, des institutions régies par l'Etat de droit, une société régie par la morale puritaine — a beau être familier et sécurisant, il peut à tout moment être menacé par des phénomènes resurgis du passé, ou bouleversé par les inconnues de l'avenir. Conan Doyle fait appel à ces différentes menaces pour faire trembler l'ordre établi, afin de mieux le consolider ensuite. En effrayant le lecteur avant de le rassurer, il exploite un mécanisme psychologique primordial.

Ce jeu de la confiance et du doute, de la peur et du réconfort correspond à l'attente d'un public britannique qui, conscient de vivre dans le pays le plus riche du monde, se met pourtant à douter de sa suprématie. L'industrie est menacée par l'essor allemand et américain. La paix civile, fruit de cette évolution libérale louée par Macaulay, est rompue par l'agitation socialiste, l'apparition du terrorisme, la dissidence irlandaise. Le darwinisme continue de saper les certitudes religieuses, créant ainsi un malaise que les progrès de la science ne parviennent pas à dissiper. D'autres pays — la France et l'Allemagne — participent à la course aux colonies, mais l'expansion impériale reste à la fois une compensation et un divertissement pour une Angleterre qui garde sa superbe tout en ressentant les premiers frémissements d'inquiétude.

Ce sont ces inquiétudes que Conan Doyle va susciter, pour mieux les dissiper. Les nouvelles situées en Australie montrent à travers un récit d'aventures plus ou moins réussi le triomphe de la loi et de la morale sur le crime et les mœurs rudes des chercheurs d'or. *Mon ami l'assassin* est la seule qui montre quelque originalité, et l'auteur gâche ses effets à force de les répéter. Ce sont de pâles imitations de Bret Harte ; Arthur n'y trouve ni sa voix ni sa voie.

Trois nouvelles mettent en scène la menace du terrorisme, qu'elles conjurent par le rire. *Une nuit chez les nihilistes* et *Une veille de Noël* se déroulent trop loin — la Russie, l'Allemagne — pour que le lecteur anglais se sente concerné. *La petite boîte carrée,* où deux prétendus terroristes irlandais se révèlent être d'inoffensifs colombophiles, vise moins le terrorisme que la frayeur irrationnelle qu'il suscite chez le narrateur neurasthénique. Conan Doyle a d'évidentes raisons personnelles pour éviter l'amalgame, alors courant, entre les nihilistes européens et les *fenians* irlandais ; toujours est-il que, dans sa fiction, l'ordre établi n'a rien à craindre des uns et des autres. Ces nouvelles sont écrites avant la suite d'attentats à la dynamite de 1883/84, suite qui atteint son point culminant le 24 janvier 1885, quand les *fenians* font exploser simultanément trois machines infernales à la Chambre des communes, au Westminster Hall et à la Tour de Londres. Après cette date, il ne traitera plus le terrorisme sur le ton du badinage.

Dans *Les tragédiens,* c'est la menace de l'immoralité française que le héros, à la suite d'un mélodrame bien mené, doit conjurer. Dans toutes ces nouvelles, les étrangers, qu'ils soient pédants et pointilleux comme les Allemands, débauchés et cyniques comme les Français, criminels primaires ou bons camarades frustes mais infiniment attachés à la vieille Angleterre, comme les

Australiens et les Américains, sont toujours présentés de manière à conforter le lecteur dans le sentiment de la sécurité de l'Empire britannique.

Ceci est encore plus net avec *L'oncle Jérémie et les siens,* qui introduit une princesse thug dans une maison anglaise. Lue à haute voix le soir, dans une pièce éclairée d'une seule bougie que l'on souffle au moment crucial, cette nouvelle a causé bien des cauchemars dans les *nurseries* victoriennes. Conan Doyle fait frissonner son public au récit des rites sanglants venus de loin et pratiqués au beau milieu de la paisible campagne du Yorkshire, avant de conclure, à la manière d'un Winwood Reade pourtant mécréant, que seul l'Evangile chrétien pourra un jour civiliser les peuples barbares.

Qu'il s'agisse de criminalité, de fanatisme, d'immoralité ou de barbarie, les menaces qui échouent devant la solidité de la civilisation britannique relèvent de comportements que l'auteur croit typiques d'un stade inférieur de l'évolution humaine. Plus complexes sont les nouvelles où sont mises en cause, non les lois de la société, mais les lois de la science. La menace prend alors la forme de phénomènes en apparence surnaturels. Certes, les faux fantômes de *Goresthorpe Grange,* traités dans un registre résolument comique, ne font jamais illusion, de même que *La grande expérience de Keinplatz,* qui donne à un digne professeur allemand le corps d'un joyeux luron et vice versa, n'est qu'un divertissement agréable mais léger. Dans *La hachette d'argent,* qui inspire à son possesseur le désir impérieux d'assassiner ses proches, l'horreur des événements fait mauvais ménage avec le comique des personnages, et Conan Doyle fournit une explication qui, pour être peu crédible, n'en est pas moins rationnelle. En revanche, *John Barrington Cowles* et *Le dernier tir* sont de vraies nouvelles d'épouvante précisément parce qu'elles se basent sur des phénomènes authentiquement scientifiques. Conan Doyle suit les travaux sur l'hypnose et le mesmérisme menés à la Salpêtrière par le professeur

Charcot, il a lu *Le miracle et le moderne spiritualisme* d'Alfred Russel Wallace. Comme Wallace, il est persuadé qu'un phénomène surnaturel est un phénomène naturel que la science ne sait pas encore expliquer. Ce ne sont pas des superstitions surgies du passé qui font peur, mais la science de l'avenir, science redoutable dans la mesure où, maîtrisée seulement par les forces du mal, elle laisse les protagonistes sans défense. Arthur Conan Doyle a foi dans le progrès, mais un progrès scientifique qui ne s'accompagne pas d'un progrès moral le fait frémir. Dans ces deux nouvelles, il parvient à faire partager son émoi. La balance entre la peur et le réconfort penche du côté de la première ; il n'y a pas de clôture rassurante. Il reviendra à ces thèmes de l'hypnose et du mesmérisme dans *Le parasite* et *Le mystère de Cloomber*.

Conan Doyle, en effet, est encore un débutant. Il a trouvé ses thèmes, mais il lui manque les moyens techniques d'en tirer le meilleur parti. Dans *Le vétéran* et *Histoire de cocher,* il gaspille une matière assez riche pour faire tout un recueil du Brigadier Gérard ou de Sherlock Holmes. Là, en effet, se trouve sa plus grande faiblesse ; il est encore incapable de créer des personnages. Dans la vingtaine de nouvelles de cette période, il n'existe aucune figure mémorable, aucun personnage qui soit autre chose qu'un rouage de l'intrigue.

De même, dans sa technique de narration, il est loin d'avoir les moyens de ses ambitions. Il affectionne la narration à la première personne, en jouant du fait que le *je* qui raconte l'histoire n'est pas l'auteur qui l'écrit, ce qui lui permet de créer une complicité entre l'auteur et le lecteur. Le narrateur, en effet, est souvent le seul à ne pas comprendre ce qui se passe. Conan Doyle sait bien que l'auteur tout puissant dirige l'évolution du texte comme la Providence celle de l'univers ; les mésaventures du narrateur sont une leçon d'humilité pour l'homme. Ce triangle auteur/narrateur/lecteur est d'une construction délicate. Si le jeune auteur réussit quelques dénouements-surprise qui trompent et le narrateur et le lecteur, il n'a pas toujours la main si heureuse. Pour cela, il faudra que le Dr Conan Doyle s'adjoigne les services du Dr Watson.

Deux nouvelles de cette période sont pourtant des réussites complètes, sans doute parce que l'imagination travaille sur l'expérience vécue. *Le capitaine de l'Etoile polaire* se nourrit de sa campagne sur le *Hope* en 1880. L'immensité de l'Arctique, la vie intense de l'équipage isolé sur son navire, la superstition des matelots, mise en valeur par le scepticisme du médecin, la personnalité mystérieuse et attachante du capitaine, les étapes de sa folie, tout cela est noté, jour après jour, dans le journal du médecin de bord avec une force, une sobriété, une précision qui emportent la conviction. Quand enfin le capitaine trouve la mort sur la banquise à la poursuite de l'image de sa fiancée, est-il la victime d'un fantôme qui l'attire à sa perte, comme le prétendent les matelots, ou bien d'une illusion optique, une hallucination née de sa propre obsession, comme semble le penser, sans trop de conviction, le médecin narrateur ? Conan Doyle se garde bien de trancher. *Le capitaine de l'Etoile polaire* autorise, invite même, une double lecture, une double explication, l'une surnaturelle, l'autre scientifique. C'est la preuve de la maîtrise de l'auteur que la première, malgré le rationalisme du narrateur, semble, sinon la plus probable du moins la plus appropriée à un récit pourtant dépouillé de toute fioriture gothique. Conan Doyle ne pensait en l'écrivant qu'à payer son loyer, mais *Le capitaine de l'Etoile polaire* est du grand art.

Il en est de même pour *La déposition de J. Habakuk Jephson.* En apparence, il s'agit d'une solution fictive au mystère du *Mary Céleste,* navire retrouvé en parfait état à la dérive dans l'Atlantique, mais sans trace de son équipage. Le *Boston Herald* prend le récit d'Arthur Conan Doyle pour argent comptant. Solly Flood, avocat général à Gibraltar, Horace Sprague, consul américain et J.C. Bancroft Davis, sous-secrétaire au Département d'Etat à Washington, publient des démentis officiels. Ce qui inspire ce réflexe de rejet à ces personnages éminents n'est pas le réalisme superficiel du récit mais sa profonde et inquiétante exactitude psychologique ; *La déposition de J. Habakuk Jephson*, en piquant au vif la bonne conscience de la civilisation anglo-américaine, réveille ses cauchemars les plus refoulés.

J. Habakuk Jephson, médecin et militant abolitionniste, entreprend une croisière à bord du *Marie Céleste* (Conan Doyle francise le nom du bateau). Parmi les passagers se trouve un Noir mystérieux, Septimus Goring. Un par un, les Blancs, matelots et passagers, femmes et enfants, disparaissent. Le lecteur, mais non Jephson le narrateur, comprend vite que les meurtriers sont Goring et ses complices parmi les matelots noirs. Jephson sera épargné, malgré les protestations de Goring parce qu'il a en sa possession un fétiche que lui avait remis une vieille Noire qu'il avait soignée pendant la guerre de Sécession. Dans une tirade passionnée, Goring déclare que depuis des années il tue froidement des Blancs en vengeance des humiliations de sa race. Enfin repu de sang, il s'empare du *Marie Céleste* pour rallier le continent noir, où il entend prendre la tête d'une tribu africaine pour en faire le noyau d'un grand empire capable de tenir tête aux Blancs. Jephson, protégé par son fétiche, est libéré pour porter à la connaissance du monde ce projet de vengeance raciale.

Il n'y a rien de plus effrayant pour une race dominante que la révolte des esclaves, une vengeance qui ferait des vaincus de l'histoire des vainqueurs. Ce renversement des rôles a de quoi faire frémir tant l'Amérique à peine sortie de l'esclavagisme que la Grande-Bretagne impériale qui n'a pas oublié la révolte des Cipayes [1]. S'il n'y avait que

1. Révolte des Cipayes (1857). Mutinerie des troupes indigènes au service de la Compagnie des Indes, réprimée par les troupes britanniques appuyées de contingents sikhs et gurkhas. Elle conduit les autorités britanniques à supprimer la Compagnie des Indes pour

cela, cependant, ce ne serait qu'une nouvelle d'épouvante inscrite dans la thématique de la mise en cause de l'ordre établi par un phénomène de régression, une barbarie surgie du passé pour terrifier le présent; bref, une version plus terrible de *L'oncle Jérémie et les siens*.

Mais Henry Highland Garnet est passé par là. Alors que la répression du *thugee* se justifie dans la mesure où elle permet d'élever les Thugs à un niveau supérieur de civilisation, l'esclavage, au contraire, brutalise les esclaves au point de les faire reculer à un niveau inférieur à celui des tribus africaines dont ils sont issus. Dans la tirade de Goring, Conan Doyle réussit la prouesse de voir l'esclavage avec les yeux de l'esclave qu'avait été Henry Highland Garnet, de dresser le réquisitoire de sa propre civilisation. La vengeance du peuple noir n'est pas seulement compréhensible, elle est légitime. Les victimes de Goring, hommes, femmes et enfants, ont beau être, individuellement, innocentes; en tant que Blancs, elles sont coupables. Et c'est cela qui fait peur au lecteur, c'est cela qui fait réagir avec tant de précipitation irrationnelle Solly Flood et Bancroft Davis.

Jephson lui-même, tout abolitionniste qu'il est, partage la culpabilité historique de sa race. Son action en faveur de l'émancipation des esclaves ne lui donne aucun droit à la reconnaissance; sa récompense est sa bonne conscience, et son altruisme, bien que sincère, est fait d'incompréhension et de condescendance. Les Noirs sont certes pour lui des objets de sollicitude et non de sévices, mais ce ne sont que des objets. Il a conservé le fétiche qui lui vaut la vie sauve uniquement parce que la pierre lui semble un intéressant spécimen géologique; il ne peut pas imaginer qu'il puisse avoir pour les noirs un sens religieux puis-

---

confier l'administration des Indes britanniques à l'India Office à Londres. Bien que le fait d'une minorité de Cipayes et limitée à la vallée des Ganges, elle menace, pendant quelques mois, de chasser les Britanniques de l'Inde.

qu'en bon matérialiste imbu du scientisme de son époque, il a banni le religieux de son univers mental. Le pamphlet abolitionniste dont il est si fier s'intitule *Où est ton frère ?* Titre ironique : en écoutant Goring, le lecteur comprend combien Jephson est étranger à ceux dont il se veut solidaire. Cette nouvelle est ainsi d'une étonnante modernité. Chaque fois que se déclenchent des troubles raciaux, les salles de rédaction occidentales se peuplent de J. Habakuk Jephson. L'œuvre, malgré des défauts de facture, est d'une rare puissance. Quand elle paraît, sans signature comme c'est la règle au *Cornhill,* nombreux sont ceux qui y voient la plume de Stevenson. C'est la preuve de sa qualité que cette attribution n'ait rien d'invraisemblable.

Le *Cornhill* est la revue littéraire la plus prestigieuse de l'époque. *La déposition de J. Habakuk Jephson* ne rapporte pas seulement la coquette somme de vingt-neuf guinées — neuf mois de loyer — mais aussi une invitation à un dîner réunissant les collaborateurs de la revue à Greenwich. Ebloui par la fréquentation de ces auteurs éminents, Arthur Conan Doyle comprend combien la vie littéraire londonienne, où plane la légende familiale de *HB,* est plus brillante que celle d'un médecin de province. Désormais, il adressera toutes ses nouvelles d'abord à James Payn, qui les refusera toutes. Arthur, d'ailleurs, ne veut plus être uniquement nouvelliste. Il est maintenant convaincu que pour faire progresser une carrière littéraire, *il faut avoir son nom au dos d'un volume.* Il s'attelle donc à un roman. Ce sera *Girdlestone & Cie.* Avec la naïve énergie du néophyte, Arthur emprunte à divers auteurs — Le Fanu[1] notamment — les recettes les plus éculées du roman à sensation. Il y aura une faillite, l'enlèvement d'une pure jeune fille, des fantômes, un naufrage, des incidents extraordinaires reliés par des coïncidences bizarres. Le genre avait déjà fait son temps,

---

1. Le Fanu, Sheridan (1814/1873). Journaliste et écrivain anglo-irlandais. Auteur de romans à sensation et pionnier de l'épouvante

malgré toute la bonne volonté de l'auteur. Contrairement à son attente, *Girdlestone & Cie* ne fera pas sa réputation ; au contraire, il ne trouvera un éditeur pour ce premier roman qu'une fois sa réputation faite.

C'est cependant dans ce roman qu'il utilise pour la première fois le stratagème d'un prêté pour un rendu que Budd avait manigancé à son encontre. Girdlestone père, ayant juré de traiter l'héroïne comme sa propre fille, tente de la tuer pour être enfin assassiné par son fils. Budd, en effet, hante ses premiers mois à Southsea. Cette première expérience de la méchanceté détruit presque sa confiance en le genre humain ; son amertume lui inspire une certaine misanthropie. Il ne connaît personne à Southsea et ne cherche pas à se faire des relations. Il s'enferme dans son cabinet toute la journée, n'osant pas sortir de peur de manquer un client. La nuit tombée et Innes couché, il sort enfin pour marcher dans les rues désertes jusqu'aux petites heures du matin, remâchant la mauvaise foi de Budd, méditant l'intrigue d'une nouvelle, refaisant inlassablement ses comptes.

Sa situation financière reste, en effet, des plus précaires. Un shilling par jour doit suffire pour Innes et lui-même. Ils se nourrissent de thé, de pain, de bacon et, les jours de grand faste, d'une saucisse. Arthur maigrit de six kilos en trois mois. Sur les huit pièces habitables du n° 1 Bush Villas, seule celle qui lui sert de cabinet est meublée ; les autres ressemblent plus à un campement de Gitans qu'à une habitation bourgeoise. C'est pourquoi il accepte les quelques objets que sa tante Annette lui envoie de Londres. Ses oncles James et Henry sont irréconciliables, mais Dicky Doyle lui fait parvenir une lettre pour l'évêque de Portsmouth, en ajoutant que la ville n'avait pas de médecin catholique. Arthur jette la lettre au feu. Ce n'est pas parce qu'il est trahi qu'il trahira ; au contraire, il est résolu à se sortir d'affaire tout seul. « *Je ne veux pas connaître les confrères* », écrit-il à sa mère, « *quand je leur aurai pris leur clientèle j'accepterai de les fréquenter,*

mais je ne supporte pas d'être l'obligé de qui que ce soit ».
Il avait été l'obligé de Budd, et cela ne lui avait pas réussi.
Qui compte sur les autres risque la déception, et c'est un
risque qu'il ne veut plus courir.

Cette sombre méfiance ne correspond ni à sa nature
profonde ni à sa philosophie de l'existence. « *Je suis
incliné* », dit-il dans *Les lettres de Starke Munro* encore,
« *à nier l'existence du mal* ». Par le jeu de la sélection
naturelle, le mal sert à promouvoir le bien. Mais nier
l'existence du mal ne conduit pas à ignorer celle de la
souffrance, et il ne voit pas quel bien pourrait résulter des
agissements de Budd. Il en vient à se demander si
l'évolution n'a pas déjà atteint son apogée, s'il n'assiste
pas, ainsi que Budd lui-même le croyait, aux débuts de la
dégénérescence de l'espèce. Comme le héros de *L'homme
d'Arkangelsk*, et plus tard Sherlock Holmes, il ressent
l'attrait d'une vie d'ermite, d'un refuge solitaire où il
pourrait se livrer à la contemplation de la nature sauvage
et aux travaux de l'esprit, loin de l'agitation futile des
hommes. Mais les refuges, si solitaires soient-ils, coûtent
de l'argent, et même les ermites ont besoin de manger.
Arthur n'a pas les moyens de sa misanthropie et, le temps
passant, il en a de moins en moins envie. La douleur
s'estompe, il en vient à envisager l'affaire Budd avec
davantage de sérénité. Il sort de sa coquille. Elmore
Welden, qui avait pleuré de chaudes larmes quand il
s'était embarqué à bord du *Mayumba,* est maintenant à
Ventnor, dans l'île de Wight, tout près. « *Je me suis
réconcilié avec Elmore Welden,* écrit Arthur à sa mère, *je
crois qu'elle m'aime vraiment. Je l'épouserai si je réussis à
Portsmouth.* » Il renonce même pour elle à demander un
poste au Bengale. Il la conduit à Londres pour la
présenter à sa tante Annette. Cependant, la jeune fille,
atteinte de tuberculose, partira bientôt pour la Suisse. On
ne sait si ce départ est la cause ou la conséquence de sa
rupture avec Arthur ; toujours est-il que la blonde plantureuse disparaît de sa vie.

On ne lui connaît pas d'autres attachements féminins, mais il reprend goût à la vie sociale. En décembre 1882, il assiste pour la première fois à une réunion de la *Portsmouth Literary and Scientific Society,* dont il deviendra bientôt un pilier. Il lui faut six mois pour rassembler le courage de prendre la parole, au grand soulagement des membres. Quand Conan Doyle tremble d'appréhension, ses quatre-vingt-dix kilos font trembler le banc tellement que ses voisins en ont le mal de mer. Comme l'appétit vient en mangeant, il prend goût aux débats publics. Bientôt, il fera une communication sur ses expériences dans les mers arctiques. Il se remet aux sports, et les clubs de cricket et de football sont ravis d'accueillir un élément de sa valeur. Les lecteurs du *Portsmouth Evening News,* dont le directeur sera un ami, apprennent ainsi que *le Dr Doyle est l'un des arrières les plus sûrs du comté.* Des lettres paraissent sous sa signature dans la presse locale, surtout sur des sujets d'ordre médical. En 1884, il s'en prend à l'une de ses cibles préférées, l'étroitesse d'esprit du clergé. C'est la preuve d'une nouvelle confiance ; un médecin débutant, dans un quartier comme Southsea, n'a pas intérêt à se mettre au ban des Eglises. En tant que médecin, bien sûr, il n'a pas le droit de faire de la publicité mais, sans aller jusqu'à l'exhibitionnisme d'un Budd, il commence à comprendre qu'il n'est pas inutile de se faire connaître.

Une fois sa maison meublée, il peut recevoir des visites. Ses sœurs viennent en vacances à Southsea avant de retourner au Portugal. Il suffit qu'il se montre, à l'heure de la promenade du soir, en compagnie de ces jolies demoiselles, pour qu'il se découvre parmi ses contemporains un nombre impressionnant d'amis intimes dont il ignorait jusqu'alors l'existence. Les invitations pleuvent. Il trouve une veuve écossaise d'âge respectable qui, en échange d'un logement au sous-sol, se charge de la cuisine, du ménage et de son linge. Grâce à cette influence civilisatrice, il perd ses allures bohémiennes. Il peut se présenter en public avec une chemise repassée, un faux col impeccable, un costume convenablement brossé. Beau garçon, sérieux, bien élevé et toujours serviable, le Dr Doyle présente toutes les apparences du jeune homme bien sous tous rapports que convoitent les mères qui ont des filles à marier. Elles auraient été moins empressées si elles avaient pu consulter son livre de comptes.

Il n'en reste pas moins que sa récente notoriété a des répercussions positives sur sa clientèle. Les badauds qui scrutent la plaque devant le n° 1 Bush Villas ne sont plus les seuls à connaître l'existence du Dr Doyle. Il est le médecin attitré de divers clubs sportifs. Un ami lui donne la clientèle de son bureau d'assurances. Un autre, un confrère, lui envoie des malades. Avec le temps, il a perdu cette susceptibilité d'écorché vif qui lui faisait repousser toute offre de services comme une injure. En 1883, il gagne £154, et environ £250 en 1884. Il est loin des £ 1 000 annuelles dont il se vantait dans ses premières lettres, mais £250 était la somme dont disposait sa mère pour élever sept enfants à Edimbourg, et il aurait mauvaise grâce à s'en plaindre. Il reprend ses expéditions photographiques, ce qui lui permet d'explorer l'arrière-pays. C'est ainsi qu'il parcourt pour la première fois les landes de Dartmoor qui seront le décor du *Chien des Baskerville*. Les paysages du Hampshire lui semblent plus accueillants que ceux de son Ecosse natale. C'est ici, dans le Sud-Ouest de l'Angleterre, qu'Arthur Conan Doyle se sent pour la première fois chez lui ; après des années de bourlingage, il a trouvé son havre de paix.

La preuve, c'est la parution en 1884 de *La clientèle de Crabbe*. Crabbe, c'est Budd, mais un Budd dépouillé de sa méchanceté, un Budd devenu purement comique. Aidé d'un complice, un Conan Doyle à peine déguisé, il invente d'innombrables astuces — peu scrupuleuses mais désopilantes — pour s'attirer une clientèle. Le tout est raconté avec une parfaite bonne humeur et une ironie presque affectueuse. Ce qu'il avait vécu comme une tragédie est devenu une comédie, le psychodrame s'est transformé en farce. Arthur Conan Doyle est guéri.

Mais il n'a rien oublié. Dans l'exercice de la médecine, il se veut l'anti-Budd. C'est la mort dans l'âme que, les premiers soins donnés, il remet les accidentés de ce carrefour tout proche dont il avait tant espéré, entre les mains de leur médecin traitant. Mais l'étiquette médicale l'exige, et il tient à la respecter. Du moins, autant que possible. Ce n'est pas de sa faute si le jeune Innes, chaque fois qu'une femme enceinte se présente au cabinet, coupe le suave « *Veuillez vous donner la peine d'entrer, Madame* » de son grand frère d'un cri perçant de « *Hourrah, on va se payer une grossesse* », tout en exécutant une danse de Peau-Rouge autour de la cliente abasourdie. Une grossesse représente des visites, un accouchement, des soins pour le nouveau-né. Avec le pragmatisme cruel de l'enfance, Innes voit tout cela en termes de saucisses et de tranches de bacon, et son frère, tout en s'en cachant, en fait autant. Arthur conclut un accord avec un épicier épileptique : des soins contre des paiements en nature. Aussi se surprend-il à souhaiter les crises d'épilepsie plus fréquentes. Il est ravi quand, pour employer encore une expression d'Innes, il *attrape un phtisique*. La tuberculose est une maladie à la fois longue et incurable ; le malade est moins pour lui un être qui souffre qu'une rente de situation. Ce n'est pas sans une certaine honte qu'il se dit que Budd ne réagirait pas autrement. Le ton humoristique qu'il prend volontiers pour évoquer le côté mercenaire de la médecine relève, certes, de ce cynisme superficiel cultivé par les médecins pour se ménager l'indispensable recul, mais il cache aussi un malaise certain. Il ne conteste jamais le statut libéral de la profession, mais il sait bien que l'argent n'est la mesure ni de la science ni de la souffrance.

Il n'oublie pas la science. Il prépare sa thèse sur le *tabes dorsalis,* une forme de syphilis. Ses travaux sont basés sur les recherches du professeur Pitres de Bordeaux, complétées par les quelques cas qu'il lui arrive de connaître dans sa clientèle ou que son ami, le Dr Pike, lui envoie. Là où Budd aurait trouvé un remède miracle, Arthur Conan Doyle se contente de recommander des palliatifs prudents, qu'il expérimente d'abord sur lui-même pour prévenir d'éventuels effets secondaires. Même si son étude du cas d'un commis voyageur parle plus de Heine que du malade, sa thèse est à l'image de sa pratique médicale : sérieuse, consciencieuse, mais sans éclat. Même la science n'est pas innocente. Quand un malade interrompt le traitement au moment où les résultats devenaient cliniquement intéressants, il ne peut s'empêcher d'écrire : « *Ce sont des cas comme celui-là qui rendent les médecins cyniques* », comme si la maladie n'existait que pour la plus grande commodité des médecins. Mais c'est là un rare exemple de déformation professionnelle. Sa clientèle se recrute surtout dans les milieux les plus pauvres, chez ceux qui n'ont pas les moyens de s'offrir les services d'un médecin plus connu. Il regrette sans doute d'avoir si peu de clients à une guinée et trop à une demi-couronne, mais il arrive aussi que quand l'argent change de mains, il aille dans la poche du malade et non dans celle du médecin. Si ses devoirs envers Innes et lui-même lui interdisent de faire de son métier un apostolat, du moins ses souvenirs de Budd l'empêchent-ils d'en faire uniquement un commerce. Waller était pour ses paysans du Yorkshire un maître dur et âpre au gain mais, grand seigneur, il les soignait gratuitement. Arthur aurait voulu en faire autant mais, de même qu'il n'avait pas les moyens de sa misanthropie, il n'a pas non plus ceux de son altruisme.

Il soutient sa thèse avec succès à Edimbourg au printemps de 1885. Au mois de mai de cette même année, Charles Altamont Doyle est admis dans un asile d'aliénés à Montrose, sur la côte est de l'Ecosse. Il semblerait que cette décision soit due à l'initiative de Waller, mais il n'est pas impossible que la deuxième signature médicale requise par la loi ait été celle d'Arthur. Il est en tout cas mal placé pour s'y opposer, même s'il l'avait voulu. Ce n'est pas lui mais Waller qui soigne depuis des années Charles Doyle, ce n'est pas lui mais sa mère et ses jeunes sœurs qui auraient à supporter les conséquences si Charles Doyle était rendu à sa famille. Et Arthur est sur le point de fonder son propre foyer.

Au mois de mars 1885, il est convoqué en consultation par son ami, le Dr Pike. Il s'agit d'un adolescent, Jack Hawkins, atteint d'une méningite aiguë. Le diagnostic ne fait aucun doute, et ce n'est pas un avis médical que l'on demande au Dr Doyle. Le malade est accompagné de sa mère et de sa sœur Louise, une charmante jeune fille. La famille n'est pas originaire de Portsmouth ; elle se trouve sans abri car, en raison de l'état du jeune malade, aucun hôtel ne veut la recevoir. Le Dr Doyle a une chambre inoccupée ; accepterait-il d'y loger le malade en lui fournissant les soins nécessaires ? Arthur accepte ce bouleversement de ses arrangements domestiques, peut-être pour ne pas refuser un client, peut-être pour rendre service à son ami Pike, peut-être aussi pour les beaux yeux de Louise. A quoi bon être un Doyle, avec trois têtes de daim sur fond azur sur son papier à lettres, si l'on n'accepte pas de secourir une demoiselle en détresse ?

Il ne peut cependant secourir le pauvre Jack Hawkins ; le garçon meurt à peine deux jours après son installation au n° 1 Bush Villas. Cette mort rapide, si elle n'a rien de médicalement anormale, fait au Dr Doyle une publicité dont il se serait bien passé. Le *coroner* s'intéresse à l'affaire, la police aussi. Arthur est inquiet ; la rumeur publique, alimentée par les démarches officielles, peut être fatale à un jeune médecin dont la réputation n'est pas encore bien assise. Heureusement, le Dr Pike avait examiné Jack Hawkins quelques heures seulement avant sa mort ; son témoignage dégage totalement la responsabilité du Dr Doyle, qui n'en avait pas moins passé un quart d'heure extrêmement désagréable avec la police.

Cette triste affaire rapproche Arthur et Louise Hawkins. Au bout de quelques semaines, ils sont fiancés. Les convenances voudraient qu'il n'y ait pas de mariage dans une famille en deuil, mais Arthur n'a que faire des convenances. Sans doute pour éviter d'éventuels commentaires désobligeants, le mariage aura lieu loin de Southsea, à Kirkby-Lonsdale, le village le plus proche des domaines de Waller, qu'Arthur prend comme témoin.

Le choix de Waller est un hommage au passé, non une option pour l'avenir. Arthur est maintenant un homme libre. Les revenus de son activité médicale, complétés par la littérature, lui assurent une indépendance financière encore confortée par la rente de £100 annuelles que lui apporte Louise. Il s'est forgé sa propre philosophie de l'existence. Il a pris de tous ceux qui avaient exercé sur lui quelque influence — sa mère, les jésuites, ses professeurs d'Edimbourg, Waller, Hoare, même George Turnavine Budd — tout ce qu'ils pouvaient lui apporter. En littérature comme en médecine, il n'est plus tout à fait un débutant. Son mariage lui apporte une assise sociale et une précieuse sécurité affective. Maintenant peut commencer l'ascension d'Arthur Conan Doyle.

V

DÉBUTS ET FIN D'UN NOTABLE

> Le romanesque est la souche de l'imagination
> et de l'ignorance. Là où la science projette sa
> lumière calme et claire, il n'y a pas de place pour
> le romanesque.
>
> *Une femme de physiologiste*

Le mariage est pour Arthur Conan Doyle comme une libération. Louise n'exige rien en échange de son dévouement. Quatre jours après la cérémonie, les jeunes mariés partent à Dublin. Ce n'est pas un voyage de noces, mais une excursion organisée par et pour les anciens élèves de Stonyhurst. Cette première et dernière manifestation de l'esprit d'école chez Arthur est d'autant plus insolite qu'elle se produit à un moment où l'on pourrait lui supposer d'autres préoccupations. Il consacre les six jours de cette balade irlandaise au cricket — il célèbre ses exploits en vers de mirliton exécrables — et à ses anciens camarades plutôt qu'à sa nouvelle épouse.

Louise — Touie pour les intimes — ne lui en tient pas rigueur. A vingt-sept ans — elle est d'un an plus âgée que son mari — elle a assez de maturité pour ne pas jouer l'exclusivisme romantique et assez de psychologie pour comprendre qu'à trop tenir Arthur elle risquerait de le perdre. C'est une petite femme ronde et brune, sans prétentions intellectuelles mais douée d'un solide bon sens. Elle a l'éducation et les goûts de la jeune femme bourgeoise de l'époque : le piano, les travaux d'aiguille, la lecture à haute voix au coin du feu, les arts de la maison. Touie est une parfaite femme d'intérieur. Depuis son enfance, Arthur a la nostalgie du foyer ; dans celui, chaleureux, que sait créer Touie, il trouve repos et réconfort. Douce et affectueuse, elle s'emploie à ménager à son mari un espace de tranquillité où il peut retrouver les forces nécessaires pour affronter les orages de la vie, orages contre lesquels elle compte sur lui pour la protéger. Arthur, quant à lui, est résolu à jouer son rôle de chef de famille avec le sérieux et le sens du devoir qui avaient tant manqué à Charles Altamont Doyle.

Chaque partenaire dans ce mariage apporte ce que cherche l'autre. Ce n'est ni l'amour fou ni un mariage de raison, mais une association faite de complicité et de tendresse. « *Dans la carrière de l'homme moyen*, dira Arthur Conan Doyle dans un article sur Stevenson, *son mariage est un incident ; fort important, sans doute, mais seulement un incident parmi d'autres... l'amour jouera souvent un rôle secondaire dans sa vie.* » C'est justement parce que son mariage ne remplit pas toute sa vie qu'il est pour Arthur la condition de son épanouissement. Déchargé des soucis quotidiens, fort d'une parfaite sécurité affective, il se sent maintenant libre de cultiver les forces intellectuelles et morales qu'il sent croître en lui. Le nº 1 Bush Villas, longtemps un campement provisoire en pays hostile, devient une base sûre d'où il pourra partir à la conquête du monde.

Ses énergies ne sont plus principalement dirigées vers l'exercice de la médecine. La clientèle qu'il s'est faite depuis son installation à Southsea lui rapporte £300 environ par an. Avec les £100 de Touie et ses maigres gains littéraires, cela suffit à assurer au jeune ménage un modeste confort. Etant ainsi à l'abri du besoin, il ne cherche plus à développer sa clientèle, bien qu'un médecin marié inspire davantage confiance aux familles qu'un célibataire. Il ne veut pas non plus laisser en friche des connaissances si chèrement acquises. Il se consacre donc, à titre bénévole, au service d'ophtalmologie dirigé par son ami, le Dr Vernon Ford, à l'hôpital de Portsmouth. Acquérir ainsi une spécialisation est aussi un moyen de réserver l'avenir. Il n'envisage certes pas d'abandonner la position sociale et professionnelle qui lui a coûté tant d'efforts, mais il n'a encore que vingt-six ans ; il n'est pas sûr de rester toute sa vie généraliste dans une ville de province. « *Carlyle m'a rendu ambitieux* », écrit-il à sa mère peu après son mariage. En réalité ce n'est pas le vieux sage écossais mais sa nouvelle épouse qui renforce sa confiance en lui-même et en son avenir.

Pour tout ce qui n'est pas sa profession, il déploie une activité remarquable. Il n'y a guère d'association sportive ou culturelle de Portsmouth qui ne le compte parmi ses membres les plus actifs. Il bombarde les journaux locaux de lettres sur les sujets les plus divers. Il se fait des amis et des relations non seulement parmi ses confrères mais aussi parmi les officiers de la garnison. Il remplit des cahiers entiers de volumineuses notes de lecture : romans, histoire, biographie, récits de voyage, théologie et, bien sûr, médecine ; tout est lu, annoté, analysé. Et, tout en engrangeant des connaissances, il s'efforce de les transformer en fiction. L'échec de *Girdlestone & Cie*, refusé avec une belle unanimité par tous les éditeurs, ne fait qu'accroître sa détermination ; il s'obstine à vouloir faire un roman. Or, cette année 1885 est le bicentenaire de la bataille de Sedgemoor, où fut écrasée la révolte de Monmouth, ce fils naturel de Charles II qui tentait de détrôner Jacques II, le dernier roi catholique de l'histoire anglaise. Ce bicentenaire suggère le thème d'un roman historique, *Micah Clarke*. Ce sera un ouvrage volumineux, comme les aime le public victorien ; quatre cents pages pleines de péripéties et pourtant nourries d'une riche documentation. En même temps, il n'ignore pas qu'avec *L'île au trésor* (1883), Stevenson avait lancé un nouveau genre, entre la nouvelle et le traditionnel roman en trois tomes ; le récit d'aventures court et nerveux, sans digressions, sans personnages pléthoriques, sans sous-intrigues byzantines. Arthur Conan Doyle ne veut plus être seulement nouvelliste et son roman traditionnel est un échec. Aussi interrompt-il *Micah Clarke* pendant quelques semaines pour se lancer dans la voie tracée par son compatriote et concitoyen ; le résultat sera *Une étude en rouge,* l'entrée en littérature de Sherlock Holmes. Entre la vie associative et mondaine, le service d'ophtalmologie, ses lectures personnelles et ses deux romans en chantier, le jeune Dr Doyle, bien qu'assez indifférent à la clientèle qui représente son pain quotidien, ne chôme pas.

Pendant l'été 1886, Mr Gladstone lui offre la distraction d'une campagne électorale. Le vieux chef libéral est revenu au pouvoir pour faire aboutir le projet de *Home Rule* [1] pour l'Irlande ; il demande au pays de l'approuver. Les *tories* y sont farouchement hostiles ; les libéraux se divisent en *Home Rulers* et *Liberal Unionists.* Cet éclatement du grand parti libéral ouvrira la voie à vingt ans de domination conservatrice. Aux élections de 1886, en effet, Gladstone et ses *Home Rulers* sont largement battus. Arthur Conan Doyle, pour sa part, explique dans une lettre publiée dans le *Portsmouth Evening News* pourquoi, malgré ses opinions libérales, il votera et fera voter pour les candidats unionistes. Il est, en effet, membre fondateur de la section locale du parti libéral-unioniste. C'est une recrue de choix, aussi utile sur l'estrade, où ses talents d'orateur font merveille, que dans

1. *Home Rule.* L'Irlande du dernier quart du XIXᵉ siècle se partage entre l'Unionism (intégration au Royaume-Uni), le Home Rule (autonomie interne) et le Sinn Fein (indépendance). La Home Government Association, fondée en 1870 par l'avocat protestant Israel Butt, est bientôt remplacée par la Home Rule League, dirigée par Parnell, également protestant. Gladstone accepte le principe du Home Rule dès 1885, provoquant ainsi la scission du parti libéral entre ses partisans (Home Rulers) et ses adversaires (Liberal Unionists). Ces derniers, conduits par Joseph Chamberlain, s'allieront aux conservateurs. Le Home Rule, rejeté à Westminster en 1886 et 1893, sera voté, malgré le veto de la Chambre des pairs, en 1914 mais, en raison de la Grande Guerre, n'entrera en vigueur qu'en 1920, trop tard pour empêcher l'accession à l'indépendance des vingt-six comtés de l'Etat libre d'Irlande (Traité de Partition de 1921).

la salle où ses qualités athlétiques et son physique imposant en font un service d'ordre à lui tout seul. Il sera bientôt vice-président de la section.

Cette évolution politique est parfaitement cohérente. Il ne s'agit nullement d'un ralliement au conservatisme. Sur toutes les questions politiques et sociales sauf l'Irlande, ses positions restent celles de l'aile avancée du mouvement libéral. Mais l'Irlande, comme il le note dans ses cahiers, est *une suppuration qui continuera à suppurer jusqu'à l'éclatement*. Depuis 1881, les attentats organisés par la Ligue agraire irlandaise se multiplient. Arthur Conan Doyle reconnaît la légitimité des revendications paysannes, il est favorable à la réforme agraire. Dans *Une nuit chez les nihilistes* (1881) il avait fait en passant une comparaison ironique entre les grands propriétaires terriens irlandais et ceux de la Russie tsariste. Mais les *Home Rulers,* s'ils n'approuvent pas les agissements de la Ligue agraire, se gardent aussi de les condamner. *Ce ne peut être des hommes d'une haute moralité politique,* écrit Arthur, *par conséquent, et quels que soient leurs talents, ils ne sont pas dignes d'exercer le pouvoir.* Il ne peut se reconnaître dans un parti qui, même implicitement, cautionne le recours à la violence comme moyen d'action.

Conscient de ses origines, cependant, il a le souci de prévenir la montée du sentiment anti-irlandais en Angleterre. C'est le but de sa nouvelle *Touch And Go* (1886), basée sur un fait divers réel. James Stephens, agitateur irlandais notoire, avait dû quitter l'Ecosse précipitamment à bord d'un bateau pour éviter l'arrestation. Conan Doyle imagine un groupe d'enfants qui, ayant pris la mer imprudemment, sont sauvés *in extremis* par le fugitif qui, pour ce faire, doit s'écarter de sa route au risque d'être repris par la police. « *Quelles que soient ses idées politiques* », conclut la nouvelle, « *ce fut un bon ami pour nous quand nous en avions besoin.* » Il s'agit pour Arthur d'apaiser les passions en affirmant une solidarité humaine qui dépasse les clivages partisans. Il prenait un risque certain en prêtant ainsi un geste altruiste à un homme que l'opinion considère comme un dangereux terroriste, mais Arthur Conan Doyle avait toujours le courage de ses opinions.

Il n'en est pas moins convaincu que l'Irlande doit rester partie intégrante du Royaume-Uni, au même titre que l'Ecosse, le Pays de Galles et l'Angleterre. En cela comme dans son refus de la violence, il reste fidèle à la fois à la conception *whig* de l'histoire apprise dans les pages de Macaulay et à la philosophie de l'évolution. Tout le long de l'histoire, les groupes humains se sont fondus les uns dans les autres pour former des ensembles plus grands. Les tribus des îles britanniques se sont d'abord réunies pour former quatre nations qui à leur tour se sont alliées pour constituer le Royaume-Uni. Celui-ci doit maintenant devenir le noyau d'une grande fédération impériale, qui finira par s'associer aux Etats-Unis pour réaliser l'unité de tous les peuples anglophones. Tout démantèlement d'une unité déjà constituée est un pas en arrière, une régression anti-historique. De même, le recours à la violence est une régression vers un comportement primaire, indigne d'une société évoluée. Quand on lui demande en quoi le xixe siècle est supérieur au xvie, il répond que les polémistes n'ont plus la possibilité ni le désir de faire brûler leurs adversaires au poteau d'exécution. La solution au problème irlandais ne réside pas dans le *Home Rule* et encore moins dans le séparatisme, mais dans l'extension à l'Irlande de cette paix civile qui naît des valeurs de progrès et de liberté qui règnent en Grande-Bretagne et, par son intermédiaire se répandent dans son vaste Empire. Pour Arthur Conan Doyle, l'Empire britannique, symbolisé par la reine Victoria, épouse et mère modèle, souveraine respectueuse de la Constitution, est le meilleur garant du progrès de l'humanité ; en faisant de l'unionisme et de l'impérialisme les piliers de ses convictions politiques, il est persuadé de rester dans le droit fil du libéralisme.

Malgré ses responsabilités au sein du parti libéral-unioniste, il ne s'abandonne pas aux délices de la politique politicienne. Peu de problèmes ont soulevé autant de passions partisanes que la question irlandaise, mais Arthur Conan Doyle ne sera jamais un homme de parti. Ses choix sont dictés par une conception de l'évolution qui récuse tout sectarisme. « *Plus larges seront nos vues et mieux cela vaudra,* écrit-il, *car les vues les plus larges auxquelles puisse atteindre l'esprit humain sont encore infiniment étroites par rapport à cette vérité finale qui doit embrasser l'ensemble de l'univers et tout ce qui y vit.* » Des valeurs morales comme la vérité, la justice, l'altruisme, sont universellement reconnues et s'imposent donc d'elles-mêmes, mais cette *intuition morale,* tout comme l'ordre de la création, atteste la réalité d'une intelligence suprême sans pour autant résoudre le mystère de l'univers. Il est toujours à la recherche d'une doctrine qui fournirait une explication totale de l'univers, *de l'amibe à la Voie lactée.* L'évolution darwinienne satisfait sans doute la raison, mais non le cœur. Dans *Une femme de physiologiste,* nouvelle écrite vers 1888 et publiée en 1890, il fait dire à un personnage qui lui ressemble : *Ma raison est fidèle à l'agnosticisme et pourtant je suis conscient d'un vide, d'une lacune. J'éprouvais des émotions dans la vieille église de mon enfance, entre le parfum de l'encens et le grondement des orgues, comme je n'en ai jamais ressenti dans un laboratoire ou dans une salle de cours.* Il ne s'agit pas ici de la nostalgie du divin ; les églises chrétiennes, avec leur sectarisme, leur attachement têtu à des livres saints contenant d'évidentes contre-vérités scientifiques, lui inspirent un réel dégoût, à tel point que quand naîtra sa fille Mary-Louise en janvier 1889, il faudra toute l'autorité de Mary Foley Doyle pour qu'il accepte enfin, en maugréant, de la faire baptiser dans la religion anglicane qui est celle de sa femme et, maintenant, de sa mère. Il ne regrette rien dans le catholicisme, qu'il trouve d'ailleurs préférable à l'évangélisme protestant. Mais le matérialisme scientifique lui semble tout aussi borné que le sectarisme religieux. L'évolution doit conduire l'homme de l'état de *singe anthropoïde* à celui d'*archange*. Sans exclure la possibilité de modifications physiologiques, il estime que les améliorations qu'apportera l'évolution à l'espèce humaine seront surtout d'ordre moral ; l'*archange* sera plus généreux, plus spirituel que le *singe anthropoïde*. Mais, pour le matérialisme scientifique qu'il avait appris à Edimbourg, le spirituel n'existe pas. Le savant dans *Une femme de physiologiste* pontifie : *Il est toujours instructif de ramener un état psychique ou émotionnel à son équivalent physique.* Pour cet éminent scientifique, les émotions ne sont que *de vagues tendances héréditaires rappelées à la vie par la stimulation des nerfs de l'odorat et de l'ouïe.* Arthur Conan Doyle a beau être rationaliste et darwinien, la priorité qu'il accorde à la morale et au spirituel le met en porte à faux avec le matérialisme qui est l'orthodoxie scientifique de son époque.

Pour donner un solide fondement scientifique à son *intuition morale* il lui faut donc trouver le moyen de réfuter le matérialisme. Or, ce terme « matérialiste » peut revêtir deux sens. Un sens scientifique : rien n'existe sauf la matière. Et un sens moral : est matérialiste celui qui est égoïste, cynique, intéressé, âpre au gain. Arthur Conan Doyle confond volontiers ces deux sens ; pour lui, réfuter le matérialisme scientifique permettrait le progrès de l'humanité vers un altruisme authentiquement spirituel. La manière la plus convaincante de réfuter le matérialisme scientifique serait de démontrer l'existence de la vie après la mort biologique. Si la vie persistait après la désagrégation de son *équivalent physique,* on ne pourrait plus soutenir que les émotions ne sont qu'une affaire de nerfs. *Le but et l'objectif des rapports spirituels*, note-t-il dans son cahier, *est de donner à l'homme la plus forte des raisons pour croire en l'immortalité de l'âme, de faire tomber la barrière de la mort, de fonder la grande religion de l'avenir.* Rappelons que, pour Arthur Conan Doyle, religion et science sont synonymes. Il tient absolument à ce que sa démarche soit rationnelle et scientifique. Il n'y a aucune contradiction entre sa campagne en faveur de la vaccination obligatoire et sa recherche d'une preuve de l'immortalité de l'âme. Les deux activités, qu'il mène de pair, s'inspirent d'un même altruisme scientifique : établir la vérité afin qu'elle permette le progrès de l'humanité.

Il suffit d'en appeler à l'expérience, sous forme de statistiques et de cas cliniques abondamment documentés pour confondre les obscurantistes qui persistent à nier l'efficacité de la vaccination contre la variole, mais comment apporter la preuve scientifique de la vie après la mort ? Les Goncourt disaient que le suicide était la solution du problème métaphysique par la méthode expérimentale ; pour Arthur Conan Doyle, l'application de la méthode expérimentale à un problème qui est, à ses yeux, surtout scientifique, c'est le spiritisme.

Le spiritisme moderne, né dans la famille Fox à Hydesville, dans l'Etat de New York, en 1848, avait rapidement gagné l'Europe, où il connaissait un succès à la fois de curiosité et de scandale. Il était cependant trop vulgairement sensationnel dans sa présentation, trop discrédité par les nombreux charlatans qu'il attirait pour intéresser Arthur Conan Doyle. Il avait assisté, alors qu'il était chez le Dr Hoare à Birmingham en 1880, à une conférence donnée par un spirite américain, et n'avait nullement été convaincu. Quand, à Southsea, il cherche des preuves contre le matérialisme, il se tourne vers l'hypnose — il essaie, sans succès, de se faire hypnotiser —, vers le mesmérisme et la télépathie. Avec un ami architecte, Stanley Ball, il consacre des heures entières à des expériences peu concluantes de transmission de pensée. C'est le major général Drayson, un client devenu un ami, qui attire son attention sur le spiritisme. Drayson est un officier brillant et un astronome réputé ; c'est aussi un spirite convaincu. Le spiritisme, en effet, est devenu un objet de curiosité scientifique. En 1882 s'était fondée la *Society for Psychical Research* (SPR), vouée à la chasse aux charlatans. Le spiritisme compte parmi ses adeptes des scientifiques réputés : Alfred Russel Wallace et William Crookes en Angleterre, Camille Flammarion en France. L'adhésion d'hommes aussi éminents lui donne la garantie que le spiritisme, s'il est décrié par la communauté scientifique en général, n'en est pas moins intellectuellement respectable.

Il est sensible à l'argument d'autorité. « *La vraie liberté,* note-t-il dans son cahier, *consiste à se laisser guider par quelqu'un de meilleur que soi.* » Ce même cahier contient des notes de lecture sur plus de soixante-dix ouvrages traitant tous les aspects du problème esprit/ matière. Mais la lecture et la réflexion abstraite ne sauraient remplacer la méthode expérimentale. Le spiritisme est à la portée de tout le monde, tout un chacun peut organiser une séance. Et qu'est-ce qu'une séance sinon une expérience qu'Arthur Conan Doyle, présumant peut-être trop de sa formation médicale, se croit assez averti, assez prudent, assez vigilant, pour transformer en authentique expérience scientifique ? En janvier 1887, donc, il fonde un cercle spirite qui se réunit tous les quinze jours chez lui, au n° 1 Bush Villas.

La première réunion a lieu le 24 janvier. Après une dizaine de séances, il ne s'est rien produit sauf les phénomènes familiers aux habitués des tables tournantes. Arthur Conan Doyle reste dubitatif. Le major général Drayson lui fait alors remarquer que *faire du psychisme sans médium, c'est faire de l'astronomie sans téléscope.* Au printemps, il assiste pour la première fois à une séance animée par un médium professionnel. Il raconte le résultat dans une lettre publiée dans *Light,* la revue de la SPR, le 2 juillet 1887. *Le médium prit un crayon et, après quelques mouvements convulsifs, écrivit un message pour chacun d'entre nous. Le mien fut ainsi conçu : « Ce monsieur est de ceux qui guérissent. Dites-lui de ma part de ne pas lire le livre de Leigh Hunt. »* Or, *je peux jurer que personne ne savait que j'avais envisagé de lire ce livre et, de plus, il ne s'agissait pas de transmission de pensée, car je n'y avais pas pensé de toute la journée. Je peux dire seulement que si j'avais eu à inventer un message-test, j'aurais été incapable d'en trouver un qui fût plus inexplicable, sauf dans l'hypothèse qui est celle des spirites.* Il croit donc pouvoir affirmer, d'une part que *l'intelligence peut exister en dehors du corps* et d'autre part que *nous avons l'assurance d'une vie après la mort à laquelle nous devons nous préparer en raffinant nos grossiers désirs d'animal tout en cultivant nos pulsions les plus élevées et les plus nobles.* Grâce au spiritisme, le matérialisme dans ses deux sens, scientifique et moral, est vaincu.

A la différence de bien d'autres convertis, Arthur Conan Doyle n'est pas attiré vers le spiritisme par le désir d'entrer en contact avec un être disparu, mais sa volonté de secouer le joug matérialiste fait qu'il aborde les séances avec un préjugé excessivement favorable. Le livre de Leigh Hunt faisait partie de la documentation qu'il rassemblait en vue de la préparation de *Micah Clarke*. Ce projet était en chantier depuis presque deux ans. Il est invraisemblable, quoi qu'il en dise, qu'il n'ait rien laissé transparaître de ses préoccupations. La bonne méthode scientifique qu'il se targue de suivre voudrait qu'une expérience soit répétée dans des conditions rigoureusement contrôlées avant d'énoncer avec certitude un résultat ; Arthur Conan Doyle, à peine sorti de cette première séance avec médium, prend sa plus belle plume pour proclamer publiquement sa conversion. En réalité, il ne demandait qu'à être converti. Le message-test n'est que le prétexte attendu qui lui permet de donner une justification rationnelle à ses intuitions les plus profondes. Il cherchait une preuve contre le matérialisme ; on finit toujours par trouver ce qu'on cherche.

Comme il s'agit en réalité d'une confirmation et non d'une conversion, sa vie ne s'en trouve pas bouleversée. Certes, il entretient avec F. W. Myers[1], président-fondateur de la SPR, une correspondance animée sur les phénomènes spirites. Quand la *Hampshire Society for Psychical Research* est créée en 1889, il sera membre-fondateur et vice-président. Cependant, le spiritisme, lui ayant donné cette réfutation du matérialisme qu'il en attendait, ne l'intéresse plus guère en tant que tel. Sa sœur Annette succombe à la grippe à Lisbonne en 1889. Le deuil eût été sans doute plus douloureux sans ses croyances spirites, mais il ne semble pas qu'il ait tenté d'entrer en contact avec sa sœur disparue. Arthur Conan Doyle n'a rien d'un curieux en quête d'émotions fortes. Les matérialisations, les tables tournantes, les esprits frappeurs, l'écriture automatique, les apports, tous ces phénomènes qui font frissonner les amateurs ne présentent pour lui qu'un intérêt anecdotique. Pire encore, ils risquent de masquer, pour les convertis comme pour les sceptiques, ce que lui tient pour l'essentiel : l'autonomie de l'esprit par rapport à la matière, l'immortalité de l'âme, l'impératif moral de se préparer à la vie après la mort biologique.

Fort de ces certitudes, il lui reste à préciser la place de l'homme dans le grand dessein de la création. Sa conversion au spiritisme n'entame en rien ses convictions évolutionnistes. Mais l'homme détermine-t-il son évolution ou la subit-il seulement ? L'homme est-il acteur ou donnée de son histoire ? Arthur Conan Doyle penchera tantôt pour le déterminisme, tantôt pour le volontarisme selon son humeur et les circonstances. L'intérêt qu'il porte de longue date à l'hypnotisme l'amène à se méfier du libre arbitre. Comme chez les sujets hypnotisés, écrit-il, *ce qui*

1. Myers, Frederick William (1843/1901). Philosophe, poète et critique littéraire (*Essais classiques et modernes,* 1882), son testament philosophique sera *La personnalité humaine et sa survie après la mort,* 1903).

nous semble être de notre propre choix peut en réalité s'avérer avoir été aussi inchangeable et inexorable que le destin, le résultat inévitable de toutes les suggestions qui agissent sur nous. Et Conan Doyle de citer Spinoza : *la conscience du libre arbitre n'est que l'ignorance des causes de nos actions.*

En tant que médecin, Arthur n'ignore rien du poids de l'hérédité ; *la nature,* dira-t-il, *est une créancière inexorable.* Issu d'une minorité nationale et religieuse, il a vécu les pesanteurs sociologiques. Il sait d'expérience combien de portes sont ouvertes aux fortunés et fermées aux démunis. Mais, fils d'un père alcoolique et d'une mère indomptable, il ne peut se résoudre à subir le déterminisme, qu'il soit biologique ou socio-économique. S'il connaît les obstacles que le milieu, la race et le moment dressent devant la volonté humaine, c'est pour les avoir lui-même surmontés. Il a mené sa vie comme un combat ; quel en serait le sens si l'issue était décidée d'avance ? Et quel pourrait être le sens de l'immortalité de l'âme, cette certitude qu'il a tant lutté pour démontrer, si l'homme n'était pas responsable de ses actes ? Dans sa joie d'avoir enfin démontré l'existence de la vie après la mort, il avait adopté une position nettement volontariste ; rien, lit-on dans sa lettre dans *Light,* ne peut « *mettre celui qui fait le mal à l'abri des conséquences de ses actes* ». Il fait siennes les thèses des religions orientales sur la réincarnation de l'âme sous une forme plus ou moins noble selon le comportement de l'individu dans une vie antérieure. C'est l'époque où la théosophie est à la mode. Comme les théosophistes, Arthur Conan Doyle est un moniste convaincu ; comme eux, il croit à un Dieu qui est l'ultime réalité et non à un Dieu personnel. Les trois objectifs de la théosophie : promouvoir la fraternité universelle, l'étude comparative des religions et la recherche psychique — correspondent assez bien à ses préoccupations. Pendant un certain temps, il sera séduit par la théosophie promulguée par Mme Blavatsky depuis son *ashram* dans les Indes lointaines [1].

Des révélations sur la moralité douteuse de Mme Blavatsky refroidiront sensiblement son enthousiasme pour la théosophie, mais, dans ses moments optimistes, il ose croire que l'homme est libre de choisir son destin. Même au plus fort de son engouement oriental, il ne renie jamais la science au profit d'un mysticisme quelconque. Le père Kingdon, son professeur à Stonyhurst, déçu par la science, s'était réfugié dans une foi religieuse qui était un refus du siècle ; Arthur Conan Doyle est un être trop social pour suivre cette voie. La science est soumise à cette loi de l'évolution qu'elle a elle-même permis de découvrir. La science de la matière est un acquis précieux de l'humanité qui ne saurait être abandonné, mais elle ne représente qu'un stade qui est en train d'être dépassé. L'ère de la science de la matière est presque révolue ; celle de la science de l'esprit commence. Ce sont Mme Blavatsky et ses semblables et non les matérialistes attardés qui avancent dans la voie du vrai progrès scientifique. Mais la science de la matière est établie sur des bases solides, celle de l'esprit en est encore à ses balbutiements. Est-ce raisonnable d'abandonner le connu pour l'incertain ? Sa conversion au spiritisme, bien que jamais remise en cause, ne lève pas toutes ces interrogations scientifico-religieuses.

Les spectateurs qui applaudissent ses exploits sur les terrains de cricket et de football, les malades qui reçoivent, dans son cabinet ou à l'hôpital, les soins les plus classiques dispensés dans le respect le plus strict des usages professionnels, les électeurs libéral-unionistes qui écoutent ses discours politiques, les notables qui suivent

1. Blavatsky, Mme Hélène Petrovna (1831/1891). Fondatrice de la théosophie (New York, 1873), elle installe le siège de ce mouvement aux Indes (1879). Ses écrits et sa personnalité font beaucoup pour populariser les religions orientales. Personnalité très controversée. Certains la tiennent pour une aventurière sans scrupule, d'autres, notamment W. B. Yeats, lui attribuent des pouvoirs occultes.

ses interventions à la *Portsmouth Literary and Scientific Society* (PLSS) : parmi toutes ces bonnes gens de Portsmouth — et ils sont de plus en plus nombreux — qui ont affaire au Dr Doyle, rares sont ceux qui se doutent que ce grand jeune homme, avec son accent écossais et son air d'ours apprivoisé, est plongé dans l'ésotérisme au point d'être un adepte du *karma* et d'autres doctrines dont les noms sont difficiles à prononcer. Et pour cause : « *Il existe en nous*, écrit-il, *un sens moral qui guide l'agnostique aussi bien que le croyant.* » Ce sens moral — il ne se pose jamais la question de savoir s'il pouvait être acquis et non inné — s'impose à lui avec une évidence et une force telles qu'elles lui donnent la sérénité, en attendant la résolution de ses incertitudes, d'aborder le mystère de l'univers comme un problème au lieu de le vivre comme une angoisse. Arthur Conan Doyle n'est pas un tourmenté. Les questions scientifico-religieuses remplissent ses pensées et ses cahiers ; elles ne remplissent pas pour autant sa vie.

Pourtant, elles conditionnent, plus qu'il ne le croit, son œuvre. « *L'affaire d'un conteur*, dira-t-il, *est de conter son histoire* », mais une histoire n'est jamais innocente. Si l'univers est seulement accessible à travers une science de la matière qui exclut le libre arbitre, alors le romancier ne peut guère pratiquer que l'explication ou la description. En revanche, un univers de l'esprit où s'exerce la liberté humaine libère aussi l'imagination ; l'auteur, d'observateur, devient créateur. « *Jusqu'à quel point la monade individuelle doit-elle être tenue responsable de tendances héréditaires, innées ?* » s'interroge un personnage d'*Une femme de physiologiste*. Il arrivera bien souvent à Conan Doyle de décrire des personnages uniquement en fonction de caractéristiques héréditaires. *Le grand moteur Brown-Pericord* (1892) tourne sur la lointaine opposition héréditaire entre Saxon et Normand. Les héros de *Trois correspondants* (1896) sont différenciés selon leurs origines ethniques. Ce ne sont là que deux exemples parmi tant d'autres, mais il n'est pas certain qu'il s'agisse d'une véritable croyance dans le déterminisme biologique plutôt que d'une solution de facilité adoptée par un auteur désireux de camper vite son monde pour en venir plus rapidement à l'action. *Une femme de physiologiste,* nouvelle où Conan Doyle, à la manière de Henry James, s'amuse à jouer l'esprit contre la matière, le cœur contre la raison, le sentiment contre la science, montre combien il est conscient des deux interprétations auxquelles peut se prêter une même réalité. « *L'amour n'est-il donc pas romanesque ? demande-t-elle. — Pas du tout. L'amour a été repris aux poètes et placé dans le domaine de la vraie science. Il est peut-être l'une des grandes forces cosmiques élémentaires. Quand l'atome d'hydrogène attire l'atome de chlore pour former la parfaite molécule d'acide chlorhydrique, la force qu'il exerce ressemble peut-être intrinsèquement à celle qui m'attire vers vous.* » D'une part, le romanesque, la psychologie de l'attirance, le jeu de la séduction ; de l'autre, la science avec les forces cosmiques et la fusion moléculaire. De même, dans cette nouvelle, le savant, ayant perdu sa bien-aimée à la suite d'un stratagème de narration qui doit plus au roman gothique qu'à Henry James, meurt *le cœur brisé,* expression à laquelle Arthur Conan Doyle donne volontairement ses deux sens. L'un est littéral, scientifique ; il est mort d'une maladie cardiaque. L'autre est figuré, romanesque ; il est mort de chagrin. Une fiction devra faire appel à des moyens et à des techniques différents selon qu'elle se veut scientifique ou romanesque. Ces deux modes de perception, s'apparentant au déterminisme et au volontarisme, engendrent chez Arthur Conan Doyle deux modes d'écriture dans lesquels les personnages sont des données de l'Histoire ou, au contraire, les acteurs de leur propre histoire.

Son œuvre, jusqu'ici homogène dans sa conception sinon dans sa réalisation, va désormais se partager entre le mode scientifique et le mode romanesque. Les romans historiques relèvent du mode scientifique. Les person-

nages sont des types représentatifs, les incidents pittores-
ques et les scènes d'action ne servent qu'à agrémenter une
fresque historique qui se veut fidèle à la réalité d'une
époque, l'ensemble est empreint d'un didactisme moralisateur destiné à enrichir les connaissances et élever l'âme
du lecteur. Arthur Conan Doyle les considère comme
l'élément essentiel et durable de son œuvre. En quoi il se
trompe. Comme il s'était libéré du matérialisme scientifique, comme il lui arrive de croire au libre arbitre, son
imagination aussi parvient à se libérer pour créer des
univers fictifs dans lesquels des personnages doués d'une
vie autonome se révèlent dans leurs choix. Ce sera dans le
mode romanesque, sous l'empire de personnages comme
Holmes et Watson, Gérard et Challenger, qu'Arthur
Conan Doyle va exprimer le meilleur de son génie. On
n'est jamais si mal jugé que par soi-même.

Le contraste entre l'honnête médiocrité des romans
historiques et la réussite, inégale, certes, mais parfois
exceptionnelle dans le mode romanesque, ne tient pas
uniquement à cet arrière-fond philosophique, qui est
d'ailleurs ressenti plutôt que réfléchi. Son esprit, à cette
époque de sa vie, est un réservoir et non une source ; son
inspiration est encore tributaire de ses abondantes lectures. Il se trouve que dans le mode romanesque ses
maîtres sont meilleurs et mieux assimilés que dans celui,
scientifique, qu'il emprunte dans ses romans historiques.
Bulwer-Lytton, Charles Reade, William Ainsworth sont
des auteurs de romans historiques tombés aujourd'hui
dans un oubli bien mérité, et si Conan Doyle se réclame
aussi de sir Walter Scott, il est clair qu'il ne l'a jamais
compris. En revanche, son article dans la *National
Review* (1890) montre combien il avait saisi l'essentiel de
Robert Louis Stevenson. C'est une preuve de sa passion
pour Stevenson autant que de sa prodigieuse faculté de
mémorisation que, lorsque paraît une nouvelle édition du
Pavilion on the Links, il repère tout de suite, sans
comparer les textes, une coquille qui ne figurait pas dans

l'édition originale. Et pour un auteur en quête du romanesque, il ne saurait y avoir de meilleur maître que Robert Louis Stevenson.

Il est particulièrement frappé par l'épisode du *Dynamiteur* (1885) où Stevenson raconte la vengeance prise par les Mormons sur un renégat coupable d'avoir quitté la secte pour rejoindre la civilisation. Aussi, en mars 1886, met-il de côté *Micah Clarke* pour s'attaquer à un court récit d'aventures qui, vite mené à bien, lui permettra la réalisation rapide de son désir d'avoir *son nom au dos d'un volume*. Ce volume sera *Une étude en rouge*. Une conférence sur les Mormons donnée dans le cadre de la PLSS le 4 avril complète sa documentation. S'il compte emprunter le décor et des détails — jusqu'aux prénoms des personnages — à Stevenson, il entend rester dans sa propre thématique. Pour lui, les Mormons polygames sont aussi barbares que les Thugs de *L'oncle Jérémie et les siens*. Leur puissante organisation, dirigée depuis leur fief dans l'Ouest américain, défie et la justice et la morale de la civilisation moderne. Comme dans ses nouvelles précédentes, la tranquillité britannique sera troublée, avant d'être rétablie, par un crime dont les origines sont d'autrefois et d'ailleurs.

La menace est d'autant plus redoutable que les Mormons, à la différence des Thugs, se présentent sous les apparences de l'Américain ou de l'Anglais moyen ; ils sont aussi insaisissables à Londres qu'invulnérables dans l'Utah. Pour les contrer, il faudrait un héros qui soit plus un homme d'intelligence qu'un homme d'action. Il songe d'abord à un narrateur-héros ; il lui donne même un nom, Ormond Sacker. Mais les narrateurs de ses nouvelles précédentes n'étaient ni des héros ni remarquables pour l'intelligence ; c'était au contraire des personnages neutres dont l'absence de perspicacité fondait la complicité entre l'auteur et le lecteur. En même temps, cette nouvelle exigence d'intelligence chez le héros fait penser à Poe, qu'il avait lu à Feldkirch, et à Gaboriau, qu'il est en train de lire à Southsea au moment même où il entreprend *Une étude en rouge*. L'économie du livre en est bouleversée. Parti pour faire un récit d'aventures à la manière de Stevenson, Arthur Conan Doyle se surprend à faire un roman policier à la manière de Gaboriau. Son détective devra son succès, comme le Dupin de Poe et le Tabernet de Gaboriau, à l'observation et au raisonnement et non à la coïncidence. Ce détective sera Sherlock Holmes. Le narrateur-héros prévu initialement devient ce personnage plus familier à Conan Doyle, le narrateur-comparse. L'aristocratique Ormond Sacker, relégué au rôle de faire-valoir, devient le très bourgeois John H. Watson. Dans l'esprit de Conan Doyle, la rencontre Holmes/Watson est une aventure sans lendemain et non un ménage qui doit durer quarante ans, mais ses personnages se réalisent dans son imagination avec une plénitude telle qu'ils réclament des développements qui occupent la majeure partie du livre, alors qu'initialement ils ne devaient intervenir que brièvement, à la manière de Gaboriau, au début et à la fin, pour laisser la plus grande place aux aventures chez les Mormons dans l'Utah.

Une étude en rouge est un coup d'essai. Ce n'est pas un coup de maître, justement parce que Arthur Conan Doyle s'efforce de suivre deux maîtres, ce qui est un de trop. Pendant la période de rédaction, il se produit un extraordinaire chassé-croisé d'influences. La partie « détection » inspirée de Gaboriau est écrite dans le style rapide, précis, ironique, de Stevenson alors que la partie « aventures » inspirée de Stevenson ne peut être incorporée qu'en ayant recours à la forme de Gaboriau. Le style et la forme sont infiniment plus importants que tel ou tel emprunt de nom, d'incident, de décor. A une époque où le roman policier ne s'est pas encore dégagé du roman à sensation, Gaboriau regarde vers le passé, Stevenson vers l'avenir. La forme de Gaboriau, avec ses récits multiples, ses innombrables rebondissements, son armée de personnages secondaires, s'apparente aux romans-feuilletons du XIXᵉ siècle ; Stevenson, avec sa rigueur formelle, sa maîtrise du rythme du récit, sa grande économie de moyens, annonce le roman moderne. La forme de Gaboriau exige la prolixité, le style de Stevenson réclame la concision. « *Trop long pour une nouvelle, trop court pour un roman* », dira James Payn du *Cornhill* en renvoyant *Une étude en rouge* à son auteur. En réalité, le livre est trop proche de Gaboriau pour être du bon Stevenson et trop proche de Stevenson pour être du bon Gaboriau, trop traditionnel pour ce qu'il a de neuf et trop neuf pour ce qu'il a de traditionnel. Il annonce cependant le moment où son auteur, encore incapable de choisir entre ses maîtres, choisira d'être lui-même.

La richesse insoupçonnée du couple Holmes/Watson détruit l'équilibre du livre, en sorte que les aventures chez les Mormons, qui devaient en être la pièce maîtresse, en deviennent une interruption superflue et agaçante. Mais si le livre est raté, le couple Holmes/Watson est magnifiquement réussi. *Une étude en rouge* comporte, en effet, deux énigmes : celle du crime et celle du personnage de Sherlock Holmes. En dévoilant les deux simultanément et progressivement par l'intermédiaire de Watson, Conan Doyle parvient à une qualité d'écriture qu'il n'avait jamais atteinte. *Une étude en rouge* est donc en quelque sorte une souris qui accouche d'une montagne. Conan Doyle lui-même ne mesure pas la portée de sa réussite. Quand en 1888 il tire une pièce de théâtre — qui ne sera jamais jouée — du livre, il sacrifie Holmes et la partie « détection » pour ne garder que la partie « aventures » avec un Watson transporté à San Francisco pour la circonstance. Toujours est-il que pour la première fois, il a créé des personnages autonomes, indépendants de l'œuvre dans laquelle ils figurent. Adrian Conan Doyle, fils de l'écrivain, affirme avoir vu une version d'*Une étude en rouge* dont Holmes est absent. Autant dire que le couple Holmes/Watson n'est pas enfermé dans le cadre d'*Une étude en rouge ;* il est détachable et donc réutilisable, bien que son créateur ne s'en doute pas encore.

Arthur Conan Doyle met à peine cinq semaines pour écrire *Une étude en rouge ;* il faudra vingt mois pour le voir publier. Le *Cornhill* n'en veut pas, les grands éditeurs londoniens non plus. Au mois d'octobre 1886, il accepte en désespoir de cause de céder l'entière propriété de l'ouvrage à Ward, Locke & Cie contre la modeste somme de £25 et la promesse d'une publication différée d'un an, sous prétexte que le marché est déjà inondé de littérature à sensation bon marché. *Une étude en rouge* paraît donc d'abord dans *Beeton's Christmas Annual* en novembre 1887, avant d'être réimprimé en volume indépendant l'année suivante. Une édition pirate paraît aux Etats-Unis, où le succès, bien que modeste, est plus net qu'en Angleterre. *Une étude en rouge* est le premier roman qu'Arthur Conan Doyle parvient à faire publier mais, contrairement à ce qu'il avait espéré, le fait *d'avoir son nom au dos d'un volume* ne lui apporte pas la gloire et encore moins la fortune.

En attendant la publication, le jeune auteur, entre deux malades, deux parties de cricket, deux séances de spiritisme, reprend son roman historique, *Micah Clarke*. A la différence d'*Une étude en rouge,* c'est un plaisir plus qu'une entreprise commerciale. La révolte de Monmouth, donc l'action du roman, se déroule dans cette région du Sud-Ouest de l'Angleterre qu'il commence à connaître et à aimer. Les protagonistes sont les puritains, qui représentent pour lui deux valeurs fondamentales : *la liberté politique et le sérieux en matière de religion.* Son historien préféré, Macaulay, fournit déjà la trame du récit dans son *Histoire de l'Angleterre.* Conçu en 1885, sinon avant, le projet, entrepris avant *Une étude en rouge,* sera terminé à l'époque où celui-ci paraît enfin, dans les dernières semaines de 1887.

Certes, *Micah Clarke* est interrompu par son mariage, la rédaction d'*Une étude en rouge,* sa conversion au spiritisme, mais cela n'explique pas pourquoi il lui faut si longtemps pour un livre dont l'essentiel se trouve dans quelques chapitres de Macaulay qu'il connaît par cœur depuis des années. C'est que Macaulay ne fournit qu'un récit ; récit qui, dans *Micah Clarke,* est seulement un fil conducteur souvent perdu de vue. Macaulay n'est d'ailleurs pas son seul modèle. Comme ses prédécesseurs dans le roman historique, il imite Scott sans le comprendre. L'œuvre de Scott est imprégnée du sens du temps qui passe et qui ne se rattrape plus. Elle se place à des points de rupture et de transition, de manière à attirer la sympathie du lecteur vers l'ancien tout en le persuadant de la nécessité du nouveau. La nostalgie sans regret est une arme subtile au service d'un progrès subi à contrecœur. Un Bulwer-Lytton, un Charles Reade, un William Ainsworth, se contentent de faire fonctionner une machinerie gothique dans un décor historique minutieusement décrit. Arthur Conan Doyle manque également de ce sens de la dimension temporelle de l'histoire. Etant d'ailleurs partagé entre l'évolution irréversible empruntée à Darwin et l'éternel retour inspiré des religions orientales, il n'est guère étonnant qu'il se soit abstenu de toute tentative d'explication. Dans le mode scientifique qu'exige la dignité de l'Histoire, il ne lui reste plus que la description, agrémentée de quelques épisodes romanesques. C'est pourquoi son roman historique préféré est *Le cloître et l'âtre* (1861) de Charles Reade. « *L'auteur,* dit-il, *une lanterne à la main, promène le lecteur à travers les ténèbres du Moyen Age.* » L'Histoire, en effet, est immobile ; seul le narrateur bouge. Alors que, chez Scott, l'Histoire est un drame qui se déroule, chez Conan Doyle c'est un spectacle de son et lumière, un tableau statique dont les différentes parties s'éclairent tour à tour. *Micah Clarke* est moins un récit qu'une fresque que le lecteur découvre en compagnie du narrateur. Celui-ci est un témoin et un guide, un acteur de quelques histoires mais non de l'Histoire. Les personnages — le marin, le prédicateur, le mercenaire, le dandy — sont des types choisis pour représenter des catégories, individualisés seulement par quelques tics. Il écrit dans la préface : « *La situation réelle d'un pays à un moment donné, une vue juste de ses beautés et de ses brutalités, sa vie telle qu'elle était vraiment... tout cela présente davantage d'intérêt que les petites ambitions et les amours insignifiants de n'importe quel individu.* » C'est parce que *Micah Clarke* tient autant du documentaire que de la fiction que l'auteur doit consacrer deux ans à la documentation.

Cette visite guidée de l'Angleterre du dernier Stuart manque de forme et de rigueur. Soucieux de piquer la curiosité du lecteur, il ne maîtrise pas la sienne ; d'où des digressions d'un intérêt variable. « *Cela traîne par endroits* », reconnaît-il dans une lettre à sa sœur Lottie. Macaulay dans son *Histoire* se montre bien meilleur romancier que Conan Doyle dans *Micah Clarke*. L'impression de fragmentation est aggravée par la multiplicité de rôles contradictoires qu'il fait tenir à son narrateur. Celui-ci, d'abord témoin naïf, devient ensuite le porte-parole sentencieux de Macaulay et enfin de l'auteur. Dans ce dernier rôle, il tient des propos sur la liberté religieuse qui auraient scandalisé le puritain qu'il est censé être. Le livre contient quelques morceaux de bravoure — les mésaventures d'un notable provincial à Londres, la bataille de Sedgemoor — mais, finalement, le tout est moins que la somme de ses parties.

Pas plus qu'*Une étude en rouge*, *Micah Clarke* ne trouvera tout de suite un éditeur. James Payn, de nouveau sollicité, répond : « *Pourquoi donc perdez-vous votre temps et vos dons dans le roman historique ?* » Un éditeur le refuse parce qu'il est trop fidèle à l'Histoire, un autre parce qu'il ne l'est pas assez. Un troisième, plus franc, répond : « *Le défaut principal de ce manuscrit est qu'il ne présente aucun intérêt.* » On se découragerait à moins. Arthur Conan Doyle est déçu, mais il croit à la valeur intrinsèque de *Micah Clarke* ; aussi ne cesse-t-il pas d'importuner les éditeurs. Entre-temps, tout en poursuivant ses activités médicales, mondaines et sportives, il travaille à autre chose. Ayant consacré deux années à un roman historique dans le mode scientifique, il se tourne de nouveau vers le mode romanesque.

Le thème de son nouveau roman *Le mystère de Cloomber,* qui paraît en feuilleton dans la *Pall Mall Gazette* entre avril et juillet 1888, naît de son intérêt pour les religions orientales. Alors qu'il avait présenté les Thugs et les Mormons comme des sectes barbares surgies d'un stade antérieur de l'évolution, la religion orientale dans *Le mystère de Cloomber,* comme le mesmérisme dans *Le dernier tir* est la manifestation d'une science supérieure que la civilisation occidentale n'a pas su atteindre ; la science de l'esprit l'emporte sur celle de la matière. Le général Heatherstone s'enferme avec les siens dans une propriété écossaise, le général étant seul à connaître la nature du danger qui le menace. Une *sonnette astrale* lui rappelle à intervalles réguliers qu'il est condamné pour avoir mis à mort, pendant la guerre d'Afghanistan, un saint hindou. Trois hindous mystérieux ne tardent pas à apparaître qui, par leur pouvoir occulte, entraînent le général à sa perte. Ces hindous sont bien supérieurs à des savants britanniques comme Tyndall et Huxley car, selon le narrateur, leur âme sait faire obéir le corps ; ils disposent d'une *force odyllique,* bien plus puissante que celle, matérielle, de la technologie occidentale. Et le narrateur de s'écrier : *Qu'est-ce que la science ? La science est le consensus d'opinion des savants, et l'histoire nous montre qu'elle est lente à admettre une vérité. La science a raillé Newton pendant vingt ans. La science a prouvé mathématiquement qu'un vaisseau en fer ne pourrait pas flotter, et la science a déclaré qu'un navire à vapeur ne parviendrait jamais à traverser l'Atlantique* pour conclure enfin que *l'Orient est en avance de plusieurs milliers d'années dans tous les principes de la science.*

Ce petit roman ne figure pas dans la *Author's Edition* de son œuvre qu'Arthur Conan Doyle fera paraître en 1903 ; ce sera même le seul roman exclu de la *Crowbo-*

rough Edition de 1930. L'auteur le taxait d'*immaturité*. Le décor doit beaucoup à *Guy Mannering* de sir Walter Scott et l'action à *Pierre de Lune* de Wilkie Collins, alors que la *sonnette astrale* et la *force odyllique* viennent de la théosophie de Mme Blavatsky. Venant après trois romans et une trentaine de nouvelles, cependant, *Le mystère de Cloomber* ne manque pas de maturité ; il est tout simplement incohérent par rapport à l'ensemble de l'œuvre. La revanche des vaincus de l'histoire et les pouvoirs étranges issus de la science occulte sont des thèmes puissants pour des nouvelles d'épouvante, mais la supériorité intellectuelle et morale des peuples soumis sur les représentants du Raj [1] britannique est une notion extravagante pour un auteur qui justifie l'impérialisme, à l'image de Winwood Reade, en prétendant que les colonisateurs sont plus évolués que les colonisés. *Le mystère de Cloomber* doit à l'invraisemblance de l'action de n'avoir aucun caractère subversif, mais sa conclusion, que l'auteur est sans doute seul à prendre au sérieux, n'en est pas moins une remise en cause de l'impérialisme. La supériorité scientifique de l'Orient n'est pas conciliable avec cette réflexion sur les sources de la grandeur britannique et de sa vocation impériale qui, entamée avec *Micah Clarke,* va se poursuivre avec *La compagnie blanche ; Le mystère de Cloomber,* né de son engouement passager pour la théosophie, appartient ainsi à une parenthèse dans sa vie qui sera bientôt fermée.

Cette année 1888 réserve à Arthur Conan Doyle deux grandes joies. Touie est enceinte. Leur fille Mary-Louise — Arthur, fait inhabituel pour les médecins de l'époque, accouche sa femme lui-même — naîtra en janvier 1889. Et, en novembre 1888, le manuscrit de *Micah Clarke* était arrivé sur le bureau d'Andrew Lang. Polymathe et figure influente dans les milieux littéraires, Lang est avant tout

1. Terme générique désignant la période britannique dans l'histoire de l'Inde.

écossais. Pour lui, un auteur né à Edimbourg ne peut pas ne pas avoir du talent. Un déjeuner à l'Athenaeum confirme Lang dans sa bonne opinion de son compatriote. Fort de sa recommandation, Longman & Cie accepte d'éditer *Micah Clarke,* qui paraîtra en février 1889. Conan Doyle ne renouvelle pas l'erreur qu'il avait faite en cédant la propriété d'*Une étude en rouge.* « *Il faut que je garde les droits de* Micah Clarke, écrit-il à sa mère, *il sera une rente à lui tout seul.* » Ce jugement se révèle exact. Le succès est immédiat. Le premier tirage est épuisé en quelques jours, il y en aura trois autres avant la fin de l'année. Le public, habitué aux méandres du roman-feuilleton, se délecte au pittoresque des incidents et des descriptions sans se soucier des vices de construction. Aux Etats-Unis, où tout livre à la gloire des coreligionnaires des pèlerins du *Mayflower* est sûr d'un accueil favorable, le livre marche mieux encore.

Ainsi qu'il l'avait espéré, ce début de succès transforme sa vie. Il avait écrit à sa sœur Lottie : « *Si* Micah Clarke *marche bien, on peut considérer qu'il est prouvé que je peux vivre de ma plume. J'aurai quelques centaines de livres en poche pour démarrer. J'irai à Londres étudier l'œil. Puis j'irai à Berlin étudier l'œil. Enfin, j'irai à Paris étudier l'œil. Ayant appris tout ce qu'il y a à savoir sur l'œil, je reviendrai à Londres m'installer comme ophtalmologue, en gardant toujours la littérature comme vache à lait, bien entendu.* » En effet, le succès de *Micah Clarke* lui permet de faire publier un recueil de nouvelles. Même *Girdlestone & Cie* trouve maintenant un éditeur, puisque *Micah Clarke* fait vendre ce que tous, y compris l'auteur, croyaient invendable. Malgré l'opposition formelle de l'auteur, James Hogg de *London Society* ayant gardé les droits sur quelques nouvelles de jeunesse, les publie en volume. Loin de supplier les éditeurs, Arthur Conan Doyle est maintenant édité malgré lui; de solliciteur il devient sollicité. Il n'aura plus jamais le moindre mal à placer ses manuscrits à des conditions avantageuses. Il avait accepté £25 pour l'entière propriété d'*Une étude en rouge* ; il obtient £100 pour les seuls droits américains du *Signe des Quatre,* £450 plus les droits d'auteur pour les seuls droits anglais de *La compagnie blanche*. Sa carrière d'auteur à succès a beau être lancée, ce n'est qu'un début qui ne lui permet pas encore de renoncer à la médecine. L'ophtalmologie le passionne sans doute moins que la littérature, mais il est maintenant marié et père de famille ; il ne peut pas confier la sécurité des siens aux humeurs changeantes du public. Il songe donc à mettre à exécution le projet dont il avait parlé dans sa lettre à Lottie. Le 29 mars 1889, un journal de Portsmouth — il est maintenant assez connu pour que ses faits et gestes intéressent la presse locale — rapporte dans son carnet mondain que le Dr Doyle quittera sous peu la ville pour poursuivre ses études à Berlin, Vienne et Paris avant de s'installer à Londres.

Ce n'est encore qu'un projet ; des événements plus importants surgissent qui vont en retarder l'exécution. Pendant un séjour dans la New Forest avec ses amis Drayson et Vernon Ford en avril 1889, Conan Doyle visite les ruines de l'abbaye cistercienne de Beaulieu. C'est le point de départ de *La compagnie blanche*. Ces vestiges du Moyen Age lui rappellent tous les Doyle preux chevaliers dont les exploits avaient bercé son enfance. *La compagnie blanche* est un hommage à sa mère. C'est grâce à son enseignement et à son exemple qu'il a pu développer ce *sens moral inné* qui régit sa vie et qui correspond si bien aux vertus chevaleresques. De tous ses romans, c'est *La compagnie blanche* qu'il prend le plus de plaisir à écrire. Ce n'est ni un passe-temps ni un gagne-pain, mais une obsession. D'avril 1889 jusqu'en juillet 1890, Arthur Conan Doyle s'efforce de vivre au xive siècle.

Son projet est donc abandonné, et les malades de Southsea ont du mal à obtenir un rendez-vous avec le Dr Doyle. Un groupe de médecins, Doyle, Pike, Trimmer, Welsh, Sanderson, se réunissait tous les matins :

« *On passait une demi-heure (pas plus) ensemble, puis chacun vaquait à ses affaires* », se rappelle Sanderson, « *le Dr Doyle rentrait chez lui pour écrire.* » La petite pièce sous les combles qui lui sert de bureau retentit trop souvent des cris de Mary-Louise. « *Elle est assez démonstrative, cette petite,* écrit-il à sa mère, *quand elle n'est pas contente, toute la rue est aussitôt au courant.* » Aussi préfère-t-il s'isoler dans une petite maison à Emory Down, dans la New Forest, pour mieux se plonger dans son abondante documentation. Il consultera, en effet, cent cinquante livres afin de pouvoir, au besoin, citer une source autorisée pour les détails même les plus insignifiants. Emory Down ne lui apporte pas seulement la tranquillité ; c'est ici, à Beaulieu, que va commencer l'action, ce paysage de la New Forest est celui qui a nourri ses personnages. Pendant l'été 1889, il ne se contente pas de consulter ses sources ; il s'efforce d'entrer en communion avec le génie du lieu.

Mais il va devoir payer la rançon du succès de *Micah Clarke,* succès qui suscite des propositions que sa situation financière ne lui permet pas encore de refuser, et cela d'autant plus que son activité littéraire, le rendant moins disponible pour ses malades, conduit à une baisse sensible de sa clientèle. Or, il vient de se fonder à Philadelphie une nouvelle revue littéraire, destinée à concurrencer le prestigieux *Atlantic Monthly.* Cette nouvelle revue s'appelle *Lippincott's Magazine,* et son directeur, Joseph Stoddart, est à la recherche de jeunes auteurs anglais — les Américains sont exclus en raison du snobisme culturel de leur public — qui ne sont pas encore liés par contrat à un concurrent. Stoddart demande conseil à son confrère, James Payn ; celui-ci recommande, entre autres, Arthur Conan Doyle.

A la fin du mois d'août, donc, il doit s'arracher à Emory Down et au xive siècle pour aller à Londres dîner avec Stoddart au Langham Hotel. Sont également de la partie T. P. Gill, un parlementaire irlandais, et Oscar Wilde. Le dîner est une belle réussite. Stoddart est un homme du monde, Gill un bon vivant, Wilde un causeur brillant ; ils ont tous lu et aimé *Micah Clarke*. La soirée confirme Arthur dans son désir, son nouveau roman terminé, de quitter sa province pour s'installer au milieu de cette société brillante à Londres. Le dîner, cependant, va encore retarder cette échéance, car Stoddart, en homme d'affaires avisé, profite de l'ambiance sympathique pour obtenir deux romans à paraître en feuilleton dans *Lippincott's*. Wilde donnera *Le portrait de Dorian Gray*, Conan Doyle *Le signe des Quatre*. Ainsi, Sherlock Holmes vient interrompre *La compagnie blanche* comme il avait déjà interrompu *Micah Clarke*. Encore une fois, Arthur Conan Doyle, plongé dans le mode scientifique, se voit obligé de faire du romanesque.

Le signe des Quatre est une corvée alimentaire qui l'empêche de se consacrer à ses études historiques ; il veut en finir au plus vite. C'est pourquoi le couple Holmes/Watson s'impose. Il avait bien en tête un autre sujet romanesque, dans le style de Rider Haggard, mais les personnages ne sont que des noms, alors que Holmes, et Watson, et le 221^B Baker Street existent depuis *Une étude en rouge*. Le cadre est là, il suffit de trouver une intrigue pour le remplir. Encore une fois, la tranquillité britannique sera troublée par un crime venu d'autrefois et d'ailleurs. Le thème du trésor fabuleux des Indes est banal — on le trouve chez Stevenson, Wilkie Collins et tant d'autres. Conan Doyle se contente de l'adapter au couple Holmes/Watson. Et pour aller encore plus vite, il réduit la partie « détection » qui exige une certaine originalité, pour laisser place à l'action — cette course-poursuite sur la Tamise qui, pour être palpitante, ne réclame ni recherches ni réflexion mais seulement du talent et de la facilité. Le pari sera tenu. Le mois de septembre 1889 suffit à la rédaction du *Signe des Quatre ;* avec un soupir de soulagement, Arthur Conan Doyle, quittant le XIXe siècle pour le XIVe, retourne à *La compagnie blanche*.

C'est sans doute à cause de cette précipitation que *Le signe des Quatre* est une réussite. Rédigé d'un seul trait, il possède une unité de ton et de style où tout — les descriptions, les dialogues, les incidents les plus mineurs — concourt à créer l'ambiance sans retarder l'action. Le livre porte les traces de sa rédaction hâtive. Une lettre datée de juillet est portée de toute urgence chez Holmes — en septembre ! Watson change parfois de prénom, et sa blessure s'est déplacée mystérieusement de l'épaule à la jambe. Les pédants s'en plaindront et les mystificateurs de la science holmesienne en feront leurs délices, mais ces détails n'ont aucune importance. On est ici dans le mode romanesque, où seule compte l'impression du moment. Holmes et Watson sont à la fois hautement invraisemblables et totalement convaincants. Les personnages secondaires sont bien campés. Tonga, avec sa méchanceté congénitale rachetée par sa fidélité à son maître, fait frémir sans être un monstre. Jonathan Small est victime autant que criminel. Thaddeus Sholto est une caricature réussie d'Oscar Wilde. Aucun de ces personnages n'est simple, mais leur complexité sert toujours à faire avancer le récit. Holmes, toxicomane et nouvellement pourvu d'une culture littéraire, a un côté esthète fin de siècle qui enrichit le personnage, alors que Watson en amoureux guindé n'en est que plus humain. Surtout, le récit des origines du crime est à la fois raccourci et mieux intégré à l'action principale. *Le signe des Quatre,* en effet, marque un progrès très net sur *Une étude en rouge*.

Il n'en reste pas moins qu'Arthur Conan Doyle ne s'est pas totalement dégagé des conventions du roman à sensation. Les amours de Watson et l'action tiennent plus de place que la détection. Le trésor de l'Agra étant au fond de la Tamise, Watson peut épouser sa Miss Morstan — à 27 ans, elle a l'âge de Touie quand Arthur l'épousa — sans que son désintéressement soit suspecté. Comme dans le roman à secret, la résolution de l'énigme lève l'obstacle à un mariage. C'est pourquoi la critique, généralement favorable au livre, ne lui reconnaît aucune originalité ; c'est un exemple bien enlevé d'un genre connu, qui doit se terminer, non par la résolution d'une énigme mais par une mort ou un mariage. Que l'auteur ait choisi le second montre qu'il n'avait encore aucune intention de se lancer dans un cycle Sherlock Holmes. Watson lui est indispensable, et s'il peut y avoir une vie après la mort, dans le roman populaire victorien il n'y a pas de vie après le mariage.

S'étant débarrassé de son pensum — et encaissé le chèque correspondant — Arthur Conan Doyle se replonge dans son siècle de prédilection. *La compagnie blanche* occupe toutes ses énergies et tous ses instants, jusqu'au jour de juillet 1890 où, dans son exaltation d'y avoir mis le dernier mot, il jette sa plume contre le mur d'en face en s'écriant « *Ça y est ! Je ne ferai jamais mieux* ». Etant donné cet état d'esprit, il n'est guère étonnant que la critique le déçoive. « *Les critiques ont trop tendance à n'y voir qu'un simple récit d'aventures,* écrit-il à sa mère, *comme si c'était un livre ordinaire pour adolescents.* » Comme toujours, il croit le public plus perspicace que la critique ; aussi trouve-t-il une certaine consolation dans le succès commercial du livre. Rien, cependant, n'autorise à croire que le public ait mieux compris que la critique les intentions profondes de l'auteur. Il semble bien, au contraire, que *La compagnie blanche* ait été acheté par et surtout pour les adolescents justement parce que c'est un récit d'aventures.

Si le livre est riche en scènes d'action et de combat, elles n'obéissent à aucune logique romanesque. L'auteur se situe dans le mode scientifique ; il s'agit de reconstituer et non de raconter, et c'est faire injure à l'Histoire que de mettre une intrigue dans un roman historique. Les incidents — l'expulsion de l'abbaye de Beaulieu de Hordle John, sorte de Frère Jean, une bataille navale, un tournoi, la répression d'une jacquerie, un combat dans les Pyrénées — sont choisis pour permettre à l'auteur de placer des descriptions minutieuses des armes et des armures, des arrangements domestiques et des objets usuels ; l'action est subordonnée au décor. Les personnages sont des automates ; on connaît tous les détails de leurs accoutrements, mais leur psychologie est inexistante. Qu'il se place dans le mode scientifique ou romanesque, Conan Doyle voit toujours ses personnages de l'extérieur, mais alors que Holmes et Watson sont des tableaux impressionnistes, brossés à grands traits audacieux et pleins d'ombre et de lumière, Hordle John et sir Nigel Loring sont des décalques laborieux. « *Je me suis efforcé de peindre le type exact des gens de l'époque,* écrit-il, *et je me suis donné beaucoup de mal en travaillant pour cela.* » Travail bien inutile, car, s'il possède l'imagination du romancier, il lui manque celle de l'historien. Aussi commet-il l'erreur de prendre les chroniques du Moyen Age pour du réalisme social, en donnant aux textes qu'il compulse un sens littéral. « *Les critiques ne se rendent pas compte de combien mon travail a été consciencieux* », se plaint-il. Justement, l'édifice du roman croule sous le poids d'une documentation mal assimilée. Il ne suffit pas de retranscrire une page d'historien pour faire revivre une page d'histoire.

Comme toujours, il propose son manuscrit au *Cornhill.* James Payn, qui ne se console pas d'avoir refusé *Micah Clarke,* s'empresse de l'accepter. Il dira que *La compagnie blanche* est le meilleur roman historique depuis *Ivanhoé,* ce que Conan Doyle, qui garde malgré tout une certaine lucidité, trouve quelque peu exagéré. *La compagnie blanche* paraît en feuilleton dans le *Cornhill* à partir de janvier 1891, avant d'être édité en volume à la fin de cette même année.

En attendant l'accueil qui sera fait à ce qu'il tient pour son chef-d'œuvre, Arthur Conan Doyle subit le contre-coup de l'activité intense de ces derniers mois. Après cette année d'exaltation soutenue, l'existence lui semble plate, monotone, sans saveur. Pourtant, il est devenu un notable à Portsmouth. On vient de Londres interviewer l'auteur de *Micah Clarke,* et la presse locale s'enorgueillit de la présence dans la ville d'un écrivain mondialement connu. Il est secrétaire honoraire de la PLSS, qu'il ouvre aux femmes et où il prend de plus en plus souvent la parole sur les sujets les plus variés, depuis le génie de George Meredith [1] jusqu'aux expériences du professeur Charcot. Il est vice-président de la *Hampshire Society for Psychical Research,* ce qui amène un journal satirique à demander si le *Dr Donan Coyle,* aussi féru de l'art du détective que de spiritisme, ne pourrait pas interroger les esprits sur l'identité de Jack l'Eventreur. Il est capitaine du Portsmouth Cricket Club, il figure à plusieurs reprises dans l'équipe du comté, ce qui est un honneur pour le club et la ville autant que pour le joueur, surtout quand il s'agit d'affronter l'équipe nationale. Il est toujours vice-président de la fédération libérale unioniste. Quand Mr Balfour, secrétaire d'Etat pour l'Irlande, vient en visite à Portsmouth, c'est Arthur Conan Doyle qui, ayant d'abord fait taire quelques contradicteurs à coups de poing et de parapluie, prononce le discours de bienvenue. Grâce aux relations qu'il se fait dans les nombreux domaines où il exerce son activité, il est maintenant engagé dans une voie qui le conduirait, à la longue, à un fauteuil au conseil municipal, peut-être même à la mairie, voire à la députation. Mais Arthur Conan Doyle, qui n'a pas voulu se laisser posséder par les Jésuites, par Waller, par Budd — dont il vient d'apprendre la mort — ne veut pas non plus subir l'emprise de cette vie de notable de province dans laquelle le destin semble vouloir l'enfermer.

En octobre 1890, les journaux annoncent à grand fracas

1. Meredith, George (1828-1909). Romancier et poète, il est considéré de son vivant comme le plus grand écrivain de sa génération. *L'épreuve de Richard Feverel* (1859) et *L'égoïste* (1879) restent les plus connus de ses nombreux romans. Auteur réputé difficile, il n'a jamais retrouvé auprès du public contemporain l'audience qui était la sienne au début du siècle.

que le Dr Koch de Berlin a trouvé, après le bacille qui porte son nom, un remède-miracle contre la tuberculose. Depuis un an, Arthur Conan Doyle se consacre à tout sauf à la médecine et, en tout état de cause, sa spécialité est l'ophtalmologie. Mais il s'ennuie, et l'occasion est trop belle. Toutes affaires cessantes, il part pour Berlin, s'arrêtant seulement à Londres pour s'assurer des débouchés pour d'éventuels articles, histoire de se rembourser les frais du voyage. Berlin se remplit de médecins, souvent accompagnés de leurs malades, venus voir le Dr Koch. L'affluence est telle que le Dr Doyle ne verra pas le grand chercheur allemand. Il en apprend assez, cependant, pour comprendre que la découverte de celui-ci, bien qu'importante, est loin d'avoir la portée sensationnelle annoncée dans la presse. Il est le premier à faire connaître au public anglophone la nature exacte de la tuberculine. Ses articles à cette occasion sont des modèles du genre. Arthur Conan Doyle n'est sans doute pas un grand médecin, mais il a l'étoffe d'un grand journaliste médical. Quand il se consacre à la littérature, la médecine perd un vulgarisateur de premier ordre.

Encouragé par des confrères rencontrés pendant son périple berlinois, il prépare l'installation de son cabinet d'ophtalmologie à Londres. Quand il rentre à Southsea, c'est pour faire ses valises en vue de son départ définitif. Sa clientèle étant devenue fort rare, il n'est pas question de vendre sa succession à un confrère, mais ses activités à Portsmouth sont si nombreuses qu'il lui faut un certain temps pour mettre de l'ordre dans ses affaires. Ce n'est que vers la fin de décembre que peut avoir lieu le grand banquet d'adieu organisé par ses nombreux amis au Grosvenor Hotel, banquet présidé — c'est une pure coïncidence — par le Dr James Watson. Le *Portsmouth Evening News* déplore son départ, qui *laissera un vide dans les milieux littéraires, sportifs, médicaux de la ville*. Ce n'est pas sans un pincement au cœur qu'il quitte pour la dernière fois le n° 1 Bush Villas, mais Portsmouth est devenu un cadre trop étroit pour ses ambitions ; il a hâte de partir.

Dans un premier temps, il se rend à Vienne pour y poursuivre ses études d'ophtalmologie. Laissant donc la petite Mary-Louise à sa grand-mère Mrs Hawkins, Arthur et Touie arrivent dans la capitale autrichienne début janvier 1891. Il découvre tout de suite que ses notions d'allemand, si elles suffisent pour la lecture et la vie quotidienne, ne lui permettent pas de suivre avec profit un enseignement médical de haut niveau. Il préfère donc fréquenter la colonie anglaise ou faire du patinage sur glace avec Touie. Les frais du séjour sont couverts par un petit roman-feuilleton, *Raffles Haw,* terminé dix jours à peine après leur arrivée à Vienne. C'est une fable mettant en scène un alchimiste moderne pour conclure aux effets corrupteurs de l'argent ; elle ne contient rien de remarquable sauf peut-être le portrait d'un vieillard alcoolique qui ressemble à Charles Doyle. Le prénom du héros sera emprunté par Ernest Hornung, futur beau-frère de Conan Doyle, pour son gentleman-cambrioleur ; c'est le seul titre à l'immortalité de *Raffles Haw.* Les £150 que rapporte le feuilleton, cependant, permettent aux Doyle de prolonger leurs vacances autrichiennes jusqu'en mars. Arthur a besoin de prendre des forces, car il redoute l'avenir. Certes, il a maintenant une réputation littéraire qui a une valeur marchande certaine, mais il ne peut savoir si la faveur du public sera durable. Il est inconnu dans les milieux médicaux à Londres. Il n'a même pas de diplôme dans la spécialité qu'il se propose d'exercer. La dure expérience des premiers mois à Southsea semble devoir recommencer.

En mars 1891, Arthur Conan Doyle, ayant installé sa famille dans un petit deux-pièces à Bloomsbury, pose sa plaque à Devonshire Place, près de Harley Street, le quartier des médecins. Après les huit pièces habitables du n° 1 Bush Villas, les Doyle sont bien à l'étroit à Bloomsbury mais, la centaine de livres qu'il avait économisées pour financer ses débuts londoniens s'étant envolée à la suite d'un placement en Bourse mal inspiré, Arthur n'a pas les moyens de mieux loger sa famille s'il veut, en même temps, avoir un cabinet convenable. Celui de Devonshire Place lui sert surtout de bureau, car avec Touie, Mary-Louise et Mrs Hawkins déjà entassées dans l'appartement, il n'est pas question qu'il y travaille. Il arrive donc à Devonshire Place tous les jours à dix heures précises, s'installe à sa table pour écrire et n'en bouge plus jusqu'à quatre heures de l'après-midi, quand il rentre chez lui. La nature, semble-t-il, a donné aux citoyens de Londres une acuité visuelle peu ordinaire ; le cabinet d'ophtalmologie du Dr Doyle n'accueillera jamais un seul client.

S'il est inconnu en tant que médecin, cependant, sa réputation littéraire est suffisamment solide pour que A. P. Watt, le premier agent littéraire, accepte de le représenter. Watt gère déjà les intérêts de plusieurs écrivains en vogue, notamment Rider Haggard et Rudyard Kipling. Watt n'ignore pas que George Newnes, ayant fait fortune avec *Tit-Bits,* vient de lancer une nouvelle revue, le *Strand Magazine,* dont le premier numéro sort en janvier 1891. Le *Strand,* abondamment illustré, est un produit conçu pour satisfaire cette nouvelle race de lecteurs née des progrès de l'enseignement public et séduite par les nouvelles techniques du journalisme américain. George Newnes, pour sa part, a oublié que le jeune auteur qui lui avait adressé une lettre d'injures à l'occasion d'un concours littéraire se nommait Conan Doyle, mais il sait bien que Watt représente des auteurs comme Haggard et Kipling, qui peuvent faire le succès du *Strand Magazine.* Quand Watt lui propose du Conan Doyle, il accepte donc, dans l'espoir qu'en ménageant Watt, il aura du Kipling par la suite. Watt place d'abord dans le *Strand* une nouvelle légère, *La voix de la science,* où un arriviste est démasqué grâce à un enregistrement réalisé à son insu par un phonographe. Conan Doyle a ensuite l'idée, déjà exploitée par Dickens, de s'attacher le public d'une revue en proposant, non plus le feuilleton traditionnel susceptible d'agacer le lecteur qui aurait manqué un épisode, mais une série de nouvelles mettant en scène les mêmes personnages. Comme Holmes et Watson sont les seuls personnages dans son répertoire qui aient une existence suffisamment autonome pour figurer dans une série, ses journées solitaires à Devonshire Place sont consacrées aux premières nouvelles de Sherlock Holmes.

Le 4 mai 1891, le cabinet à Devonshire Place reste vide. En sortant de chez lui, Arthur Conan Doyle est pris d'un malaise soudain. Même aidé par sa femme et sa belle-mère, il a toutes les peines du monde à regagner son appartement. La grippe, en effet, n'est pas une maladie bénigne ; sa sœur y avait déjà succombé en 1889. Il est si gravement atteint que pendant une semaine ses jours sont en danger. Les origines de la maladie se trouvent tant dans le surmenage — il a fait six romans en cinq ans, sans compter les nouvelles, les articles, les voyages et ses multiples activités — que dans l'angoisse née de ses débuts peu prometteurs à Londres et de ses incertitudes quant à son avenir et celui des siens. Faut-il persister dans la voie difficile de la médecine, en exposant Touie et Mary-Louise aux privations qu'il avait partagées avec Innes — maintenant élève dans un collège militaire — dans les premiers mois à Southsea ? Faut-il au contraire jouer le tout pour le tout en optant pour la littérature, au risque de se voir de nouveau, à trente-deux ans et chargé de famille, obligé d'avoir recours à la générosité de sa mère et à la charité de Bryan Charles Waller ? Dans son for intérieur, il sait que sa décision est prise depuis longtemps ; ce n'en est pas moins une libération que de l'annoncer de manière formelle, explicite et définitive. Il sait que quoi qu'il fasse et quoi qu'il arrive, Touie ne lui fera jamais aucun reproche.

A peine convalescent, il prend la résolution de fermer

son cabinet pour vivre exclusivement de sa plume. « *Il me souvient que, transporté de joie, je saisis de ma main encore faible un mouchoir posé sur mon lit et le lançai au plafond. J'allais enfin être mon maître ! Je n'aurais plus à endosser la tenue professionnelle, à tâcher de plaire aux autres ! Je serais libre de vivre où et comme il me plairait. Ce fut un des moments les plus heureux de ma vie !* » C'est ainsi qu'Arthur Conan Doyle relate les faits dans son autobiographie. Contrairement à ce qu'il y rapporte, cependant, cette résolution héroïque est prise non en août mais en mai 1891. Malgré son bonheur, il a l'impression de jouer sa vie et celle des siens sur un coup de dés. Pendant ce temps, les premières nouvelles de Sherlock Holmes, que personne sauf l'auteur n'a encore lues, attendent dans un tiroir. Arthur Conan Doyle, convalescent épuisé mais heureux, est loin de s'en douter, mais dans six mois ce sera la gloire et la fortune. Il ne se doute pas non plus que cette liberté à laquelle il aspire tant sera aussi de courte durée. Jusqu'ici, il a toujours pu échapper à ceux qui avaient voulu le posséder ; il n'échappera pas à Sherlock Holmes.

VI

SOUS LE SIGNE DE SHERLOCK

> Si je ne tue pas Holmes, c'est lui qui me tuera.
>
> Arthur Conan Doyle

Si Sherlock Holmes avait pu voir son créateur convalescent compulser les journaux londoniens ; si, convenablement déguisé, il avait pu le suivre lors de ses premières sorties fin mai 1891, il n'aurait guère eu de mal à déduire le but de son activité. Même Watson aurait compris qu'un homme qui scrute les petites annonces avant de faire le tour des agences immobilières doit être à la recherche d'un logement.

Le cabinet de Devonshire Place est abandonné, ce qui dégrève d'autant le budget. Il ne saurait être question de rester dans l'appartement exigu de Bloomsbury. La signature, le 1er juin, d'un contrat pour un petit roman-feuilleton, *Idylle de banlieue*, rapporte une avance de £150. A. P. Watt touche, bien sûr, ses 10 % mais, comme Arthur se plaît à le reconnaître, ses services valent bien leur prix. Fort de cette rentrée de fonds, Arthur jette son dévolu sur le n° 12 Tennison Road, South Norwood, dans la banlieue sud de Londres. Le loyer annuel est de £100. C'est un pavillon neuf de seize pièces, réparties entre le rez-de-chaussée et deux étages, avec électricité, eau courante chaude et froide, et tout le confort moderne. Construit en brique rouge, le pavillon est orné de pignons pointus et de balcons en bois qui, à en croire le promoteur, lui donne un air de chalet suisse. Le n° 12 est au centre d'une rangée de trois, chacun isolé dans son carré de jardin mais disposant en commun d'un tennis situé derrière. C'est à Norwood qu'Arthur avait placé le domicile des Sholto dans *Le signe des Quatre,* sans imaginer qu'il viendrait s'y installer. De même, en choisissant ce qui ressemble à un chalet suisse, il ne se doute pas qu'il devra bientôt le quitter. Pour la Suisse, justement.

Quand les Doyle emménagent en juin 1891, South Norwood se trouve encore à l'extrême limite de l'agglomération londonienne et Tennison Road, nouvellement construite, est à l'extrême limite de South Norwood. En regardant par l'un des rares carreaux du nº 12 qui ne soit pas cassé — Arthur s'entraîne au golf dans le jardin avec plus d'enthousiasme que de savoir-faire — on voit des bois et des champs s'étendre à perte de vue vers le sud, alors que vers le nord, au-delà des rangées ordonnées de pavillons identiques, la métropole n'est qu'un épais nuage de fumée noire à l'horizon. Ce voisinage campagnard plaît à Arthur. Les quelques semaines passées entre Bloomsbury et Devonshire Place l'ont dégoûté de la ville ; il veut de l'espace et du grand air.

Il ne veut pas pour autant la solitude. Dès que sa réussite lui en donne les moyens, il rassemble les siens autour de lui. Il se fait une haute idée des devoirs de chef de famille. Son père, après un court passage à l'Edinburgh Royal Infirmary, est interné dans un asile d'aliénés à Dumfries, mais il y a déjà longtemps que Charles Altamont Doyle n'est plus pour son fils qu'un mauvais exemple. Il mourra au cours d'une crise d'épilepsie en octobre 1893. Arthur, pas plus que les autres membres de la famille, n'assistera aux obsèques. Mary Foley Doyle, quant à elle, préfère rester dans la petite maison que Waller a aménagée pour elle et ses enfants sur ses terres dans le Yorkshire. Arthur s'installe donc au nº 12 Tennison Road avec Touie et la petite Mary-Louise, sa sœur Connie et sa belle-mère, Mrs Hawkins. Une autre sœur, Lottie, viendra les rejoindre dès qu'elle pourra quitter sa place à Lisbonne. Ses sœurs n'auront plus, en effet, à chercher des postes de gouvernante ; Arthur subviendra à leurs besoins jusqu'au mariage et même au-delà. Son frère Innes est pensionnaire au collège militaire de Woolwich ; c'est Arthur qui prend tous les frais à sa charge. Innes, bien sûr, passe ses vacances et ses permissions à South Norwood. Les deux sœurs cadettes, Jane et Bryan Mary, qui vivent auprès de leur mère, viennent également faire des séjours chez leur grand frère. Arthur invite volontiers amis et relations qui viennent dîner le vendredi soir et restent le week-end. Connie, avec ses yeux de biche, sa magnifique chevelure noire et son port de reine, attire une cour empressée de soupirants qu'elle régit d'une main aussi ferme que capricieuse. Les seize pièces du pavillon, et le jardin, et le tennis, suffisent à peine pour tout ce petit monde. Arthur Conan Doyle n'a pas encore trente-cinq ans, mais il se complaît déjà dans le rôle de patriarche.

Idylle de banlieue se passe dans le décor du n° 12 Tennison Road. Le thème est fourni par la *femme nouvelle* qui défraie alors la chronique ; la libération professionnelle et sexuelle de la femme est déjà à la mode au début des années 1890. Arthur Conan Doyle est hostile à toute atteinte à la morale puritaine. En tant que médecin ayant consacré une thèse à la syphilis, il n'ignore rien de la sexualité. Lors d'une visite chez Meredith, cependant, on demande à celui-ci s'il regrette que les auteurs anglais n'aient pas, dans le domaine sexuel, la liberté d'un Zola. Meredith, à la réflexion, ne le regrette pas, et Conan Doyle non plus. Dans sa perspective évolutionniste, l'homme doit s'élever à davantage de spiritualité ; la sexualité appartient au *singe anthropoïde* et non à *l'archange,* et ne devrait pas mériter plus d'attention que les autres fonctions animales du corps humain. S'il s'oppose à la libération des mœurs, il est favorable à la promotion professionnelle, dans la mesure où cela n'empêche pas la femme de remplir son rôle d'épouse et de mère. La femme assure la stabilité de la cellule familiale donc de la société tout entière. Rien ne doit entraver l'exercice de cette mission. La vie familiale, pour une femme, est incompatible avec la vie professionnelle. Mais, comme le déséquilibre démographique exclut le mariage pour bon nombre de femmes, celles qui, par choix ou par force, restent célibataires doivent pouvoir accéder aux études et aux professions dans les mêmes conditions que les hommes. *Idylle de banlieue* n'a rien d'un tract ; cette thématique féministe transparaît seulement en filigrane dans ce qui est surtout une comédie de mœurs bourgeoises. Ce n'est pas le genre qui réussit le mieux à Conan Doyle. Son évocation de la vie à South Norwood est cependant d'une fraîcheur qui montre bien combien sa banlieue lui plaît.

South Norwood étant une banlieue toute neuve, la vie locale y est peu organisée. Arthur s'en charge. Ses convictions lui interdisent de fréquenter les Eglises autour desquelles s'articule la vie sociale, mais il anime les associations sportives et culturelles. Il a encore une vigueur physique que des footballeurs de dix ans son cadet lui envient. Ses prouesses au cricket, où la technique compte plus que les muscles, font l'admiration de ses jeunes coéquipiers. A son initiative, South Norwood se dote d'une *Literary and Scientific Society* semblable à celle qu'il avait animée à Portsmouth. Le programme de 1892 porte la marque de ses intérêts. Il redonne sa conférence sur Meredith, il invite des amis et relations — F. W. Myers notamment — à faire des communications sur le spiritisme. Il lui arrive même d'organiser des séances au n° 12 Tennison Road. C'est plutôt un passe-temps qu'une recherche : « *Si nous ne continuons pas à vivre et à nous connaître après la mort,* dit-il dans *Idylle de banlieue, c'est que nous sommes joués et trahis par toutes les expériences les plus élevées, par les intuitions les plus subtiles, de notre nature* ». Ses doutes reviendront le tenailler dans quelques mois; pour l'instant, il est trop absorbé par sa nouvelle vie pour y penser.

En effet, il n'a pas quitté sa province pour s'enfermer dans une banlieue. Il entend profiter de cette ville de Londres qui, à travers les récits de son père, lui semble depuis son enfance le lieu de tous les enchantements. Il ne peut pas compter sur sa famille londonienne. Dicky Doyle est mort depuis dix ans. Les oncles James et Henry vivent juste assez longtemps pour assister au triomphe de leur neveu, mais il n'y aura pas de réconciliation. A leur mort, c'est Arthur qui hérite des souvenirs de famille. Le Van Dyck de *HB* et la grande table de Cambridge Terrace viennent donc orner les salons déjà surmeublés de South Norwood. Autour de cette table, *HB* avait réuni Scott et Dickens, Thackeray, Millais et Disraeli. Son petit-fils n'a pas de fréquentations aussi illustres.

Certes, il entre au *Reform Club* où il côtoie toutes les personnalités du monde libéral, mais il n'a plus le temps de cultiver des relations politiques. Deux nouvelles — *Le drapeau vert* et *La claquante* sont de parfaits exemples de récupération, respectivement de la dissidence irlandaise et de la piraterie, au profit du nationalisme britannique. Son libéral-unionisme, ce qui n'est pas rare, se mue insensiblement en libéral-impérialisme, mais il n'est plus le militant actif qu'il avait été à Southsea.

Ses relations littéraires sont des personnalités de second plan. Il lui arrive de rendre visite au doyen des romanciers anglais, George Meredith, comme au vénérable directeur du *Cornhill,* James Payn, mais ce sont des hommes d'une autre génération. La jeunesse littéraire est partagée entre l'attrait de l'action, que ce soit l'impérialisme de Kipling ou le socialisme de Wells, et celui de l'esthétisme d'Oscar Wilde. Par son tempérament comme par ses convictions, Conan Doyle est proche des premiers, mais bien que Kipling soit à Londres, il ne cherche pas à le rencontrer. Il avait rencontré Wells à Southsea, où celui-ci était employé dans un magasin de confection dont le gérant était un client, mais si Wells est lui aussi monté à Londres, il ne le voit plus. Il avait sympathisé avec Oscar Wilde lors de leur rencontre au Langham Hotel. Les deux hommes s'écrivent parfois, mais leurs conceptions de l'existence sont trop éloignées pour qu'ils cherchent à mieux se connaître. Le dandysme rappelle à Arthur les faiblesses de son père, et un homme qui croit comme lui à l'évolution et au progrès ne peut se reconnaître dans une sensibilité qui se veut décadente. « *Personne,* dira un journaliste, *ne fait moins " auteur " que lui.* » Il se veut artisan et non artiste et, s'il aime parler boutique avec ses confrères, il préfère ceux qui partagent son idée très terre à terre du métier d'écrivain.

Dès 1892, il collabore à *The Idler,* revue dirigée par Jerome K. Jerome. C'est dans le groupe réuni autour de l'auteur de *Trois hommes dans un bateau* qu'il trouve ses meilleurs amis ; Jerome lui-même qui, pendant quelques mois, se croit amoureux de Connie, Robert Barr, causeur infatigable et auteur de romans policiers, et, surtout, James Barrie [1], un compatriote qui partage avec Arthur un humour juvénile et l'amour du cricket. L'auteur de *Peter Pan* dirige sa propre équipe, les *Allah-ahk-Barrie,* une bande de joyeux lurons qui se rendent presque tous les week-ends dans l'une ou l'autre des grandes propriétés autour de Londres pour y jouer contre des équipes de fortune recrutées parmi les invités. Arthur sera rapidement un pilier de l'équipe.

Il est aussi un habitué des dîners de *The Idler,* réunions hebdomadaires dont le nom est mal trouvé, dans la mesure où il s'agit surtout de boire, et cela des heures durant, jusqu'à ce que la fumée des pipes rende l'atmosphère irrespirable. On parle sport, politique et même littérature, on boit, on fume, on pousse la chansonnette.

---

1. Barrie, sir James Matthew (1860-1937). Romancier et auteur dramatique, il lance d'abord le roman régionaliste écossais : *Une fenêtre à Thrums* (1887), avant de se tourner vers le théâtre, où parmi ses nombreux succès il faut citer *Peter Pan* (1904).

Comme son père, Arthur a un faible pour le bourgogne ; en bon Ecossais, il aime le whisky ; comme ses camarades, c'est un fumeur de pipe invétéré. Cette convivialité masculine — les femmes sont rigoureusement exclues — lui plaît infiniment. Mais l'exemple de son père ne le quitte jamais. L'alcool reste pour lui *le plus abominable de tous les démons (De Profundis)*. Seul de toute cette troupe bruyante, Arthur sait jusqu'où ne pas aller trop loin. Bien souvent, alors que la bouteille circule et que les rires vont bon train, il sort plume et papier et, sans cesser de participer à la conversation, se met à écrire. Arthur, en effet, écrit partout ; pendant la mi-temps d'un match de football ou les temps morts d'une partie de cricket, dans les trains et dans les fiacres, en faisant la queue devant le guichet du bureau de poste. Son bloc-notes est un compagnon inséparable.

C'est qu'il mène une vie de gentleman fortuné sans avoir vraiment de fortune. Toutes ses activités sportives et sociales, les allocations qu'il verse à ses frères et sœurs et même, discrètement, à la veuve de Budd, sont financées par sa plume. Il gagne, en moyenne, £1600 annuelles, soit le triple des meilleures années à Southsea, mais c'est au prix d'un labeur incessant. Entre 1891 et 1893, il écrit quatre romans et une quarantaine de nouvelles. Il est pris au piège du *self-made man ;* plus il gagne d'argent, moins il a le temps d'en profiter, et plus il en profite, plus il lui faut gagner d'argent. Ses illusions sur la liberté que procure la vie d'écrivain s'envolent devant la dure réalité de la course impitoyable contre la montre.

Les six heures de travail quotidien qu'il s'impose chez lui sont loin de suffire, et cela d'autant plus qu'il est sans cesse dérangé, surtout par des dames venues sous prétexte de prendre le thé avec Touie et Mrs Hawkins pour apercevoir celui qui est devenu l'auteur à la mode. Arthur se procure donc un serpent mécanique qui, discrètement remonté, sort de sa corbeille en osier un corps oscillant, surmonté d'une tête triangulaire avec des yeux luisants et des crocs pointus, le tout accompagné d'un sifflement des plus réalistes. *Un souvenir de mon voyage africain,* dit-il d'une voix suave, alors que les importunes apeurées, à moins de s'évanouir sur place, s'enfuient en hurlant. L'humour d'Arthur Conan Doyle n'est pas toujours très fin — il se confectionne pour Noël un déguisement qui terrorise sa fille — mais il s'estime en situation de légitime défense. Si le procédé est d'un goût douteux, il est efficace. Si efficace même qu'il lui suggère l'idée du *Ruban moucheté,* l'une des aventures les plus terrifiantes de Sherlock Holmes.

C'est surtout à Holmes, en effet, qu'il doit sa renommée et sa prospérité. Aussitôt relevé de maladie fin mai 1891, il avait expédié les deux premières nouvelles, *Un scandale en Bohème* et *La ligue des rouquins,* à A. P. Watt, qui les avait transmises au rédacteur en chef du *Strand,* Greenhough Smith. La revue avait été lancée à la hâte. Elle n'a pas de collaborateurs attitrés, les négociations avec les fournisseurs et les imprimeurs sont encore en cours. La direction vit dans l'improvisation. Greenhough Smith, petit bonhomme desséché d'une froideur légendaire, est submergé sous le flot de manuscrits non sollicités qu'amène le succès des premiers numéros. Le regard qu'il jette sur les feuilles d'Arthur Conan Doyle est à la fois distrait et désabusé. Il ne connaissait ni *Une étude en rouge* ni *Le signe des Quatre.* Au fil de la lecture, cependant, son visage s'anime. Ramassant les pages, il se précipite — c'est la première fois qu'on le voit courir dans les couloirs — chez le propriétaire, George Newnes. Celui-ci, abasourdi, voit une pluie de feuillets s'abattre sur son bureau alors que Greenhough Smith s'écrie : « *Nous tenons le meilleur nouvelliste depuis Edgar Allan Poe !* »

Cela est parfaitement égal à George Newnes, mais il partage l'enthousiasme de son rédacteur en chef. Newnes est marchand de papier comme il avait été marchand de tissus. Il ne se soucie pas de la qualité littéraire, mais son flair commercial est infaillible. Il a oublié que le jeune

auteur qui lui avait adressé une lettre d'injures à l'occa-
sion d'un concours littéraire se nommait Conan Doyle.
Jusqu'alors, il ménageait A. P. Watt pour avoir du
Kipling. Kipling aussi est oublié ; il faut avoir du Conan
Doyle, et beaucoup, et peu importe le prix. Depuis ses
débuts dans le textile à Manchester, Newnes a fait
beaucoup de bonnes affaires ; il sait qu'avec Sherlock
Holmes il tient l'affaire du siècle.

Le cycle Holmes, comportant cinquante-six nouvelles
et quatre romans, s'échelonne sur quarante ans. Commencé avec *Une étude en rouge,* publié en 1887, il
s'achève avec la parution des *Archives* en 1927. Il doit sa
notoriété aux nouvelles publiées dans le *Strand* à partir de
juillet 1891. C'est seulement après cette date qu'*Une étude
en rouge,* et *Le signe des Quatre* seront d'énormes succès
de librairie en Angleterre, aux Etats-Unis et ailleurs. Les
premiers numéros du *Strand* tirent à 250 000 exemplaires
environ ; ce chiffre sera doublé après l'apparition de
Holmes. Chaque nouveau numéro provoque autour des
kiosques l'affluence des jours de soldes dans les grands
magasins. L'une des rubriques qui font l'originalité du
Strand est l'entretien avec la célébrité du mois. Au bout
d'une demi-douzaine de nouvelles, la célébrité du mois
n'est autre qu'Arthur Conan Doyle. Celui que les éditeurs
présentaient comme « l'auteur de *Micah Clarke* » n'a plus
besoin d'être présenté ; il est le créateur de Sherlock
Holmes.

Cet engouement, dont l'auteur est le premier surpris,
est dû aux personnages, aux énigmes, enfin aux qualités
de l'écriture. « *Vous n'êtes peut-être pas une lumière par
vous-même,* s'entendra dire Watson, *mais vous êtes un
conducteur de lumière* » (*Le chien des Baskerville*). On
pourrait en dire autant d'Arthur Conan Doyle. Le public,
suivi tardivement par la critique, trouve dans le cycle
Holmes beaucoup plus que ce que l'auteur est conscient
d'y avoir mis. C'est que le cycle Holmes, étant inscrit
d'emblée dans le mode romanesque, doit tout à l'imagina-

tion de l'auteur et rien à ce réalisme quasi documentaire auquel il se croit astreint dans le mode scientifique. Et l'imagination de Conan Doyle se coule spontanément dans des fictions qui reproduisent le déroulement des mécanismes du psychisme populaire. Arthur Conan Doyle est ce phénomène rarissime, un homme de sensibilité et d'intelligence ordinaires doué d'une faculté d'expression extraordinaire. Le public se complaît et se reconnaît dans son œuvre romanesque parce qu'il y trouve des sentiments et des valeurs familiers mis en jeu de manière à satisfaire son besoin profond de peur et de réconfort. Une fois libéré du réalisme, Conan Doyle atteint le réel ; à force d'être lui-même, il devient universel ; sans autre ambition que de distraire, il touche les ressorts les plus puissants de la conscience collective.

On ne crée rien à partir de rien. Le point de départ de Holmes se trouve dans les œuvres de Poe et de Gaboriau, dont les détectives sont bien supérieurs à ceux de la littérature anglaise, pourtant abondante. En effet, si les détectives sont légion dans la littérature populaire, il n'y a pas de roman policier. Les souvenirs romancés de vrais policiers côtoient chez les libraires les feuilletons à sensation où le détective joue un petit rôle de composition et non celui de héros. Le succès dépend de l'intuition, de l'expérience, de la connaissance du milieu, voire de coïncidences invraisemblables. Les détectives de Poe et de Gaboriau s'appuient au contraire sur l'observation et le raisonnement.

Il arrive que Conan Doyle se serve de cette idée avant de créer Holmes. Dès 1881, dans *Le ravin de la digue de l'homme bleu,* un personnage déduit de l'observation d'un cheval et de son harnais le sort du cavalier. *Le sort de l'Evangéline* (1885) comporte cette déclaration parfaitement holmesienne ; « *Quand on a exclu l'impossible, ce qui reste, si improbable soit-il, doit être la vérité.* » Ses premières nouvelles abondent en proto-Holmes et proto-Watson qui habitent même Baker Street, mais ce n'est qu'en 1886 qu'il songe à faire de l'intelligence du détective le thème d'une œuvre et le signe distinctif de son héros.

L'intelligence appliquée à la résolution d'énigmes n'est qu'une vue de l'esprit ; encore faut-il que cette intelligence s'incarne dans un personnage. Conan Doyle pense aussitôt aux hommes dont la supériorité intellectuelle l'a marqué : les Jésuites de Stonyhurst et les professeurs de la faculté de médecine d'Edimbourg. Holmes sera donc voué au célibat comme un Jésuite, comme eux il aura le sarcasme facile. Le professeur Christison d'Edimbourg s'administrait des poisons dans le cours de ses recherches toxicologiques ; Holmes fait de même. Ce même Christison, dans le cadre de l'enquête sur Burke et Hare, battait les cadavres pour savoir si les contusions apparaissaient après la mort ; c'est l'expérience que vient de faire Holmes au début d'*Une étude en rouge*. Les Jésuites étaient inflexibles dans leur attachement au dogme. les professeurs mettaient à défendre leurs thèses un tempérament de diva. Holmes sera donc incorruptible comme un Jésuite et vaniteux comme un professeur de médecine. Jésuites et professeurs avaient en commun la froideur, l'orgueil, l'insensibilité aux autres, l'indifférence à tout ce qui n'était pas la grande préoccupation de leur vie. Ces qualités, qui pour Conan Doyle sont autant de défauts, seront également prêtées à Holmes.

Les Jésuites et les professeurs de médecine étaient des personnalités impressionnantes dans le cadre restreint qui était le leur, mais ils étaient trop austères pour frapper l'imagination du grand public. Tous, sauf un ; le professeur Joseph Bell, dont les consultations ressemblaient plus à ces numéros de lecture de pensée que l'on voit au music-hall qu'à des cours universitaires. Seul Joe Bell, qui pouvait dire comme par magie qu'un tel était ancien sous-officier d'un régiment écossais en garnison aux Bermudes, tel autre un savetier gaucher, un troisième un vernisseur au tampon, présentait ce caractère spectaculaire susceptible de séduire un public qui demande à être émerveillé

plutôt qu'instruit. Sherlock Holmes aura donc la physionomie, les tics et les manies, les déductions éclair et le
goût de la mise en scène du professeur Bell, dont Arthur
avait été l'assistant à Edimbourg. Stevenson, depuis son
exil à Samoa, écrira à Conan Doyle dès réception d'*Une
étude en rouge* : « *S'agirait-il de mon vieil ami, Joe
Bell ?* » La ressemblance est, en effet, frappante. Au
départ, donc, Sherlock Holmes est une synthèse de Jésuite
et de professeur de médecine présentée sous les apparences de Joe Bell.

Ayant ainsi trouvé un modèle pour son héros, Conan
Doyle doit lui donner un nom et un prénom. Au moment
où il entreprend *Une étude en rouge,* la presse annonce la
prochaine tournée européenne d'Oliver Wendell Holmes.
C'est depuis toujours l'un de ses auteurs préférés. Issu de
l'aristocratie puritaine de la Nouvelle Angleterre,
O. W. Holmes, qui avait d'ailleurs fait une partie de sa
médecine à Edimbourg, avait abandonné les certitudes de
la religion pour celles de la science, avant de devenir
professeur d'anatomie à Harvard. Ses livres sont de
brillantes causeries ; il transmettra son goût de l'apho-
risme à Sherlock. Quant au prénom, Conan Doyle avait
d'abord pensé à Sherrinford. S'il se ravise, c'est d'abord
pour des raisons d'euphonie, et ensuite parce que, dans sa
conception originale, le détective doit être inculte en
dehors du domaine qui est le sien. Dans *Une étude en
rouge,* Holmes ne sait pas que la terre tourne autour du
soleil, ignore le nom de Carlyle, n'a aucune culture
littéraire ou philosophique. Cette ignorance rappelle à
Conan Doyle tel condisciple de Stonyhurst, un jeune
Irlandais presque analphabète. Un personnage de fiction
est fait de contrastes et de contradictions. Conan Doyle
appelle son héros Holmes pour ce qu'il sait et Sherlock
pour ce qu'il ne sait pas.

Et Watson ? Les Watson abondent dans la vie d'Arthur
Conan Doyle. Ne citons que le Dr Patrick Heron Watson,
collègue de Joe Bell à Edimbourg, et le Dr James Watson,

un confrère et ami de Southsea qui présida son banquet d'adieu. Si Ormond Sacker est devenu John H. Watson, c'est justement parce que le patronyme est banal. Un autre modèle possible est Alfred Wood, qui jouait dans les mêmes équipes sportives qu'Arthur à Southsea. Ce n'est que bien plus tard, cependant, que Wood deviendra un proche collaborateur. Un candidat plus plausible est le Dr David Thomson, un camarade de faculté qui accompagnait Arthur dans ses expéditions photographiques. Il était interne dans le service de Joe Bell avant d'occuper divers postes en Angleterre. Conan Doyle rendait souvent visite à son ami, surtout pour prêter main forte aux équipes de cricket que celui-ci organisait dans chaque hôpital où il était nommé. « *Que penses-tu de Watson ?* » lui dit Conan Doyle un jour. « *Plutôt bête* », fit Thomson. « *J'en suis navré*, répliqua Conan Doyle. *C'est toi que j'ai pris pour modèle.* » Sans doute ne faudrait-il pas prendre ce dialogue trop à la lettre. Les personnages ont toujours quelque chose de leur créateur. Pour se mettre à la place de Holmes, Conan Doyle devait se créer, non sans mal, *un cadre intellectuel artificiel*. Avec Watson, un tel effort est superflu. Le véritable Watson est Arthur Conan Doyle.

Le personnage de Holmes réunit un ensemble d'attributs qui lui donnent une dimension mythique. Sa supériorité intellectuelle est marquée de deux manières distinctes mais complémentaires. D'abord, c'est un scientifique. On le rencontre pour la première fois dans un laboratoire où il vient de faire une grande découverte médico-légale. Si Conan Doyle choisit la chimie comme spécialité pour Holmes, ce n'est pas seulement parce qu'il s'agit d'une discipline en plein essor, mais aussi parce que la chimie, pour le public victorien, garde quelque chose de l'alchimie. C'est une activité qui, pour scientifique qu'elle soit, conserve un caractère mystérieux et magique. Et c'est bien la magie qui importe ici. La chimie fait partie du personnage de Holmes, mais non de son activité. Il ne l'utilise jamais pour résoudre une énigme. Pour connaître les effets de deux comprimés (*Une étude en rouge*), Holmes, au lieu de les faire analyser, préfère les tester sur un chien moribond ; c'est aussi probant et, surtout, plus dramatique. D'ailleurs, comme le fait remarquer le Dr Bercher dans *L'œuvre de Conan Doyle et la police scientifique au xxᵉ siècle,* un véritable scientifique aurait d'abord procédé à une autopsie de la victime. Holmes a beau être *un véritable Robinson Crusoé de la médecine légale,* la chimie chez lui est moins une compétence professionnelle qu'un savoir quasi occulte, conférant à celui qui le possède un pouvoir magique sur la matière. Pouvoir qui est complété, chez Holmes, par son pouvoir sur les esprits.

Voilà pourquoi Holmes est musicien. Conan Doyle lui-même n'a rien d'un mélomane. La peinture, dans laquelle sa famille s'est distinguée, eût semblé un choix plus logique. Mais, comme il le fait dire à Holmes (*Une étude en rouge*), « *la faculté de la produire* (la musique) *et de l'apprécier a précédé de beaucoup la parole. C'est peut-être pour cela que l'influence qu'elle exerce sur nous est si profonde. Les premiers siècles de la préhistoire ont laissé dans nos âmes de vagues souvenirs* ». Les dons musicaux de Sherlock Holmes témoignent de sa maîtrise des ressorts les plus secrets de l'âme humaine.

L'intelligence de Holmes, aussi artistique que scientifique, aussi intuitive qu'analytique, est ainsi complète. Si elle lui assure la maîtrise de la matière comme de l'esprit, elle ne lui apporte ni le bonheur ni une raison de vivre. La détection, la chimie, le violon sont autant de divertissements pascaliens qui lui permettent de combler le vide métaphysique. « *La logique me sauve de l'ennui* », dit-il à la fin de *La ligue des rouquins.* « *Ma vie est un long effort pour m'évader des banalités de l'existence.* » Cette lutte contre la monotonie, ses accès de spleen, ses périodes de léthargie, rangent Holmes parmi les esthètes fin de siècle. Sa toxicomanie, sa misogynie, son asociabilité, son goût de la bohème, son attrait pour le bizarre, le confirment : Sherlock Holmes est un décadent.

Sous les traits de l'intellectuel décadent se dessine un autre personnage, pourtant facilement reconnaissable. Holmes est un héros gothique. Sa faculté de lire le passé et les pensées de son interlocuteur a des relents de magie noire. « *Les gens qui n'étaient pas familiarisés avec ses méthodes le regardaient de travers, comme un homme différent du commun des mortels* » (*La ligue des rouquins*). Ce célibataire grand et maigre, aux yeux perçants, a le physique de ces moines terrifiants qui peuplent le gothique anglais. Dans la littérature populaire, l'intelligence n'est ni positive ni rassurante. L'adjectif qui lui est le plus souvent accolé est « diabolique ». Ce n'est pas un hasard si le diable est connu sous le nom du « Malin ». Le chimiste est un apprenti sorcier, l'artiste un poète maudit. Les deux, de par leur intelligence même, sont coupés de l'ordinaire des hommes et dressés contre les lois de la société. Ce sont la moralité, le patriotisme, la ténacité, bref les qualités watsoniennes, qui distinguent le héros anglais. L'intellectuel pur, à l'image de Moriarty, est un suppôt du Mal. Conan Doyle donne à Holmes toutes les caractéristiques — orgueil, froideur, insensibilité — qui lui avaient rendu les Jésuites et les professeurs d'Edimbourg aussi antipathiques qu'admirables. Il veut que Holmes exerce sur le lecteur le même mélange de fascination et de répulsion qu'il avait lui-même ressenti devant ses maîtres d'autrefois. Dans Sherlock Holmes, orgueilleux et solitaire, avec son savoir merveilleux, son esthétisme, ses pouvoirs extraordinaires, on trouve de lointains échos de Frankenstein.

Le tour de force que réussit Arthur Conan Doyle sera d'opérer un prodigieux renversement de rôles. Ce personnage que tout désigne comme une menace pour l'ordre social va devenir protecteur et rassurant. Frankenstein va se transformer en défenseur de la veuve et de l'orphelin. L'intelligence, instrument privilégié du Mal, va passer au

service du Bien. La magie noire deviendra magie blanche,
le sombre romantisme du surnaturel gothique se dissipe
devant le romantisme lumineux de la raison positive. Le
Mal sera vaincu par ses propres armes ; dénouement qui
procure au lecteur et un plaisir intellectuel et une profonde satisfaction morale. En apprivoisant le gothique, le
personnage de Holmes, porteur à la fois de menace et de
réconfort, soulage les inquiétudes enfouies au plus profond du psychisme collectif.

Ce renversement de rôles s'opère d'abord par l'entremise du Dr Watson. Ce ne sera pas le moindre des
multiples rôles dévolus à Watson que de servir, dès le
début du cycle, de caution morale à Holmes. Comme son
créateur, Watson possède un *sens moral inné*. Les versions cinématographiques ont eu le tort de faire de
Watson un personnage comique, mais le bon docteur n'est
ni un bouffon ni un médiocre fasciné par l'intelligence
holmesienne. Rappelons l'épisode du *Signe des Quatre* où
Holmes, à partir d'une montre, déduit les déboires du
frère de Watson, avant de s'excuser de son insensibilité.
L'incident sert à démontrer la supériorité intellectuelle de
Holmes et la supériorité morale de Watson. Comme les
public schools prisaient davantage le caractère que l'intelligence, Conan Doyle et son public placent Watson plus
haut que Holmes dans l'échelle des valeurs humaines.

Conan Doyle, en effet, met en scène, en les associant,
deux types de héros. Holmes est un héros romantique,
celui qui possède des qualités uniques et extraordinaires.
Watson est un héros classique, celui qui possède des
qualités ordinaires à un degré extraordinaire. Conan
Doyle et son public savent bien que l'ordre social et moral,
la stabilité de la société britannique et la sécurité de son
empire dépendent, certes, de quelques hommes d'exception comme Holmes, mais encore plus de l'exercice
quotidien des humbles vertus de millions de Watson
anonymes. Si Conan Doyle avait été un écrivain plus
novateur, il aurait, à l'image de Stevenson dans *Dr Jekyll*

et Mr Hyde, réuni ces deux types de héros en un seul mais, avant la révolution freudienne, ni l'auteur ni son public ne sont prêts pour des personnages aussi complexes. Le recours à deux personnages bien distincts mais complémentaires procure, d'ailleurs, une liberté dans la conduite du récit que Conan Doyle saura merveilleusement exploiter.

La caution morale de Watson, si indispensable soit-elle, ne suffit pas pour apprivoiser ce que Holmes peut avoir d'inquiétant. Le couple Holmes/Watson ne peut fonctionner que dans la mesure où Watson sait d'emblée que rien ne lui sera demandé qui soit indigne d'un honnête homme. Son intuition morale ne le trompe pas. C'est que Holmes, en plus de cette intelligence scientifique et artistique qui devrait en faire un personnage subversif, est également doté de caractéristiques plus rassurantes qui ne viennent ni de Poe ni de Gaboriau, mais de Stevenson et, surtout, d'Arthur Conan Doyle.

Dans *Une étude en rouge,* Holmes tient des propos fort désobligeants pour Poe et pour Gaboriau. Ne confondons pas l'auteur et son personnage. En attirant l'attention du lecteur sur ses devanciers, Conan Doyle, loin de craindre la comparaison, l'y invite. Il sait qu'il a donné à Holmes une dimension morale et sociale qui manque à Dupin comme à Lecoq. Dans *Les nouvelles mille et une nuits* (1883), Stevenson avait écrit : « *Détective, c'est la seule vraie profession pour un gentleman.* » Sherlock Holmes sera le premier détective, dans la réalité ou dans la fiction, qui soit aussi un gentleman.

En 1869, le nouveau chef de la police londonienne reconnaît que les détectives sont quelque chose *d'étranger aux habitudes et aux sentiments de la nation.* Les détectives de Scotland Yard sont perçus comme des indicateurs, voire des agents provocateurs. En 1878, un scandale lié aux courses hippiques ternit encore la réputation des détectives officiels. Le détective se place tout à fait en bas de l'échelle sociale ; quand il enquête dans une maison bourgeoise, on le fait passer par la porte de service. Il ne peut donc servir de héros dans la littérature populaire. Le détective de la fiction est soit un petit fonctionnaire besogneux soit un ancien criminel rusé mais inculte. Il a besoin d'une promotion sociale avant de devenir un héros acceptable. Conan Doyle va la lui donner.

Pour Stevenson, un gentleman n'est qu'un homme du monde capable de tenir sa place dans la bonne société, permettant ainsi au roman policier d'être une comédie de mœurs, voire une comédie de boulevard, et non plus seulement un mélodrame se déroulant dans les bas-fonds de la société. En revanche, pour Conan Doyle, sans doute par déformation professionnelle, un gentleman est celui qui exerce une profession, c'est-à-dire qui possède des titres et dont l'honorabilité est garantie par son appartenance aux organisations représentatives de sa corporation. Dupin, le héros de Poe, est un amateur aux intuitions géniales. Lecoq, celui de Gaboriau, est un artisan habile. La différence entre Holmes et ces personnages est celle qui oppose la médecine scientifique au dilettantisme d'une part et aux remèdes des empiriques d'autre part. De Quincey avait déjà parlé du meurtre considéré comme l'un des beaux-arts ; Conan Doyle fait de l'art du détective une profession libérale.

Son activité est calquée sur celle du médecin. Comme Waller à Argyle Park Terrace, le salon du 221^B Baker Street lui sert de cabinet. La déduction est une technique au service de la détection comme l'auscultation l'est au service de la médecine. Holmes pose sur le corps social le regard clinique que le médecin pose sur le corps humain. Le crime est un mal social et les indices autant de symptômes qui permettent d'en identifier l'auteur, comme la médecine isole la bactérie à l'origine d'une maladie. Comme le médecin, Holmes s'astreint à de longues études. Ecoutons encore le Dr Bercher : « *Le détective anglais a pourtant sur Dupin une remarquable supério-*

rité ; il a développé son talent naturel... (il) *accomplit ce travail analytique et déductionnel, secondé par ses connaissances scientifiques qui... font de lui un type de policier plus parfait.* » Comme le médecin recourt aux cas cliniques analysés par ses confrères, Holmes a étudié, classé, les affaires criminelles. Ses monographies sur les différentes variétés de tabac, sur l'analyse des traces de pas, sur l'influence des métiers, sur la forme des mains font avancer la science de la détection comme la recherche médicale fait progresser la médecine. Conan Doyle n'a rien d'une victime inconsciente de la déformation professionnelle ; cette assimilation lui permet d'atteindre deux buts. D'abord, il répand l'illusion que la mobilisation de toutes les ressources de la science contemporaine vaincra la criminalité comme la médecine semble être en train de conquérir la maladie, illusion que le public ne demande qu'à partager. Et puis, le corps médical, comme les autres professions libérales, est l'image même de la respectabilité bourgeoise. Les lecteurs du *Strand* appartiennent à la bourgeoisie, ou aspirent à y appartenir. Holmes a beau être un artiste décadent et toxicomane, puisqu'il exerce une profession libérale, les lecteurs savent qu'il est des leurs. Et comment pourrait-il en être autrement, puisque le Dr Watson s'en porte garant ?

Holmes n'en est pas moins seul de son espèce, ce qui, pour une profession libérale, est une contradiction dans les termes. La respectabilité ne tient pas au savoir — le savant isolé peut être Moriarty aussi bien que Holmes — mais à l'appartenance à une organisation professionnelle. Au début du cycle, Holmes n'a pas de statut social, et il s'en plaint. Grâce aux chroniques de Watson, cependant, il pourra bientôt dire : « *Mon nom est célèbre dans les cinq parties du monde et je suis généralement reconnu à la fois par le public et par la police officielle comme la suprême cour d'appel pour les affaires litigieuses* » (*Le rituel des Musgrave*). Cette consécration, que n'avait connue ni Dupin ni Lecoq, est un élément clé du personnage. Nombreux sont ceux qui, à l'image du protagoniste du *Pouce de l'ingénieur,* cherchent à faire accéder leur métier à la dignité d'une profession. Ingénieurs et bibliothécaires, enseignants et vétérinaires, comptables et agents immobiliers, géomètres, courtiers en assurances et commissaires-priseurs, experts et techniciens en tous genres, écrivains même — la *Authors' Society* est fondée en 1884 — se regroupent en associations corporatistes, aspirent à obtenir le prestige social qui accompagne un statut comparable à celui du corps médical ou du barreau. La quête d'un statut social, loin de nuire à la crédibilité de Holmes, reflète les aspirations du public, renforçant ainsi son identification avec un personnage qui s'inscrit dans la dynamique de la mobilité sociale de son époque.

Dans cette transformation de ce personnage gothique qu'est Holmes en personnage rassurant, Conan Doyle est puissamment aidé par les illustrateurs du *Strand.* La première édition d'*Une étude en rouge* comportait quelques dessins de Charles Altamont Doyle qui, fidèle à ses habitudes, illustrait ses fantasmes et non le texte. Son Sherlock barbu et rêveur est un autoportrait. Il n'était peut-être pas si loin de la vérité. La création d'un personnage aussi omniscient, aussi protecteur que Holmes était peut-être une compensation inconsciente pour une enfance vécue dans l'absence du père. Le *Strand* voulait confier l'illustration des nouvelles à Walter Paget mais, par erreur, envoya la commande à son frère, Sidney. Celui-ci, au lieu de se rapporter à la description peu avenante dans le texte, prit pour modèle son frère Walter, qui put ainsi apporter quand même sa contribution à la légende holmesienne. Walter Paget avait un physique de jeune premier. Son frère l'affubla de la casquette, du manteau et de la loupe qui, depuis *Hawkshaw the Detective,* pièce à succès jouée à Londres en 1863, étaient, pour le grand public, l'attirail inévitable du détective. A l'occasion de son mariage en juin 1893, Sidney Paget trouva parmi ses cadeaux un bel étui à cigarettes en argent *de la part de Sherlock Holmes*. Il l'avait bien mérité ; grâce à ses illustrations, Holmes est investi non seulement des caractéristiques spécifiques imaginées par Conan Doyle, mais aussi de celles que le public attribue à tous les détectives. Au lieu d'être un cas unique, Holmes devient un type idéal.

Sidney Paget ne trahit pas son auteur. Si le personnage de Holmes présente des aspects d'une originalité incontestable, son activité ne correspond pas toujours en tout point à sa légende. Le personnage est celui d'un thaumaturge apprivoisé pour devenir un professionnel mettant des dons potentiellement subversifs au service de l'ordre bourgeois. La légende est celle d'un homme solitaire, mélancolique, orgueilleux, insensible, misogyne, qui mobilise la science moderne dans une lutte, toujours couronnée de succès, contre le crime. Le Holmes qui mène l'enquête est nettement plus classique que cet Holmes-là.

La science appartient plutôt au personnage qu'à son activité. Holmes n'utilise jamais la chimie dans une enquête. Les déductions sur le passé et les pensées de ses clients éblouissent Watson et le lecteur, mais ne font pas avancer l'enquête. Holmes atteint ses résultats sans le recours de la technologie. Ni l'anthropométrie ni les empreintes digitales ne font partie de l'arsenal holmesien. Conan Doyle est photographe, mais Holmes ne l'est pas. Il faudra attendre Austin Freeman et son Dr Thorndyke pour voir les techniques scientifiques apporter leur contribution à la fiction policière. Le Dr Thorndyke est un policier de laboratoire ; Holmes, qui au début du cycle travaille surtout par analogie avec les affaires passées, devient de plus en plus un homme de terrain, faisant appel à des dons de déguisement et à des qualités athlétiques que bien des détectives avaient possédés avant lui. Quand Conan Doyle le montre en train de reconstituer un crime en analysant des traces de pas, démasquer un coupable grâce aux cendres de son cigare ou à la signature de sa machine à écrire, la source de son inspiration ne se trouve pas dans la recherche scientifique mais chez les Peaux-Rouges chasseurs de scalps dont Mayne Reid avait peuplé son enfance. Holmes traque sa proie à travers les banlieues de Londres comme les Iroquois la leur dans les forêts de l'Amérique.

Londres et la civilisation moderne sont autrement complexes que les mœurs simples et rudes des tribus perdues dans leurs vastes forêts. Holmes, cependant, ne peut fonctionner que dans un univers newtonien, un univers réglé avec la précision d'un mouvement d'horloge-rie ; la clé de son succès ne réside pas dans sa méthode mais dans la nature prévisible du monde dans lequel elle s'exerce. C'est un monde où la conscience professionnelle est la norme, les convenances sociales toujours respectées, un monde où le service postal marche à merveille et où les trains sont toujours à l'heure. En effet, Conan Doyle ne dote pas son héros d'une méthode scientifique capable de rendre compte de la complexité du monde moderne ; au contraire, par un exercice absolument légitime de l'arbi-traire du romancier, il ramène les phénomènes qui entourent Holmes à la simplicité d'une logique accessible à tous.

Quand Holmes conclut que Watson revient de Wig-more Street parce que la boue rougeâtre qui colle à ses chaussures ne se trouve que là, le raisonnement est enfantin ; le prodige, c'est de savoir de science certaine la couleur de la boue dans toutes les rues de Londres. Conclure que le frère de Watson est alcoolique parce que sa montre porte les éraflures caractéristiques de *mains pas trop sûres d'elles-mêmes pour remonter le mécanisme (Le signe des Quatre)* est ingénieux, mais on pourrait imaginer pour des mains qui tremblent d'autres explications que l'éthylisme. Si, parmi toutes les explications possibles et imaginables d'un phénomène, celle choisie par Holmes se révèle infailliblement la bonne, c'est uniquement parce qu'Arthur Conan Doyle a décidé qu'il en serait ainsi.

Personne ne le sait mieux que l'auteur. Le médecin débutant qu'il met en scène dans *Un faux départ,* nouvelle publiée en même temps que les aventures de Sherlock Holmes, mais ailleurs que dans le *Strand,* se livre à des déductions aussi logiques et aussi plausibles que celles de Holmes mais, à l'expérience, elles se révèlent aussi fausses les unes que les autres. Ce monsieur au visage couperosé et à la toux grasse n'est ni un alcoolique ni un bronchiteux ; ce n'est même pas un malade, mais l'employé du gaz venu réclamer le paiement d'une facture. C'est la première, et la meilleure, pastiche de la méthode holmesienne, et elle est l'œuvre d'Arthur Conan Doyle.

Arthur, en effet, sait parfaitement que les prouesses « scientifiques » de son héros ne doivent rien à des rapports objectifs et inévitables entre des phénomènes et tout à une simplification volontaire et astucieuse de la réalité. Il s'agit d'entourer le héros du romantisme de la science ; il y a quelque chose de sécurisant dans le spectacle d'un univers ordonné et stable dont les ressorts, bien que cachés au commun des mortels, n'en sont pas moins intelligibles à un homme supérieur et protecteur qui n'utilise pour cela que ses facultés naturelles. Sans doute Conan Doyle n'aurait-il pu imaginer Sherlock Holmes s'il n'avait pas été médecin, mais dès que le personnage agit, l'homme de science cède la place au romancier, c'est-à-dire à l'illusionniste. La science de Holmes n'est, en effet, qu'une illusion, mais une illusion qui, grâce à une imagination fertile, une appréciation juste des limites de la vraisemblance, la répétition savante du discours de la science positiviste et l'éblouissement contagieux du Dr Watson, est parfaitement réussie.

C'est même pour mieux entretenir cette illusion que Conan Doyle fait en sorte que, contrairement à sa légende, Holmes ne soit pas infaillible. Le public sait bien que le médecin et la médecine ne guérissent pas toujours. Puisque Holmes est un professionnel et non un magicien, il doit connaître l'erreur. Sa carrière dans le *Strand* s'ouvre avec un échec spectaculaire, *Un scandale en Bohème.* Sur les vingt-quatre nouvelles publiées entre juillet 1891 et décembre 1893, une bonne demi-douzaine se soldent par un échec partiel ou total. Holmes ne retrouve pas les criminels du *Pouce de l'ingénieur;* dans les affaires des *Cinq pépins d'orange* et de *L'interprète grec,* on peut lui imputer, sinon de l'incompétence, au moins de la négligence. Quand il se rend à Norbury pour *La figure jaune,* il se trompe totalement du début jusqu'à la fin. Sa réaction est révélatrice : « *Watson, si jamais vous avez l'impression que je me fie un peu trop à mes facultés ou que j'accorde à une affaire moins d'intérêt qu'elle ne le mérite, alors ayez la bonté de me chuchoter à l'oreille " Norbury ". Je vous en serai toujours infiniment reconnaissant.* » Holmes, en effet, n'est pas un surhomme nietzschéen ; c'est un personnage conçu pour tenir un rôle dans une entreprise fictive déterminée et non, loin s'en faut, un portrait-robot de l'homme idéal.

Conan Doyle, en effet, gratifie Holmes des défauts qui lui avaient tant déplu chez les Jésuites et les professeurs d'Edimbourg : orgueil, insensibilité, misogynie. Ces caractéristiques, cependant, appartiennent plus au personnage de Holmes qu'à son activité. Son asociabilité ne l'empêche pas de gagner la confiance de ses clients et des gens de toutes conditions qu'il rencontre au cours de ses enquêtes. Son indifférence au charme féminin est un devoir professionnel ; c'est sa vocation et non sa nature qui exige le célibat. « *Quelle séduisante jeune femme* », s'écrie Watson *(Le signe des Quatre).* « *Vraiment?* dit Holmes. *Je n'avais pas remarqué.* » Comment croire que Holmes ait manqué de remarquer quoi que ce soit ? Conan Doyle n'est pas loin de penser que les femmes sont le véritable sexe fort. *Les médecins de Hoyland,* écrit en 1893, est un plaidoyer en faveur des femmes-médecins à une époque où le corps médical les rejette. Holmes abandonne parfois sa réserve professionnelle pour agir en père ou en frère aîné, comme lorsqu'il se propose d'administrer une correction au coquin d'*Une affaire d'identité*. Si Conan Doyle le fait venir si souvent en aide aux femmes seules, ce n'est pas uniquement pour faire vibrer la corde sentimentale ; il a vu sa mère élever seule une nombreuse famille, ses sœurs s'expatrier à la recherche de places de gouvernante. Holmes apporte à ses clientes la protection que Conan Doyle aurait voulu pouvoir apporter à sa famille.

Ce sont des problèmes familiaux que Holmes doit le plus souvent résoudre. Dans certaines aventures — *L'homme à la lèvre tordue, La figure jaune* — aucun crime, au sens juridique, n'est commis. Dans d'autres — *Le ruban moucheté, Le val Boscombe, Le diadème de béryls* — le crime n'est important que dans la mesure où il est le détonateur ou l'aboutissement d'une crise familiale. Sans doute en souvenir des négligences de Charles Doyle, les pères indignes, dont le cycle présente un nombre impressionnant, attirent plus que les criminels les foudres de Sherlock Holmes.

La criminalité est pourtant un grave sujet de préoccupation. L'insécurité grandit. La misère fait des classes laborieuses des classes dangereuses. Les quartiers les plus pauvres sont des repaires de brigands où la police ose à peine pénétrer. Holmes y possède pourtant ses relations et ses informateurs ; grâce à son génie du déguisement, il peut s'y mouvoir à son aise. Mais le lecteur ne le suit pas dans ses expéditions vers les bas-fonds londoniens. Ces citadelles de la pègre rappellent trop à Conan Doyle les quartiers insalubres d'Edimbourg où il avait passé sa petite enfance, la déchéance sociale contre laquelle sa mère s'est battue avec tant d'acharnement. Le cycle Holmes relève du mode romanesque, non du mode scientifique. L'univers de la vraie criminalité est trop sordide, trop irrationnel, trop violent, pour Sherlock Holmes. On en entend des échos, comme des bruits en coulisse, mais au-devant de la scène, Holmes remet de l'ordre dans la famille bourgeoise.

Le passage de l'état d'adolescent à celui d'adulte jouissant d'un foyer et/ou d'une situation professionnelle est à la fois un déchirement et un épanouissement. L'expérience est si fondamentale, si universelle, qu'elle revient dans tous les genres littéraires ; elle est aussi le thème du cycle Holmes. Ceux qui négocient ce passage délicat sont les victimes, ceux qui exploitent leur faiblesse les coupables. Dans *Le pouce de l'ingénieur, L'employé de l'agent de change, Le pensionnaire en traitement* et même *Le traité naval,* on exploite la vulnérabilité de débutants qui cherchent la réussite professionnelle. Dans *Le mystère du val Boscombe, Les cinq pépins d'orange, Le « Gloria Scott »* les jeunes sont frustrés de leur héritage par des crimes paternels surgis du passé pour compromettre l'avenir. Dans *Une affaire d'identité, Le ruban moucheté, Les Hêtres-Rouges,* l'avarice des pères empêche les filles de fonder leur foyer. Même Irène Adler, dans *Un scandale en Bohême,* trouve la force de vaincre Holmes dans sa volonté d'épouser l'homme qu'elle aime. Pour Conan Doyle, en effet, les seuls mariages respectables sont les mariages d'amour. C'est pourquoi le mariage de l'antipathique lord Saint-Simon, désireux d'échanger son titre contre la fortune de sa fiancée américaine, n'aura pas lieu. Les mœurs aristocratiques autorisent, commandent même, les mariages d'intérêt ; le sentiment populaire les réprouve. Holmes incarne les valeurs bourgeoises et populaires. Il respecte la fortune, même mal acquise, mais non la naissance. La déférence que les conventions sociales imposent vis-à-vis de l'aristocratie s'accompagne toujours chez lui d'une ironie narquoise. L'idéal, dans le cycle Holmes, c'est le foyer uni, jouissant d'une prospérité moyenne et d'une honorabilité parfaite. Quand ces foyers existent, comme dans *L'homme à la lèvre tordue* ou *La figure jaune,* il faut les protéger contre les menaces de dissolution. Ceux qui aspirent à cet idéal doivent y être aidés. Ainsi Conan Doyle fait-il rejouer à maintes reprises le drame qu'il avait lui-même vécu en se dégageant de l'emprise des Jésuites, de Waller, de Budd, pour atteindre enfin l'indépendance.

Cela s'est fait, sinon sans heurts, du moins sans rupture, sauf en ce qui concerne Budd. De même, si Conan Doyle montre souvent les abus de l'autorité parentale, il ne met jamais en cause la famille ; celle-ci reste la cellule de base de toute société. Mais comme la société dans son ensemble est toujours à un stade de l'évolution qu'elle devra dépasser, la famille, ce micro-cosme social, doit éclater pour se renouveler. Pour Conan Doyle, la nécessaire cohésion familiale ne doit pas entra-ver le renouvellement. La pérennité de la cellule familiale est assurée par sa dissolution. C'est une thématique à la fois universelle et réconfortante, et cela d'autant plus qu'elle s'exprime dans un registre plus proche du conte de fées que du roman réaliste. Holmes joue le rôle du magicien qui, balayant les obstacles dressés par les parents indignes, ouvre aux jeunes la voie de l'épanouisse-ment. C'est encore un exemple de ce renversement de rôles qui fait l'attrait du cycle, que cette fonction de protecteur de la famille assurée par un personnage lui-même voué au célibat.

En étant, en quelque sorte, l'accoucheur de nouveaux foyers, Holmes œuvre pour la morale et non pour la justice. Même quand il y a crime, comme dans *L'escar-boucle bleue*, il s'arroge le droit de ne pas dénoncer le coupable. Il ne s'intéresse pas aux suites judiciaires de son action ; on ne le voit jamais témoigner devant un tribunal. La loi est générale, par définition ; Holmes ne traite que des cas particuliers. La police représente l'Etat ; Holmes représente la société, c'est-à-dire les valeurs dominantes. Il lutte moins contre le crime que contre le péché ou, plus exactement, il s'efforce de faire en sorte que les vices et les faiblesses individuels ne déchirent pas irrémédiablement le tissu social.

Ce n'est pas que Conan Doyle tienne la société victo-rienne pour parfaite. Sur certains points, il est en avance sur son époque. Il est favorable à l'éducation populaire, hostile à l'intolérance raciale comme à toute xénophobie. Il reconnaît, en tant que médecin, que certains crimes relèvent de l'hôpital et non de la prison. Dans l'ensemble, cependant, le cycle Holmes renforce le consensus victorien selon lequel le crime, comme la pauvreté, est une affaire de défaillance morale individuelle. C'est là encore l'une des clés de sa popularité.

Défendre un code moral, faire respecter les conventions sociales qui en sont l'expression, ne sont pas des tâches qui se prêtent au seul raisonnement abstrait; il n'y a pas d'édification à espérer d'une machine à penser. C'est pourquoi Holmes, que Watson décrit comme *radicalement inhumain* au début du cycle, devient pour son fidèle compagnon, dans *Le dernier problème*, « *le meilleur et le plus sage de tous les hommes* ». Dans le cycle Holmes, on retrouve les mêmes thèmes et les mêmes préoccupations que dans l'œuvre non holmesienne. Ce code moral que défend Holmes ressemble assez au code de chevalerie appris de sa mère. Sir Nigel, de *La compagnie blanche,* était un chevalier du XIVe siècle; comme Pierre Nordon l'a justement remarqué, Sherlock Holmes, qui se porte si souvent au secours des demoiselles en détresse, est un chevalier des temps victoriens.

Holmes est ainsi un personnage à facettes, dont chacune est filtrée à travers le prisme de l'indispensable Watson. C'est donc à Watson que le cycle doit son style, son ton, son unité. En avril 1891, Conan Doyle a déjà publié trente-huit nouvelles. Son art est arrivé à sa maturité. « *Nous autres Britanniques* », devait-il écrire, *(Through the Magic Door)*, « *nous manquons terriblement du sens de la forme.* » La nouvelle ne supporte pas la prolixité du roman-feuilleton. Pourtant, « *chaque nouvelle avait, autant qu'un long roman, besoin d'un scénario serré et original* » *(Souvenirs et aventures)*. Il faut faire tenir les trois tomes de *Girdlestone & Cie* en trente pages. Ce miracle de compression s'opère surtout par l'absence de l'auteur, cet auteur omniscient et omniprésent qui remplit le roman victorien de ses commentaires, descriptions, homélies et digressions diverses. « *Pour produire un effet artistique*, dit Holmes, *la sélection et la discrétion sont indispensables. C'est ce qui manque dans un rapport de police, où la platitude du style de l'auteur ressort davantage que les détails, lesquels constituent, cependant, le fond de l'affaire* » (*Une affaire d'identité*). Conan Doyle, délaissant le réalisme du rapport de police, construit ses nouvelles avec des détails soigneusement sélectionnés. En fait de discrétion, il se dissimule derrière la fausse simplicité de Watson. Et Watson n'est pas un auteur par délégation mais un témoin et un chroniqueur. Tout est subordonné au récit, mais le récit n'est pas celui que l'on croit. Watson ne raconte pas la solution d'une énigme mais les faits et gestes de Sherlock Holmes. La forme n'est pas celle du policier, mais celle d'un pastiche savant et spirituel de l'hagiographie victorienne.

Les affaires sur lesquelles Holmes se penche sont tantôt des crimes, tantôt des drames familiaux, des aventures situées dans un passé inavouable, des récits d'épouvante, des affaires d'espionnage, voire des imbroglios comiques, mais elles servent toutes à illustrer la légende holmesienne. Chaque nouvelle se décompose, selon le genre, en parties fixes et parties variables, dont la meilleure analyse est celle fournie, dès 1911, par Mgr Ronald Knox, dignitaire ecclésiastique aussi connu pour ses canulars et ses romans policiers que pour son excellente traduction du Nouveau Testament.

Une première scène se déroule entre Holmes et Watson dans le salon douillet de Baker Street. Le contraste entre le temps à l'extérieur — brouillard, pluie, tempête — et le confort bohème de l'intérieur prépare le jeu de la peur et du réconfort qui va s'ouvrir. Dans cette scène de présentation sont mis en évidence les attributs — chimie, musique, orgueil, spleen — qui font la légende holmesienne. Holmes se livre à quelques déductions éblouissantes, que ce soit au sujet de Watson, d'un objet apporté — lettre ou télégramme — ou d'une personne, parfois un futur client, aperçu par la fenêtre. Ces déductions, parfois des esquisses puissamment évocatrices des drames d'une vie ordinaire, servent à démontrer la science surhumaine du détective. Cette première scène prend fin quand le salon, à la fois intérieur calme et antre de magicien, est envahi par un client angoissé.

Le client est l'objet d'une description brève : physionomie, vêtements, situation familiale et professionnelle. Seul Holmes est un personnage de quelque complexité ; les autres sont brossés à très grands traits, de manière à dégager une impression d'ensemble. Après les déductions d'usage, le client aborde son problème par une déclaration spectaculaire. Une fois le choc passé, on en vient aux détails. Le client n'a pas droit à un récit linéaire ; il répond seulement aux questions posées. Holmes se montre courtois et compatissant, à l'image d'un médecin accueillant un malade. Le client repart, réconforté.

Une troisième scène voit Holmes enquêter sur les lieux. Si le crime est commis en ville, celle-ci devient une jungle où rôdent des bêtes féroces. Un crime à la campagne amène un contraste entre les paysages souriants et la méchanceté humaine. Le décor est évoqué en fonction du crime. Ce sont cependant des lieux publics, des rues, des quartiers bien connus que Conan Doyle investit d'une aura de menace, d'où l'illusion du réalisme. « *Cela doit vous amuser de voir combien mes connaissances de Londres sont vastes et précises* », écrit-il à Stoddart à propos du *Signe des Quatre*. « *Je me suis basé sur le plan de la ville édité par les P et T.* » Ce Londres avec ses brouillards et ses becs de gaz, ses fiacres et ses rues boueuses, ces banlieues avec leurs pavillons identiques et anonymes, ces campagnes avec leurs vieilles demeures habitées par de nouveaux riches coloniaux au passé douteux, sont autant de pièces d'un décor aperçu à travers un jeu d'ombre et de lumière. La ville, sa banlieue et la campagne environnante deviennent, l'espace de quelques pages, un château hanté, avec ses dépendances et son parc, au lieu d'être seulement le cadre banal de milliers d'existences ordinaires. Le plaisir que prend le Londonien à suivre les traces de Holmes n'est pas celui de l'identification des lieux mais celui de l'émerveillement devant l'ambiance gothique que Conan Doyle sait créer autour de sites familiers mais qui, pour l'auteur, n'étaient que des noms sur le plan des P et T.

Arrivé sur place, Holmes interroge parents, amis, domestiques. Il se transforme alors en guerrier peau-rouge. La chimie et les déductions ne sont plus de mise. Watson et le lecteur assistent à cette recherche d'indices sans la comprendre. L'examen des lieux terminé, Holmes souligne les incohérences de la version de la police, avant de donner au Lestrade de service quelques indications que celui-ci ne saura pas mettre à profit. Watson reçoit des explications partielles. Holmes, même si sa conviction est faite, ne révèle pas le fond de sa pensée.

Suit alors un entracte. Watson, s'il ne ronge pas son frein à Baker Street, s'occupe enfin d'une clientèle bien délaissée. Holmes est parti à la recherche soit d'un complément d'information, soit d'une confirmation de ses hypothèses. Il peut être amené à consulter des organismes publics ou privés, les registres de l'état civil ou d'autres archives. Il peut revêtir l'un de ses innombrables déguisements pour aller recueillir des informations dans les milieux criminels, dont sa connaissance est encyclopédique. Dans la réalité, cette phase d'une enquête peut prendre des semaines, voire des mois. Dans un roman policier classique, de longs chapitres y sont consacrés. Chez Conan Doyle, quelques heures et quelques paragraphes suffisent. La concision du genre interdit la dispersion de l'action. Watson et le lecteur n'accompagnent jamais Holmes ; la collecte des informations, souvent décisives, se passe en coulisse et non sur scène.

L'entracte terminé, le coupable est attiré sous un

prétexte quelconque à Baker Street où, démasqué, il passera aux aveux. Le dénouement sera mis en scène de la manière la plus spectaculaire possible. Holmes revient alors sur les tenants et aboutissants de l'affaire, en expliquant toute sa démarche, sans oublier, le cas échéant, ses erreurs et ses tâtonnements. La curiosité ainsi satisfaite, l'aventure se conclut là où elle avait commencé : dans l'intimité de Baker Street. Les caractéristiques légendaires de Holmes reprennent le pas sur celles associées à son action. Il n'est plus le fin limier attentif à chaque détail, le conseiller professionnel soucieux des intérêts de son client, le chevalier volant au secours des victimes de l'injustice. Il redevient narquois et vaniteux, se désintéresse du client pour lequel il vient de se dévouer, reprend ses éprouvettes ou son violon, tend la main vers sa pipe ou ses seringues hypodermiques devant un Watson désapprobateur. Les personnages ayant ainsi repris leurs positions de départ, une nouvelle aventure peut commencer.

Cet agencement du récit est mis en place dès *Une étude en rouge*. Par la suite, Conan Doyle se sert de ces différentes scènes comme d'un jeu de construction. Si les deux premières et la dernière sont presque invariables, les autres, étant liées à l'intrigue, changent en fonction de celle-ci quand elles ne sont pas absentes. Quel que soit le genre d'affaire, le style, rompant avec celui du roman traditionnel, annonce le cinéma. On voit agir les personnages, on les entend parler ; Conan Doyle ne nous fait pas part de leurs états d'âme, ni des siens. Les dialogues servent moins à révéler les personnages qu'à faire avancer l'action. Les descriptions valent par leur puissance d'évocation et non par leur exactitude. La langue est simple et nerveuse. Conan Doyle n'a rien d'un puriste, et l'écriture artiste ne fait pas partie de son répertoire. La critique lui reproche une grammaire incertaine. Il est vrai que, pour les verbes de modalité, il lui arrive de suivre l'usage écossais, ce qui déconcerte les critiques londoniens. La langue de Conan Doyle, située dans le registre familier de son époque, semble aujourd'hui délicieusement désuète. Il n'en reste pas moins que l'écriture visuelle du cycle Holmes est d'une remarquable modernité.

D'une remarquable subtilité aussi, comme en témoignent les multiples rôles de Watson. Pour Holmes, Watson est un faire-valoir et un témoin de moralité. Pour le lecteur, il est une source de satisfaction et de réconfort. Pour Conan Doyle, il est le camouflage qui, en cachant la présence encombrante de l'auteur, permet de faire des récits à la fois dépouillés et pleins. Tout se passe, en effet, comme si les mystificateurs de la science holmesienne avaient raison ; Holmes et Watson existent vraiment et Conan Doyle n'est qu'un agent littéraire ayant eu pour seul rôle celui de spolier le brave docteur de ses droits d'auteur.

Depuis ses débuts, Conan Doyle s'essaie à des récits à la première personne, le rôle de narrateur étant confié à un personnage qui, comparse ou non, comprend moins bien que l'auteur et le lecteur le sens de l'action. Avec Watson, ce style de narration atteint son point de perfection. La structure des nouvelles étant double — l'intrigue d'une part, la geste holmesienne d'autre part — le rôle de Watson dans la conduite du récit est également double : il est à la fois le chantre de la légende holmesienne et le rapporteur de l'intrigue.

L'intrigue se déroule comme une suite de récits de plus en plus fournis. En partant du premier exposé du client, on entend successivement les témoins, la police, la première impression de Holmes, les suppositions de Watson, les aveux du coupable, avant d'aboutir aux explications finales. Le lecteur se voit proposer, pour une seule énigme, une demi-douzaine de versions des faits. Ces récits successifs, présentés sous la forme d'un jeu de questions et de réponses, permettent d'éviter la dispersion tout en fournissant un maximum d'éléments dans un minimum de place. C'est Watson qui rapporte ces dialogues. Le récit se coule ainsi dans une sorte de présent intemporel. A tout instant, tout ce que sait Watson est aussitôt porté à la connaissance du lecteur. Watson ne pratique pas la rétention de l'information. Au contraire, le lecteur, instruit par l'expérience, a l'avantage, car il sait que Watson se trompe. Le lecteur, entraîné dans une réflexion sur les différents récits, cherche à reconstituer les faits, à trouver la faille dans les différentes versions. Et pendant qu'il s'escrime avec Watson, c'est Holmes qui apporte la solution. Quoi qu'il en dise, Conan Doyle ne respecte pas toujours le *fair play,* mais il est rare que le lecteur s'en rende compte. La rétention de l'information n'est pas le fait de Watson mais de Conan Doyle, et Conan Doyle est invisible. L'effacement de l'auteur au profit d'un Watson rapporteur donne au récit concision, rythme et suspense.

Watson est aussi chroniqueur. Les scènes d'ouverture et de clôture, avec les descriptions de Baker Street, les dialogues entre Holmes et Watson, les déductions brillantes de l'un et banales de l'autre, l'étonnement de Watson et les sarcasmes de Holmes, les pipes et la robe de chambre, sont la matière même de la légende. Toujours différents dans la forme et identiques dans le fond, ils se rencontrent tout le long du cycle. Il suffit au lecteur de retrouver ce décor familier pour se sentir tout de suite à l'aise. Quoi qu'il arrive dans le brouillard londonien, le salon de Baker Street est un refuge de lumière et de bonne humeur. Rien n'est plus loin de l'ambiance macabre de Poe ou des bas-fonds sordides de Gaboriau. Les nouvelles, dans leur forme, pourraient être autant de chapitres d'une hagiographie victorienne. Il n'y a guère de grand homme du xixe siècle qui n'ait été l'objet d'un *Vie et Œuvre* aussi révérencieux que volumineux. Comme un biographe, Watson chroniqueur se réfère à une documentation abondante. Il fait allusion à des affaires aux noms évocateurs — celle du rat géant de Sumatra —, il parle même, dans *Le dernier problème* d'articles qui auraient été publiés à des dates précises dans de vrais journaux. Ces passerelles jetées entre l'univers réel et l'univers fictif permettent de donner un air d'authenticité à des événements d'une forte invraisemblance. Conan Doyle ne se soucie guère, d'ailleurs, de réalisme. Quand on lui fait remarquer que les épisodes de *Flamme d'argent* sont à mille lieues des us et coutumes du turf anglais, il répond avec superbe : « *Il faut savoir bousculer les choses.* » Les détails fournis sur la jeunesse et les études de Holmes et la vie conjugale de Watson sont, pour la plus grande joie de la science holmesienne, absolument inconciliables les uns avec les autres. Quand Watson chroniqueur arrime le monde holmesien à l'univers réel, il commet des passages comme celui-ci : « *Je dispose d'une masse considérable de documents ... de quoi ravir non seulement l'étudiant en criminologie mais aussi tous les amateurs de scandales sociaux et officiels de la fin de l'ère victorienne. Mais que se rassurent les auteurs de lettres angoissées qui nous supplient de ne pas compromettre l'honneur de leurs familles ni la réputation d'un aïeul célèbre : ils n'ont rien à craindre ! ... Toutefois, je désapprouve formellement de récentes tentatives en vue de s'emparer et de détruire ces papiers. Je connais leur origine. Je suis autorisé par M. Holmes à déclarer que si elles se renouvellent, toute l'histoire du politicien, du phare et du cormoran savant sera livrée à la curiosité du public. A bon entendeur, salut !* » (*La pensionnaire voilée*). Tant d'emphase associée à tant d'invraisemblance ne sauraient tromper ; c'est bien d'un pastiche du genre biographique qu'il s'agit. Le biographe, cependant, a généralement l'élégance d'attendre la mort de son sujet avant de lui élever un monument funéraire. Watson est trop honnête pour être un biographe docile, et Holmes est bien vivant. On assiste, tout le long du cycle, à un dialogue insolite entre le biographe et son sujet, dialogue qui n'est que l'une des manifestations d'une caractéristique fondamentale de l'ensemble. Le cycle Holmes, en plus de tout le reste, est aussi l'histoire d'une amitié virile, comme celles qui, à travers les *public schools,* l'Université, les mess d'officiers, les clubs, étaient pour les victoriens une forme idéale de la vie affective.

A la différence de la littérature policière proprement dite, le cycle Holmes peut être relu à maintes reprises car, comme les contes de fées auxquels par certains côtés il ressemble, il met en jeu, dans un univers irréel mais circonstancié, des mécanismes psychologiques fondamentaux et des situations humaines universelles de manière à assurer, avec humour, le triomphe du Bien sur le Mal. Quel enfant refuse d'écouter Cendrillon parce qu'il connaît la fin ? Qui peut résister à Sherlock Holmes et au Dr Watson ?

L'immense succès populaire du cycle ainsi que l'effacement de l'auteur font que Holmes et Watson sont mieux connus de par le monde que Conan Doyle. Il est vrai que la rencontre entre les personnages et les enjeux du cycle d'une part, et d'autre part les craintes, fantasmes et aspirations du public n'était ni calculée ni voulue. L'imaginaire et les structures mentales de l'auteur étaient tout simplement ceux de ses lecteurs. A force d'insister sur cette représentativité de Conan Doyle, cependant, on risque d'oublier son art. Entre ressentir et faire ressentir, imaginer et faire imaginer, il y a un abîme. Conan Doyle a certes profité de cette correspondance spontanée et naturelle entre ses valeurs, sa sensibilité, et celles de son public ; en revanche, sa félicité d'expression, sa justesse de ton, sa maîtrise formelle, sont les fruits d'un art conscient, réfléchi et volontaire. Ce n'est que vers la fin du XIXe siècle que la nouvelle anglaise gagne ses titres de noblesse, les meilleurs praticiens étant jusqu'alors français et américains. Le cycle Holmes compte parmi les premiers triomphes du genre en Grande-Bretagne. Parmi ses contemporains et compatriotes, seuls Stevenson et Kipling peuvent, chacun à sa manière, rivaliser avec Arthur Conan Doyle.

Et pourtant, il n'a pas plus tôt créé Holmes qu'il songe à s'en débarrasser. Il avait prévu, à l'origine, six nouvelles. Il accepte, à des conditions financières plus avantageuses, d'en faire six autres. Les deux séries seront réunies en volume sous le titre *Les aventures*. Le 11 novembre 1891, il écrit à sa mère que cinq nouvelles de la deuxième série sont finies, avant d'ajouter : « *Je pense tuer Holmes dans la sixième. Il m'empêche de penser à des choses meilleures.* » Mary Foley Doyle est consternée. Elle se met en peine de trouver des intrigues, puisque son fils en manque. C'est donc elle qui propose celle des *Hêtres-Rouges,* la dernière de cette première douzaine. Grâce à ses supplications, Sherlock Holmes a la vie sauve, mais il est en sursis.

Cette situation provoque une vive inquiétude dans les bureaux du *Strand*. La mort de Holmes risquerait, en effet, d'entraîner celle de la revue. *Les Hêtres-Rouges* est programmé pour le numéro de juin 1892. Il faut assurer la suite. Pendant l'hiver 1891/92, Conan Doyle est harcelé sans relâche par la direction du *Strand*. De guerre lasse, il finit par céder : « *Je leur ai proposé une nouvelle douzaine pour un prix global de £1000* », écrit-il à sa mère le 4 février 1892, « *mais j'espère qu'ils n'accepteront pas* ». Le *Strand,* qui aurait volontiers payé le double, voire le triple, accepte tout de suite et avec un soulagement évident. Il y aura certes un trou de six mois, mais on peut annoncer aux lecteurs que Holmes fera sa réapparition pour Noël. La deuxième douzaine paraît de décembre 1892 à décembre 1893 avant d'être réunie, moins *La boîte en carton,* en volume sous le titre *Les mémoires.* Si Conan Doyle avait laissé les pourparlers à A. P. Watt, il eût sans doute obtenu un meilleur prix. Il n'en reste pas moins que £1000 pour douze nouvelles est une somme exorbitante pour l'époque, et il ne s'agit là que des droits anglais de première parution, auxquels viendront s'ajouter les droits étrangers et les droits sur les ventes en librairie. Le cycle Holmes paraît aux Etats-Unis en même temps qu'à

Londres, et A. P. Watt sait tirer le meilleur parti de la concurrence entre les revues américaines. En outre, le *Chace Act* de 1891 oblige les éditeurs américains à respecter le copyright international pour les ouvrages paraissant après cette date. Conan Doyle sera parmi les premiers, et les plus gros, bénéficiaires de la nouvelle législation. Bien que Holmes soit source de revenus substantiels, son créateur reste inflexible. En décembre 1892, il confie à un ami venu faire une conférence à South Norwood que l'arrêt de mort de Sherlock Holmes est déjà signé, seuls la manière et le moment de sa disparition restant à déterminer. « *Un homme comme celui-là ne peut pas succomber à un petit rien ou à une mauvaise grippe,* disait Conan Doyle, *sa fin doit être violente et dramatique.* » Un tel soin apporté à la mort de Holmes — Conan Doyle mettra un an à trouver une solution satisfaisante — laisse supposer qu'il pense déjà à sa résurrection.

Mais pourquoi tuer un personnage qui lui apporte gloire et fortune ? Ecartons d'emblée l'explication de l'intéressé : « *Il m'empêche de penser à des choses meilleures.* » Pendant la période en cause, son œuvre non holmesienne comprend une vingtaine de nouvelles, un livret d'opérette et quatre romans. Holmes est donc loin de monopoliser ses énergies. Quand on analyse cette œuvre, cependant, on comprend mieux pourquoi Holmes se dresse devant son créateur comme un reproche permanent.

Il s'agit d'abord des *Réfugiés,* roman traditionnel qui, conçu dès 1890, ne sera fini qu'en février 1892, après *Les aventures.* C'est la suite de *Micah Clarke,* bien qu'il renonce à y faire figurer les mêmes personnages. Il veut montrer combien la révocation de l'édit de Nantes coûta à la France et combien les huguenots exilés apportèrent à l'Amérique. La première partie, à Versailles, est du mauvais Dumas et la seconde, en Amérique, du mauvais Mayne Reid, rachetée seulement par des portraits de missionnaires qui montrent combien est vive la fascination, faite d'admiration et de répulsion, qu'exercent encore sur son imagination les Pères Jésuites. Alors qu'il avait fait *Micah Clarke* dans une exaltation soutenue que l'interruption représentée par *Le signe des Quatre* n'avait en rien altérée, c'est seulement à force de volonté qu'il arrive péniblement à bout des *Réfugiés*. Ainsi écrit-il à sa mère : « *Le livre sera honnête, respectable et ennuyeux.* » Et pourtant, ce thème de la tolérance religieuse, plus que tout autre, lui tient à cœur. Il ne parvient pas à donner vie à ses personnages ni rythme à son récit. Son attachement mal inspiré au mode scientifique alourdit l'action. L'agencement des incidents répond à une volonté de fidélité aux sources et non à une logique romanesque. Pendant la rédaction, il est harcelé par le *Strand,* qui réclame du Sherlock Holmes, mais ce n'est pas une raison pour que la maîtrise formelle qu'il montre dans la nouvelle l'abandonne dès qu'il aborde le roman. Si *Les réfugiés,* grâce à sa notoriété, est un succès commercial, nul n'est plus conscient que l'auteur de ses faiblesses artistiques. Il s'en veut d'avoir échoué dans un genre noble, et il fait passer sa mauvaise humeur sur Sherlock Holmes.

Il attend, en effet, d'avoir terminé ce roman avant de reprendre Holmes. Comme il a du temps devant lui — on est en février et la nouvelle série est prévue pour décembre — il part pour une tournée de conférences en Ecosse, tournée qui se termine par des vacances chez son ami Barrie à Kirriemuir, près de la frontière anglaise. C'est là qu'il va trouver la couleur locale de sa première partie de *La grande ombre,* son premier roman napoléonien. Il avait déjà abordé cette période dans *Un traînard de 1815,* dont Henry Irving fera une pièce à succès. Conan Doyle aimait à rappeler que cinq membres de sa famille combattirent à Waterloo et que trois y moururent. Faire revivre cette journée est une œuvre de piété nationale et familiale. L'intrigue, conduite avec une énergie et une économie rares dans ses romans historiques, est surtout le prétexte à la description de Waterloo qui occupe le dernier quart du livre. En confiant le récit à un soldat écossais qui s'est engagé pour se venger d'un rival français, Conan Doyle ne cherche nullement à créer une opposition entre un destin individuel et le mouvement impersonnel de l'histoire ; son ambition se borne à conter une grande page d'histoire militaire d'une manière attrayante et accessible à tous. Le documentaire fictionnalisé est un genre qui convient mieux à l'évocation d'un seul événement qu'à celle de toute une époque. *La grande ombre,* grâce à son intrigue simplette et à son objectif modeste, est mieux réussi que ses autres romans historiques. « *Je le place au premier rang de mon œuvre* », dira-t-il. Et c'est là où le bât blesse ; même un roman historique bien enlevé est moins bien accueilli par le public que Sherlock Holmes.

Conan Doyle exige que *La boîte en carton,* paru dans le *Strand* en janvier 1893, ne soit pas repris dans *Les mémoires.* Ce récit, avec meurtre, mutilation et adultère, lui semble, à la réflexion, trop excessif, trop sensationnel, pour Holmes, mais il ne renonce pas à faire frémir ses lecteurs. Certaines nouvelles ne sont que bizarres ou macabres ; d'autres, comme *Le lot n° 249* ou *L'affaire de lady Sannox* sont d'authentiques récits d'épouvante. Ces nouvelles, cependant, sont trop outrées pour engager complètement le lecteur. Toute la machinerie de l'horreur gothique est présente, mais il manque le souffle qui la mettrait en mouvement. C'est que le mécanisme de la nouvelle d'épouvante est trop proche de celui du cycle Holmes ; il s'agit encore de la dialectique de la peur et du réconfort. Les nouvelles où Holmes n'intervient pas sont justement celles qui ne présentent pas les qualités requises. Ou bien elles se terminent, comme *De Profundis, Le voyage de Jelland, Le grand moteur Brown-Péricord* sur un tableau macabre et non sur une véritable conclusion, ou bien elles font trop appel à la violence ou à l'irrationnel, domaines où les dons de Holmes n'ont pas cours. Dans les deux cas, le ton de pastiche affectueux et spirituel qui est comme la marque distinctive de Baker

Street serait déplacé. Quand Conan Doyle fait fonctionner son imagination, il se rend compte avec agacement que Sherlock Holmes s'impose comme arbitre de ses choix ; les meilleurs sujets réclament Holmes, les moins bons l'excluent. Quitte à renouveler totalement son inspiration, il ne voit pas comment secouer le joug de sa créature.

Le parasite, un court roman écrit vers l'automne de 1893, est l'exception qui confirme la règle. Le thème est celui de *John Barrington Cowles* (1884), mais jamais auparavant Conan Doyle n'avait si bien exploité le potentiel du mesmérisme pour le roman d'épouvante. Le rapport obsessionnel qui unit la victime à sa persécutrice exclut l'intervention d'une tierce personne, telle que Holmes, sous peine de dissiper l'ambiance de claustrophobie qui fait la force du récit. Le professeur-héros — l'action se déroule dans une ville universitaire qui rappelle Edimbourg — passe du scepticisme scientifique devant le mesmérisme à la conviction horrifiée au fur et à mesure qu'il constate la gravité croissante des actes que sa persécutrice lui fait commettre. Si sa force de résistance finit par l'emporter, de justesse, sur celle du mal, ce n'est qu'après un suspense entretenu de main de maître. C'est une œuvre puissante et sombre, trop sombre sans doute pour que des lecteurs habitués à la bonne humeur du Dr Watson y trouvent leur compte. Cruel dilemme pour l'auteur ; quand il s'attelle à une œuvre non holmesienne, c'est dans la certitude de se tromper lui-même, ou bien de tromper ses lecteurs.

Il en est de même des récits, écrits à la même époque, qui ont pour thème ses expériences de jeune médecin. Sachant son ami désireux d'abandonner Holmes, Jerome K. Jerome lui demande des nouvelles de la vie médicale, avec un cadre et un narrateur uniques, dans l'espoir que Conan Doyle fera pour *The Idler* ce qu'il avait fait pour le *Strand*. Il sera déçu. Les nouvelles sont absolument inutilisables pour une revue humoristique.

Sa réflexion sur ses débuts en médecine le replonge dans

l'angoisse scientifico-religieuse. Il peut, certes, rire des difficultés matérielles du débutant, mais les impressions qui lui reviennent sont surtout celles de la souffrance et de la mort. Comment expliquer le Mal, comment croire à une providence bienveillante, comment comprendre *les péchés du Créateur? (La troisième génération)*. L'optimisme de jeunesse qui l'avait préservé du désespoir et qu'il maintenait jusqu'à l'époque d'*Idylle de banlieue* lui semble difficilement soutenable : « *Il y a de quoi conduire un logicien au matérialisme absolu* » *(Un document médical)*. Il ne perd pas la foi dans l'évolution comme facteur d'amélioration de l'espèce, pas plus qu'il ne renonce à croire à l'existence d'une vie après la mort. Avec le recul, il comprend mieux combien ses doctrines consolatrices peuvent sembler dérisoires devant l'immensité de la souffrance humaine. On comprend l'effroi de Jerome devant ce jeune homme qui se suicide pour ne pas transmettre à sa descendance un mal héréditaire *(La troisième génération),* ou ce père traitant haineusement son nouveau-né de meurtrier de la mère morte en couches *(La malédiction d'Eve).* Pour cette dernière nouvelle, Conan Doyle accepte de donner à sa version définitive une conclusion moins éprouvante. C'est l'aveu de l'abîme entre la vie telle qu'il l'a vécue et celle que la sensibilité dominante l'autorise à transposer en fiction.

Les souvenirs qui surgissent sont d'une variété telle qu'il ne peut les soumettre à la discipline de l'art. Contrairement à ce que Jerome lui avait demandé, il n'y aura ni cadre ni narrateur uniques. Certaines nouvelles, comme *Un médecin parle,* ne sont que des suites d'anecdotes, sans même l'apparence d'une structure narrative. Plus il se revoit, jeune et naïf, dans les quartiers pauvres d'Edimbourg, de Birmingham, de Southsea, plus il s'imprègne de cette conviction, banale mais capitale, que la vie n'est pas un roman. Avec Holmes, il était arrivé à donner une forme esthétique parfaite à des fictions où tout est bien qui finit bien ; cette réussite insolente a quelque chose d'immoral. « *A quelle fin tend ce cercle de misère, de violence et de peur ?* » demande Holmes dans *La boîte en carton,* qui sera, justement, supprimé des *Mémoires,* « *Il doit bien tendre à une certaine fin, sinon notre univers serait gouverné par la chance, ce qui est impensable.* » Impensable dans l'univers holmesien, sans doute, mais dans l'univers réel rien n'est moins sûr. Arthur se sent le devoir impérieux de tirer un sens à la fois consolateur et vrai de la souffrance du monde, tout en se sachant incapable de le faire. Etre pourvoyeur de littérature d'évasion, en ces circonstances, est une abdication sinon une déchéance. Il est des jours où il se méprise presque de n'être qu'un amuseur public.

Holmes ne l'empêche pas de *penser à des choses meilleures ;* c'est plutôt que ces *choses meilleures* sont des choses moins bonnes. Il excelle dans le genre léger, qu'il croit secondaire, mais il se sait médiocre dans les genres nobles, qu'il tient pour primordiaux. Holmes n'occulte pas le reste de son œuvre ; au contraire, c'est à Sherlock que l'œuvre non holmesienne doit son audience. Bien qu'il se sente, avec une conviction croissante, une vocation d'historien et de moraliste, il ne peut contester le verdict du public sans se déjuger, lui qui soutient depuis longtemps que seule compte en littérature *l'opinion collective des lecteurs.* Force lui est donc d'avouer que le cycle Holmes est bien le meilleur de son œuvre. S'il veut réaliser tout son talent d'écrivain, il faut qu'il se consacre à Holmes. S'il veut rester fidèle à sa vocation, il faut que Holmes disparaisse. L'écart qu'il constate entre ses ambitions et ses moyens littéraires provoque une mauvaise humeur dont ses proches font les frais. Tuer Holmes, cependant, n'est pas seulement un mouvement d'humeur, mais aussi une nécessité vitale, et cela, quelle que soit l'orientation à donner à sa carrière littéraire. S'il suit son penchant pour le roman historique, le réalisme social, la comédie de mœurs, il faut prouver à tous, et surtout à lui-même, que cette œuvre peut trouver un public sans l'aide de Holmes. S'il s'en tient à Holmes, par contre, il faut veiller à maintenir la qualité. Rien n'est plus difficile à répéter qu'un triomphe. Faire un triomphe tous les mois est un défi qui se transforme rapidement en angoisse. Quelques nouvelles seulement étaient parues quand il écrivait à sa mère : « *J'ai bien peur de voir Holmes baisser petit à petit.* » Il a de plus en plus de mal à trouver des intrigues. Sa mère lui donne celle des *Hêtres-Rouges*. Celle de *L'employé de l'agent de change* est une reprise de celle de *La ligue des rouquins*. Pour imaginer les déductions de Holmes, il lui faut se mettre dans *un cadre intellectuel artificiel,* et cela lui coûte des efforts de plus en plus épuisants. La perfection même de la formule fait qu'elle est difficile à varier et impossible à changer. Pour garder toute sa fraîcheur à la légende holmesienne, il faut un temps de repos, qu'il ne peut imposer au *Strand* qu'en tuant son héros.

Et puis, la mort de Holmes devient nécessaire à la vie de Conan Doyle. La somme de travail qu'il s'impose et son besoin de trouver une détente dans l'activité sportive, font qu'il n'a plus le temps de tenir ce rôle de patriarche qui est pour lui un plaisir encore plus qu'un devoir.

Connie rompt avec Jerome K. Jerome pour se fiancer peu après avec un autre écrivain, Willie Hornung, sans que son grand frère se rende compte de quoi que ce soit ; ignorance d'autant plus curieuse que les nouveaux fiancés se sont rarement rencontrés ailleurs qu'à Tennison Road.

La nouvelle nouvelle grossesse de Touie est difficile. Arthur s'en rend si peu compte qu'il lui impose des randonnées en tricycle de 50 km par tous les temps. Touie, bien que nullement sportive, accepte car c'est le seul moyen de voir son mari seule à seul. Quand elle réclame des vacances, il la contraint à un périple norvégien dans des conditions d'inconfort telles qu'elle en revient plus fatiguée qu'avant le départ. Leur fils Kingsley naît en novembre 1892, mais son père n'a guère de temps à lui consacrer. Pour Kingsley, et encore plus pour

Mary-Louise, maintenant âgée de quatre ans, leur père est un personnage lointain et coléreux, toujours enfermé dans son bureau, et qui exige un silence complet dans la maison pendant ses longues heures de travail. Touie, épouse pourtant docile, finit par protester. Arthur reconnaît volontiers ses torts, mais en attribue la responsabilité à Sherlock Holmes.

A l'exception de *La grande ombre,* le cycle Holmes est la seule partie de son œuvre qui soit écrite sur commande ; il n'y a que la direction du *Strand* qui impose des délais stricts pour la remise des manuscrits. La hantise de l'échec s'accroît au fur et à mesure qu'il sent son inspiration se tarir. Ainsi, chaque échéance devient un drame d'autant plus insupportable qu'il est doué, d'ordinaire, d'une prodigieuse facilité. Ses manuscrits — il déteste la machine à écrire — sont rédigés d'une écriture ordonnée, bien lisible, et ne comportent ni surcharges ni ratures. Il lui faut un mois pour écrire *Idylle de banlieue,* à peine plus pour *La grande ombre* et *Le parasite*. Au début, une semaine suffisait pour une nouvelle de Holmes, mais la gestation, pendant laquelle il est absolument insupportable, devient de plus en plus longue. Certes, *Les réfugiés* lui donne bien plus de mal que n'importe quelle aventure de Holmes, et pour un résultat moins intéressant, mais rien n'y fait ; pour toutes ses déceptions et toutes ses frustrations, son bouc émissaire est Sherlock Holmes.

Au printemps de 1893, J. M. Barrie l'appelle au secours. L'association entre W. S. Gilbert et A. Sullivan, qui avait accumulé une série impressionnante de succès, s'est dissoute pour cause d'incompatibilité d'humeur. La direction du Savoy Theatre avait demandé le livret de sa prochaine opérette à Barrie qui, ayant accepté la commande, se trouve incapable de l'honorer. Conan Doyle laisse tomber Holmes pour venir à la rescousse. Grâce à sa collaboration, *Jane-Annie* donnera sa première à la date prévue, en mai 1893. L'opérette est un échec total. Les deux auteurs, chaleureusement applaudis au début de la première représentation, croient plus prudent de s'éclipser discrètement avant la fin. Si Conan Doyle ne va pas jusqu'à mettre ce fiasco sur le compte de Holmes, il n'en confirme pas moins à Barrie pendant leur collaboration sa détermination d'en finir avec son détective.

Reste à à savoir comment. Ses premiers essais ne lui donnent pas satisfaction. Dans une lettre du 6 avril 1893, il affirme que la dernière aventure de Holmes est en cours de rédaction. Cette nouvelle a dû être abandonnée, car il ne saurait s'agir du récit de la mort de Holmes qui, sous le titre *Le dernier problème,* va clôturer *Les mémoires.* Ce n'est qu'au début du mois d'août 1893 que Conan Doyle, sur l'invitation de *The Young Man,* se rend à Lausanne pour y participer à un colloque littéraire organisé par cette revue. Arthur et Touie en profitent pour prendre quelques jours de vacances dans les Alpes suisses. A l'occasion d'une promenade à la mer de glace de Findelen, le révérend Silas Hocking lui fait remarquer que puisque Holmes doit mourir, il serait bon de le précipiter dans quelque crevasse alpine, ce qui permettrait de faire l'économie des funérailles. Conan Doyle choisira, non Findelen, mais les chutes du Reichenbach, qu'il visite quelques jours plus tard.

Après son retour, alors que les droits américains des autres nouvelles qui composent *Les mémoires* sont déjà vendus — indice qui confirme qu'il s'agit d'une pièce rajoutée — il se met à écrire *Le dernier problème.* C'est une nouvelle sans énigme. Pour clore dignement la carrière de Holmes, Conan Doyle invente Moriarty, *le Napoléon du crime,* afin que le grand détective, ayant trouvé enfin un adversaire à sa taille, puisse mourir sans déchoir. Le ton est celui de l'élégie. Jusqu'à la fin, Watson reste dans son rôle de parfait hagiographe victorien.

Mais si Holmes est mort, Watson, lui, est bien vivant. C'est pourquoi rares sont ceux qui, malgré les déclarations de Conan Doyle, croient que ce *Dernier problème* est vraiment le dernier. Moriarty, finalement, n'est qu'un

Holmes sans conscience ni chroniqueur, c'est-à-dire sans Watson. Il y avait déjà eu bien des détectives, il y en aura bien d'autres, mais aucun n'est accompagné d'un personnage, en apparence secondaire, qui soit si parfaitement réalisé ni si indispensable à l'architecture de l'ensemble. Dans l'univers holmesien, tous les chemins mènent à Watson. Tant que vit Watson, donc, Holmes peut ressusciter à tout moment. La critique ne s'y trompe pas : « *Ce mot " dernier " inspire quelques doutes* », écrit le chroniqueur de *The Athenaeum*. « *C'est une affirmation catégorique émanant de cet ingénu qu'est M. Watson. S'agissant de M. Conan Doyle, on est moins sûr.* » La résurrection de Sherlock Holmes sera cependant retardée par des circonstances indépendantes de la volonté de l'auteur.

Le dernier problème paraît dans le *Strand* en décembre 1893. Dès novembre, cependant, *Tit-Bits* annonce la triste nouvelle, déclenchant ainsi une tempête de protestations. Les bureaux du *Strand* sont submergés sous le flot de lettres d'injures émanant de lecteurs en colère. Les dandies londoniens arborent des brassards noirs en signe de deuil. Conan Doyle, quant à lui, est déjà à l'étranger. Son absence ne doit rien à un quelconque désir de se mettre à l'abri du courroux public. Touie se porte mal depuis l'installation à South Norwood. Arthur, bien que médecin, est trop occupé pour y prêter attention. Dans un premier temps, il met les malaises de son épouse sur le compte de sa grossesse. Après la naissance de Kingsley, cependant, elle ne se porte guère mieux. Les vacances en Suisse en août 1893 ne remédient en rien à son état de fatigue. Arthur se résout enfin à consulter un confrère. Quand celui-ci, le généraliste du quartier, lui dit sa conviction, Arthur, plus incrédule qu'inquiet, appelle aussitôt sir Douglas Powell, le plus grand spécialiste de Londres. Sir Douglas confirme le diagnostic de son humble confrère : Touie est atteinte d'une phtisie galopante. Il ne lui reste que quelques mois, voire quelques semaines, à vivre.

En tant que médecin, Arthur Conan Doyle ne songe pas un seul instant à contester les conclusions de l'éminent spécialiste. En tant qu'homme, il n'a qu'un seul réflexe face à l'adversité : celui de se battre jusqu'au bout. Les Alpes suisses sont le meilleur séjour pour les tuberculeux. Il lui suffit de quelques jours pour mettre de l'ordre dans ses affaires. Quand *Tit-Bits* annonce la mort prochaine de Holmes, Arthur et les siens sont déjà installés au Grand Hôtel de Davos, dans les Alpes des Grisons. Arthur Conan Doyle va bientôt apprendre que la maladie d'un être aimé impose une servitude bien plus tyrannique que celle de Sherlock Holmes.

VII

AVENTURES D'UN NOMADE

Tout le monde lit le Docteur Doyle.

The Athenaeum, 13/1/1894

Si, en effet, tout le monde lit le Dr Doyle, c'est qu'il y a de quoi lire, et pour tous les goûts. A une œuvre déjà considérable viennent s'ajouter, entre le début 1894 et l'automne de 1897, une vingtaine de nouvelles, quatre romans, une pièce de théâtre. De surcroît, Arthur Conan Doyle se fait, à l'occasion, critique littéraire, chroniqueur touristique, ou correspondant de guerre. Il descend le col de la Furka à ski, il remonte le Nil en bateau. Il dîne en tête à tête avec Kitchener[1] au Soudan et avec Kipling dans le Vermont. Il chasse les derviches dans le Sud de l'Egypte et les fantômes dans le Sud de l'Angleterre. Mais qu'est-ce qui fait donc courir ainsi le Dr Doyle ?

Il ne s'agit qu'accessoirement de trouver un climat qui convienne à la santé de son épouse. Avant même la maladie de Touie, il avait formé le projet de partir avec sa famille dans les mers du Sud, rendre visite à Stevenson à Samoa. Il avait voulu briser les servitudes de la réussite,

1. Kitchener (of Khartoum, Field Marshal Earl), Herbert (1850-1916). Sirdar égyptien, il écrase les derviches à Omdurman (1898). Chef d'état-major puis commandant en chef en Afrique du Sud (1900), commandant en chef de l'armée des Indes (1902), Résident général en Egypte, ministre de la Guerre (1914). Mort en 1916 quand le croiseur *Hampshire* qui le transporte en Russie en mission officielle heurte une mine près des Orcades.

libérer les forces qu'il sentait croître en lui, s'imposer en son nom propre et plus seulement comme le créateur de Sherlock Holmes. C'est même pour cela qu'il avait précipité son héros au fond des chutes du Reichenbach. La maladie de Touie, bien qu'elle bouleverse la vie de bourgeois prospère et affairé qu'il menait à South Norwood, n'est pas une charge dont il peut si facilement se défaire.

Son premier devoir, qu'il assume pleinement et sans arrière-pensée, est d'entourer, soutenir et réconforter son épouse. Il suffit de quelques semaines à Davos pour que l'état de Touie s'améliore sensiblement. Ses jours ne sont plus en danger. Sir Douglas Powell lui avait accordé un sursis de quelques mois. En fait, elle survivra treize ans, mais les médecins lui imposent un repos complet. Arthur Conan Doyle a trente-cinq ans. C'est un homme dans la force de l'âge, doué de surcroît d'une énergie vitale peu commune. Il ne peut, malgré son sens aigu du devoir, se résoudre à passer ses jours et ses nuits dans une chambre de malade. Touie, quant à elle, accepte son sort avec une douce résignation. Elle aime trop son mari pour le voir arpenter sa chambre comme un lion en cage. Elle a toujours Lottie, la sœur cadette d'Arthur, auprès d'elle, et sa mère, Mrs Hawkins, se charge des enfants, Mary-Louise et Kingsley. Elle n'insiste donc pas pour que son mari soit toujours à ses côtés.

Ce n'est pas sans une certaine honte qu'Arthur profite de la liberté qui lui est ainsi accordée, honte qui est aggravée par un sentiment de culpabilité. Médecin, il n'avait pas su s'apercevoir à temps de la maladie de son épouse ; son inconscience l'avait peut-être aggravée. Il ne la quittera donc que lorsque son absence peut se justifier par les nécessités de sa carrière. Le travail est une évasion aussi efficace que le voyage, et que sa conscience ne peut lui reprocher. En effet, cette vie de séjours dans les grands hôtels et de croisières sur les navires de luxe coûte cher. Comme il n'a ni patrimoine ni économies, il a toujours besoin d'argent frais. Le *San Francisco Examiner*, en publiant *Comment le brigadier gagna sa médaille*, proclame en gros titres, non que la nouvelle est de la plume de l'auteur de Sherlock Holmes, mais surtout qu'elle a coûté 12 ½ cents le mot. C'est là une manière bien américaine de faire la publicité d'une œuvre littéraire, mais elle correspond bien aux préoccupations de l'auteur. De même, les avances consenties par l'éditeur et par les revues anglaises et américaines pour les premiers droits de *Rodney Stone* s'élèvent à £6 000, soit plus de vingt fois ce qu'Arthur Conan Doyle gagnait dans une année entière à Southsea. Le *Strand Magazine,* qui avait obtenu la deuxième série de six nouvelles de Sherlock Holmes à £50 chacune, devra payer £200 et parfois £250 pour celles du Brigadier Gérard. Cependant, les charges que représentent un train de vie forcément coûteux, l'entretien de sa nombreuse famille, la mise en chantier, en 1895/97, d'une nouvelle maison qui vaut, à elle seule, entre £6 000 et £7 000, font qu'Arthur Conan Doyle doit toujours surveiller son compte en banque, nécessité rendue plus urgente par son goût pour les placements hasardeux et généralement non rémunérateurs.

Il cherche encore et toujours le sens de la vie en général et de sa vie en particulier. Il se sent gêné dans cette quête, autant par le malaise qui l'envahit quand il est loin de Touie que par la frustration qu'il ressent quand il est auprès d'elle. Le succès commercial de son œuvre de romancier, tout en lui procurant une immense satisfaction, n'assouvit pas son désir d'être reconnu comme historien et moraliste. Il sent naître en lui une vocation de guide spirituel, mais comment être un guide quand on ne voit pas soi-même le chemin ? « *Il n'y a pas de spectacle si impressionnant*, disait son ami Barrie, *que celui d'un Écossais lancé sur la voie de la réussite.* » Arthur Conan Doyle est maintenant bien lancé sur cette voie royale, mais derrière la façade d'autosatisfaction impassible que montrent les photographies de l'époque, c'est un homme solitaire et tourmenté, qui a bien l'impression de courir toujours plus vite pour, finalement, rester à la même place.

Davos, où s'installent les Doyle en novembre 1893, n'a pas beaucoup changé depuis que Stevenson y séjourna, pour le même motif, au début des années 1880. Les hôtels sont sans doute plus nombreux et plus confortables, mais la station n'est guère plus animée. L'échange quotidien de bulletins de santé constitue, en effet, la principale distraction des pensionnaires. Touie passe ses journées allongée, immobile, enveloppée de fourrures, sur le balcon. Dans un premier temps, Arthur, ému autant par le spectacle d'une nature grandiose que par la précarité de la santé de son épouse, se plonge dans une réflexion philosophico-religieuse pour laquelle Sherlock Holmes et la vie animée de South Norwood n'avaient guère laissé de place. Il a emporté les cahiers où, depuis les premiers jours de Southsea, il note les réflexions que lui inspirent ses lectures. Comme les livres sont rares à Davos, c'est là sa seule matière. Il en tirera un roman épistolaire, *Les lettres de Starke Munro*.

Il ne s'agit pas d'une réaction devant la sentence de mort prononcée à l'encontre de Touie ; le livre se nourrit de ses expériences antérieures. Il ne s'agit pas non plus d'une autobiographie. Certains incidents sont tirés de sa vie, d'autres sont en revanche purement fictifs. Sa mésaventure chez Budd est traitée sur le ton comique, tout comme ses difficultés d'installation à Southsea. Le livre est destiné à *The Idler ;* il faut de l'humour pour faire passer ce que l'auteur tient pour l'essentiel : le récit de son itinéraire spirituel. De même, pendant l'été, il consacre une série d'articles aux auteurs — Scott, Macaulay, Carlyle — qui avaient le plus marqué sa jeunesse. Il sait bien, en ce début de 1894, qu'un chapitre de sa vie vient de se clore. C'est pourquoi *Les lettres de Starke Munro* se termine par la mort du héros et de sa jeune épouse dans un accident de chemin de fer. Cette conclusion, jugée trop triste pour le goût du public américain, sera supprimée dans les éditions ultérieures, mais n'en est pas moins révélatrice de l'état d'esprit de l'auteur.

Pour Arthur Conan Doyle, la mort est le début d'une autre vie. Il s'agit donc moins de faire œuvre de mémorialiste que de dresser un bilan ; l'expérience est une lampe qui doit éclairer moins le passé que l'avenir. L'acquis le plus important, c'est une foi inébranlable dans le progrès. Cet optimisme n'est pas lié au mieux constaté chez sa femme. Malgré quelques sursauts d'espoir, Arthur Conan Doyle connaît trop sa médecine pour se faire des illusions. Il s'agit d'un répit, qui sera plus ou moins long, et non d'une guérison complète. L'optimisme affiché tout le long du livre se fonde, au contraire, sur sa conviction du bienfait de l'évolution pour l'ensemble de l'espèce humaine. Le mal doit servir le bien. Il ne voit certes pas à quel bien peut servir la maladie de Touie, ni en quoi celle-ci mérite le sort que la Nature lui inflige mais, vus sous l'angle de l'éternité, les heurs et malheurs individuels ne sont que peu de chose. « *Il faut accepter ce que le Destin nous envoie* », avait-il écrit à sa mère au lendemain du diagnostic de sir Douglas Powell. Sans pouvoir croire en un Dieu personnel comme celui des chrétiens, il n'en reste pas moins profondément convaincu que toute l'évolution de l'humanité montre que ce Destin, quel qu'il soit, est ami de l'homme.

Le spiritisme ne figure pas dans *Les lettres de Starke Munro*. Conan Doyle ne veut y mettre que des raisons de croire et d'espérer qui soient accessibles à tous, à la lumière de l'expérience commune des hommes. Seuls quelques initiés — et beaucoup de charlatans — ont exploré les voies qu'il avait lui-même suivies dans son cheminement vers la croyance en une vie après la mort biologique. Tout cela n'est pas assez mûr : seul ce qui semble évident et irréfutable doit être livré au grand public. « *Le livre aura un retentissement religieux ou littéraire, peut-être les deux* », écrit-il à sa mère. Ce ne sera ni l'un ni l'autre. Les lecteurs de *The Idler,* comme Jerome lui-même, trouvent que la spéculation théologique n'est guère à sa place dans une revue humoristique. Pour le grand public, lors de la parution en librairie, *Les lettres de Starke Munro* est trop grave pour ce qu'il a de gai, trop gai pour ce qu'il a de grave ; le livre reste surtout pour les biographes une mine que certains exploitent avec un sens littéral excessif.

Ce n'est pas seulement la juxtaposition parfois saugrenue de deux registres différents qui explique pourquoi le livre est passé inaperçu ; c'est aussi qu'il n'apporte rien de nouveau au débat de fond. Depuis trente ans, déjà, le darwinisme crée un ferment théologique et moral aussi bien que scientifique. Sauf pour les quelques sectes protestantes qui se cramponnent à l'interprétation littérale de l'Ancien Testament, l'évolution, en soi, n'a rien de révolutionnaire pour la théologie. Ce qui ne peut avoir de place dans la vision chrétienne du monde, ce n'est pas l'évolution mais la sélection aléatoire. Or, celle-ci est considérée par la science de l'époque comme une impossibilité matérielle. Le professeur Fleeming Jenkin, de l'Université d'Edimbourg, ainsi que lord Kelvin, de Glasgow, avaient démontré que l'âge supposé du soleil faisait que l'apparition de la vie sur notre planète était trop récente pour que la sélection aléatoire ait pu conduire à des organismes aussi complexes que l'homme. Il faudra la découverte de la fission nucléaire et l'exploitation de la théorie mengelienne — Jenkin et Kelvin, bien sûr, ignoraient l'une et l'autre — pour qu'une évolution autre que téléologique devienne scientifiquement possible. En préférant à la cosmologie chrétienne traditionnelle une évolution guidée par la Providence, Arthur Conan Doyle se situe dans le gros de la troupe des philosophes et des théologiens de son époque et non, comme il le pense, à l'avant-garde.

Les lettres de Starke Munro contient donc ce qu'il croit avoir démontré : une évolution guidée par une Providence impersonnelle mais amie de l'homme. Le spiritisme, considéré comme la recherche des conditions de la vie après la mort biologique, reste un domaine à explorer. En attendant de poursuivre ses recherches — la documentation fait cruellement défaut à Davos — il faut bien passer le temps et songer à sa carrière. « *Quand* Starke Munro *sera fini,* écrit-il, *je vais vivre la vie d'un sauvage — dehors toute la journée, à ski.* » En effet, il avait fait venir de Norvège une paire de skis. Bien que l'expédition de Nansen en 1888 ait passionné toute l'Europe, ce sport est encore fort peu connu dans les Alpes. Arthur Conan Doyle n'est pas le premier — un certain colonel Napier avait déjà chaussé des skis à Davos dès 1888 — mais il n'en fait pas moins œuvre de pionnier. Le 2 mars 1894, en compagnie des frères Branger, il franchit à ski le col de la Furka pour gagner Arosa après une traversée périlleuse de presque sept heures. Le récit de cette aventure, publié dans le *Strand,* a des allures prophétiques : « *Je suis persuadé que le jour viendra où les Anglais viendront en Suisse par centaines pour la saison du ski.* » Il suffira de quelques années pour que sir Arnold Lunn donne à cette prophétie un début de réalisation.

Tout en dévalant les pentes dans un style qui est tout sauf élégant, il songe à assurer l'avenir sur le plan financier. Holmes est mort et il ne veut pas le ressusciter. Il faut donc le remplacer, et, pour cela, trouver un personnage, un décor, qui puissent servir de charpente à une série de nouvelles. Lors d'une visite chez George Meredith, en 1892, celui-ci lui avait signalé les *Mémoires* du baron de Marbot. Sa mère et sa tradition familiale l'avaient déjà amené à s'intéresser à l'époque napoléonienne. *La grande ombre* traitait de Waterloo, ce qui était d'ailleurs le titre de la pièce qu'il avait tirée de l'une de ses nouvelles pour le grand comédien sir Henry Irving. Mais, s'il connaissait bien la documentation anglaise, il n'avait guère abordé la période côté français. Il trouve chez le baron de Marbot un ton absolument neuf ; ce mélange de naïveté et d'expérience, de calcul et d'inconscience, de vantardise et d'héroïsme, cette attitude à la fois blasée et enthousiaste, le séduisent. Le Brigadier — au sens anglais de général de brigade — Gérard sera la version fictive du baron de Marbot. Les premières aventures de ce nouveau personnage prennent forme dans son esprit à Davos.

Il n'en reste pas moins que le temps lui pèse. Le ski, la luge, le patinage ne suffisent pas à remplir ses journées. La colonie anglaise organise bien une *Literary Society* qu'il fréquente faute de mieux, mais qui ne remplace pas les dîners de *The Idler*. Il se languit de Londres, de ses livres, de ses amis. Le printemps aidant, Touie va mieux ; elle est même autorisée à sortir par temps clément. Arthur peut envisager de la quitter sans inquiétude. Touie, apprenant son projet d'une visite en Angleterre, demande à l'accompagner. Elle veut revoir ses enfants, restés à South Norwood sous la garde de leur grand-mère maternelle, Mrs Hawkins. Ses médecins, non sans réticence, l'y autorisent, à condition toutefois qu'elle ne reste que quelques semaines à Londres, de crainte d'une rechute.

Quand, au mois de juin, Touie retourne à Davos, Arthur reste à Londres. Il veut renouer avec ses amis, reprendre contact avec les éditeurs et directeurs de revue, poursuivre ses recherches spiritistes. En effet, pendant l'été 1894, il fréquente si assidûment les réunions de la *Society for Psychical Research* (SPR) que celle-ci le nomme membre d'une commission d'enquête. Le colonel Elmore, domicilié dans le Dorset, prétend que sa maison est hantée. Voici donc Arthur Conan Doyle, avec deux collègues, en route pour le Dorset à la recherche d'un fantôme. Il suffit de deux nuits pour que les trois enquêteurs comprennent que l'apparition blanche, avec ses bruits de pleurs et de chaînes, n'est autre que la fille du Colonel. Conan Doyle, avec une perspicacité digne de Holmes, avait remarqué que la jeune fille s'était présentée au petit déjeuner les yeux encore rouges après toutes les larmes qu'elle avait versées pendant sa promenade noc-

turne dans les couloirs de la vieille maison. Il est curieux
de remarquer que trente ans plus tard, Conan Doyle,
semblant avoir oublié ce dénouement banal, donne à
l'épisode un sens autrement mystérieux.

Pendant cet été 1894, il se consacre aussi à des activités
plus terre-à-terre. Un recueil de nouvelles et *Le parasite*
sont en cours d'édition. Il faut rassembler la documentation pour le cycle Gérard, rédiger la première nouvelle
Comment le brigadier gagna sa médaille. Sir Henry Irving
prépare la première représentation de *Waterloo*, qui aura
lieu à Bristol le 21 septembre ; Arthur Conan Doyle veille
à tous les détails. En même temps, il collabore avec son
beau-frère Hornung à une pièce, *La maison des Temperly*
qui traitera de la boxe à l'époque de la Régence, celle
même du Brigadier Gérard. Hornung se retire rapidement, et la pièce ne sera pas jouée avant une dizaine
d'années, mais Conan Doyle utilisera la documentation
pour quelques nouvelles et, surtout, pour *Rodney Stone*.
On lui propose une tournée de conférences en Amérique.
Une courte visite à Davos lui confirme que la santé de
Touie se maintient ; aussi s'empresse-t-il d'accepter.

L'affaire est d'importance. Il lui suffit de jeter un coup
d'œil sur son livre de comptes pour constater qu'une part
importante de ses revenus provient de ses ventes américaines. Il ne s'agit pas seulement de consolider sa position
sur le marché. La mésentente entre les Etats-Unis et
l'Empire britannique est pour lui un sujet de scandale
permanent. Partisan depuis toujours de l'unification des
peuples anglophones, il se résout à jouer, outre-Atlantique, le rôle d'ambassadeur de la réconciliation.

Le 10 octobre, donc, accompagné de son frère Innes,
maintenant sous-lieutenant dans la *Royal Artillery*,
Arthur Conan Doyle s'embarque sur l'*Elbe* à Southampton. Le paquebot est allemand, et l'Angleterre n'y est pas
à l'honneur. Parmi les drapeaux qui ornent le grand salon,
celui de la Grande-Bretagne brille par son absence.
Arthur se procure une nappe et des crayons de couleur,

confectionne un drapeau et, devant les passagers médusés, hisse ses couleurs auprès de celles des autres pays. Arthur Conan Doyle fait 1,90 m pour 90 kg, et son sous-lieutenant de frère est du même gabarit ; les officiers allemands préfèrent donc ne pas intervenir, à la grande déception d'Arthur. Cela faisait bien longtemps qu'il n'avait connu le plaisir d'une bonne bagarre. Toujours est-il que son drapeau improvisé reste en place jusqu'à la fin de la traversée.

Cependant, il ne va pas en Amérique pour y promener le drapeau britannique : il s'agit, au contraire, d'œuvrer pour la réconciliation anglo-américaine, tâche rendue encore plus nécessaire par la tension diplomatique qui règne presque en permanence entre les deux pays. La politique étrangère des Etats-Unis depuis 1776, en effet, se ramène à une série de conflits avec la Grande-Bretagne. Arthur Conan Doyle a le mérite de comprendre que c'est ce passé chargé de ressentiments et non la seule propagande irlandaise qui explique l'hostilité si souvent exprimée par la presse et l'opinion américaines à l'encontre de l'Empire britannique. Il pense la combattre, non seulement en insistant sur un patrimoine culturel et une vocation impériale communs, mais aussi en accordant aux sensibilités américaines une déférence qu'un Kipling, par exemple, était loin de montrer. A la différence, donc, de ces conférenciers anglais qui prenaient les Américains pour des cousins de province singulièrement peu évolués, il avait décidé d'avance que l'Amérique devait lui plaire. Cette volonté de tout trouver bien résiste à toutes les épreuves du séjour.

Elles seront nombreuses. A peine le paquebot est-il à quai que sa cabine est envahie par une meute de journalistes, réclamant tous des nouvelles de Sherlock Holmes. Et le pire est encore à venir. Son imprésario, le major Pond, personnage pittoresque avec sa barbe en folie, ses bottes de cuir et son chapeau stetson, est un vieux routier du spectacle à l'américaine. Conan Doyle est un néophyte. Aussi a-t-il omis de préciser dans son contrat le nombre exact de représentations auquel il est tenu. Pour la première, à New York, le trac le fait trébucher au moment d'entrer en scène. Il fait donc sa première apparition devant le public américain à quatre pattes, alors que ses notes, si soigneusement préparées, s'envolent sur les planches et jusque dans les premiers rangs. Sa conférence improvisée, suivie de la lecture d'une nouvelle de Sherlock Holmes et de quelques pages des *Réfugiés* — le major Pond ayant entre-temps récupéré ses notes — est saluée par des salves d'applaudissements. Ses intonations écossaises, n'ayant pas les prétentions aristocratiques que suggère aux Américains l'accent anglais, flattent le sentiment égalitaire. Sa sincérité évidente le rend sympathique. L'absence totale d'orgueil d'auteur plaît au public. Le major Pond, voyant l'enthousiasme de la salle, comprend qu'avec Arthur Conan Doyle il tient une affaire particulièrement juteuse.

Il va donc imposer au malheureux Arthur, qui n'a ni le courage ni même, vu l'imprécision de son contrat, le droit de refuser, jusqu'à quatre représentations par jour. Il se produira à New York et à Chicago, à Baltimore et à Boston. Il ne verra les Etats-Unis, cependant, qu'à travers les fenêtres du train. Quand il n'est pas sur scène, c'est une longue suite de réceptions, de déjeuners littéraires et de banquets que le major Pond l'oblige à honorer de sa présence. En dehors même du programme officiel, il y a les innombrables clubs et associations qui tiennent absolument, surtout vis-à-vis des clubs rivaux, à ce que le noble étranger de passage prononce un petit discours devant leurs adhérents. Arthur accepte dans l'espoir de pouvoir prêcher la bonne entente anglo-américaine, tout en sachant d'avance qu'on ne le laissera parler que de Sherlock Holmes. Mal à l'aise dans les salles surchauffées, en proie à une crise de foie permanente, les phalanges en charpie à force de serrer les mains, guetté par l'extinction de voix, bref au bord de l'épuisement physique et nerveux, Arthur Conan Doyle n'a qu'à serrer les dents et penser à l'Empire britannique.

Il ne se lasse pourtant pas, chaque fois que le public lui en donne l'occasion, de prôner la réconciliation entre l'Empire britannique et ce qui sera bientôt, il en est sûr, l'empire américain. Pendant les quelques jours de répit que le major Pond malgré tout lui accorde, il se rend chez Kipling dans le Vermont pour le prier de mettre une sourdine à ses commentaires acides sur les mœurs américaines. Kipling, qui préfère que son hôte l'initie au golf, se contente de répondre qu'il aimerait mieux être balayeur des rues que conférencier pour le compte du major Pond. Munis des clubs de golf et des skis que Conan Doyle avait également apportés, les deux écrivains font quelques promenades sportives. Les braves fermiers du Vermont, qui ignorent tout de la manie anglaise du sport, se demandent à quel emploi agricole peuvent bien servir ces engins bizarres que les auteurs illustres manient avec des gestes aussi incompréhensibles. Les réserves de Kipling n'entament en rien l'enthousiasme de Conan Doyle pour tout ce qui est américain. La prodigieuse vitalité du pays lui fait une forte impression. « *Le centre de gravité de la race est ici*, écrit-il, *il nous faudra nous associer avec eux, sinon nous serons dépassés.* » Il n'en reste pas moins que s'il admire le dynamisme commercial des Américains en général, il en vient, pour ce qui le concerne personnellement, à n'apprécier que très modérément celui du major Pond. L'intermède chez Kipling est bientôt fini ; il faut reprendre le collier. Le succès de ses conférences ne se dément pas ; partout, les salles sont pleines et enthousiastes. Son imprésario le supplie de prolonger son séjour. « *Restez ici*, lui dit-il, *en quelques mois, je ferai de vous un millionnaire.* » Mais Arthur Conan Doyle, las d'être traqué par des journalistes tous désireux de lui poser les mêmes questions auxquelles il a déjà répondu mille fois, en a assez de la célébrité à l'américaine. Il avait promis de passer les fêtes de Noël à Davos avec Touie ; aussi insiste-t-il pour repartir à la date prévue par son contrat.

A la vérité, s'il était resté, ce n'est pas lui mais le major Pond qui serait devenu millionnaire. En échange de deux mois d'esclavage, il perçoit la somme de £5 000. Sa plume lui aurait rapporté davantage dans le même laps de temps. Le jour où le major Pond, à contrecœur, lui remet son chèque, Arthur rend visite à Sam McClure, propriétaire et directeur du journal qui porte son nom. *McClure's Magazine* connaît cependant de graves difficultés financières, notamment en raison des dettes contractées à l'égard de ses collaborateurs anglais, dettes qui s'élèvent, comme par hasard, à £5 000. Arthur endosse aussitôt son chèque au profit de Sam McClure. Grâce à son périple américain, il a pu conforter une position déjà enviable sur le marché d'outre-Atlantique. Il a connu et la satisfaction de prêcher ses idées et la frustration de constater que le public ne s'y intéressait guère. Sur le plan financier, c'est une opération blanche. Arthur Conan Doyle n'en a cure. Sitôt embarqué sur l'*Etruria,* il gagne sa cabine pour s'y endormir dans la satisfaction du devoir accompli. Il ne quittera guère son lit avant Southampton. Comme promis, il sera auprès de Touie à Davos pour Noël.

L'hiver de 1894-95 est plus rigoureux que le précédent, et Touie en souffre. Arthur, encouragé par le succès de *Comment le brigadier gagna sa médaille* auprès du public américain, s'attaque à une série de nouvelles ayant Gérard pour héros. Elles seront publiées dans le *Strand* en 1895, avant d'être recueillies en volume sous le titre des *Exploits du brigadier Gérard.* La documentation est, comme d'habitude, abondante. En plus des *Mémoires du baron de Marbot, Les cahiers du capitaine Coignet, Les mémoires du sergent Bourgogne* et bien d'autres encore seront mis à contribution. Ce ne sont cependant pas les portraits de Napoléon et de ses maréchaux, les détails des armes et des uniformes, qui font le prix du cycle Gérard.

Conan Doyle y apporte un soin méticuleux, mais ce n'est là que l'attirail du marchand d'illusions. Le cycle Gérard, en effet, se situe dans le mode romanesque et non dans le mode scientifique. Les récits sont rondement menés, sans être pour autant de simples aventures pour adolescents. Avec Gérard, Conan Doyle rétablit le triangle auteur/narrateur/lecteur. Malgré leur apparente simplicité, les nouvelles comportent un double sens : celui présenté par Gérard, le narrateur-dupe par excellence, et celui perçu par le lecteur.

Gérard est, en effet, *le soldat le plus brave et le plus bête de la Grande Armée*. Profondément imbu de sa personne, il accomplit des prouesses de courage sans vraiment comprendre ce qui se passe. Si Gérard fait rire, cependant, il n'est jamais risible ; tout en étant un héros comique, il n'en reste pas moins un héros. En tant que diplomate, espion ou amoureux, il fait des prodiges qui, le plus souvent, lui font rater le but fixé mais, en tant qu'officier de cavalerie, il mérite pleinement tous les éloges qu'il se distribue avec une désarmante naïveté. Le Gérard qui raconte sa vie aux habitués d'un café de sa Gascogne natale — Conan Doyle a la finesse de ne jamais nous montrer la réaction du public — est un vieillard qui n'a plus que ses souvenirs pour se réchauffer. Qui pourrait lui reprocher de s'y donner le beau rôle, même si ce n'est pas toujours celui qu'on lui demandait ?

Les qualités dont Gérard se vante — à juste titre — sont celles de la chevalerie : honneur, courage, loyauté. Arthur Conan Doyle ne se moque que de choses importantes ; c'est par une moquerie affectueuse qu'il met en valeur ce code chevaleresque tout en écartant ce qu'il pourrait avoir d'austèrement rébarbatif. Gérard est un grand enfant qui se livre aux jeux de la guerre dans le strict respect des règles et des convenances. Rien ne peut égaler le sérieux de l'enfant qui se donne entièrement à son jeu, mais l'auteur ne laisse jamais oublier que ce n'est qu'un jeu. Les scènes de carnage donnent toujours l'impression qu'à la fin les morts vont se lever pour venir saluer le public.

De même que dans le cycle Holmes la résolution de l'énigme se double d'un pastiche de la biographie victorienne, dans le cycle Gérard le récit d'aventures s'accompagne d'une caricature des tomes gravissimes qui se font fort d'expliquer la psychologie des nations. Gérard, dans ses rapports avec ses ennemis anglais, joue le rôle d'un Major Thompson à l'envers. Grâce à ce Gérard qui croit à tort tout comprendre, Conan Doyle peut mettre en relief les travers et les tics des deux nations, et cela avec une équité et une bonne humeur qui ne se démentent jamais. Le comique ne sombre jamais dans la dérision, l'ironie ne devient jamais sarcasme. En se dissimulant derrière un narrateur aussi haut en couleurs, Conan Doyle se garde d'abuser de l'autorité de l'auteur, abus qui pourrait rompre cet équilibre entre humour et héroïsme qui donne son originalité à l'ensemble. Il faut un art discipliné pour faire coexister le code chevaleresque et le comique sans qu'ils se détruisent. Gérard est seul à avoir la parole, le lecteur est seul à la comprendre; comme dans le cycle Holmes, l'auteur, grâce à une merveilleuse justesse de ton, se fait oublier. Le cycle Gérard se place ainsi tout de suite après le cycle Holmes dans l'œuvre d'Arthur Conan Doyle. Ceux qui cherchent dans un livre le plaisir de la lecture et non celui du décodage ne pourraient mieux faire que de nouer — ou renouer — connaissance avec le Brigadier Gérard.

Au printemps de 1895, Conan Doyle fait une courte visite en Angleterre. Il rencontre, à l'occasion d'un déjeuner littéraire, l'auteur canadien Grant Allen. Chez Allen, il retrouve des préoccupations scientifiques et sociales analogues aux siennes, mais exprimées dans un registre nettement plus extrémiste. Une amitié solide va naître entre les deux hommes, mais là n'est pas l'importance de cette première rencontre. Grant Allen, lui-même tuberculeux, affirme que Hindhead, dans le Surrey, est un séjour encore plus favorable pour les malades que la Suisse. Arthur saute dans le premier train, reconnaît les lieux, achète un terrain, va chercher son ami architecte Ball à Southsea pour lui confier la construction d'une maison. Sur quoi, il retourne à Davos annoncer à Touie la joyeuse nouvelle que leur exil va bientôt prendre fin.

Touie, d'ailleurs, ne supporte plus Davos. Les Doyle passent donc l'été et l'automne de 1895 d'abord à Maloja, dans la Haute Engadine, puis à Caux, au-dessus de Montreux. Entre deux parcours de golf, Arthur reprend la documentation qu'il avait réunie avec Hornung pour *La maison de Temperly* pour en faire un roman, *Rodney Stone.*

C'est un roman solide, au point d'être parfois indigeste. Encore une fois, les moyens littéraires de l'auteur ne sont pas à la hauteur de ses ambitions. Certes, il importe peu que le mystère qui lui sert de trame soit d'une insigne faiblesse. Dans l'idée que Conan Doyle se fait du roman historique, l'intrigue n'a guère d'importance. Il semblerait, cependant, que Conan Doyle ait voulu tenter une explication et non seulement une évocation de l'Angleterre de la Régence, celle qui produit le goût du luxe égoïste d'un Beau Brummell en même temps que le sens élevé du devoir d'un Nelson. Tout le long du livre, Conan Doyle met en scène tour à tour les vertus spartiates des officiers de marine et l'extravagance futile des dandies londoniens. Le lien entre les deux est fourni par la boxe, sport qui exige le courage, la maîtrise de soi, l'abnégation, bref ce *puritanisme viril* qu'il a fallu, d'après Conan Doyle, pour *façonner l'Angleterre,* tout en trouvant ses adeptes parmi cette jeunesse dorée dont le style de vie en est, justement, la négation. A la différence d'un Balzac ou d'un Thackeray, Conan Doyle n'est pas capable d'incorporer dans une fiction la dynamique sociale d'une époque. Il est trop ébloui par les apparences pour démonter les mécanismes sociaux ou psychologiques. Il se laisse trop facilement séduire par des histoires pour être un historien. Le plaisir d'évoquer le milieu de la boxe l'emporte sur le rôle dévolu à celle-ci comme révélateur de cette religion du sport et donc de la lutte qui, selon lui, réunit les Anglais de toutes conditions dans une même résistance à la machine de guerre napoléonienne.

Ce qui était donc, au stade de la conception, un trait d'union entre deux modes de vie, deux systèmes de valeurs opposés, devient, à celui de la réalisation, le thème principal et la matière même du récit. Conan Doyle a beau tourner et retourner dans sa tête l'agencement de son roman pendant qu'il recherche ses innombrables balles perdues sur le parcours de golf qu'il a improvisé à Maloja, il ne trouve pas le moyen de construire *Rodney Stone* selon son projet initial. La marine est vite marginalisée, tant et si bien qu'il finit par renoncer à la description de Trafalgar qui devait couronner le tout, comme le tableau de Waterloo avait été l'aboutissement de *La grande ombre*. Du coup, certaines scènes du roman n'ont plus de raison d'être. Comme toujours, Conan Doyle perd sa maîtrise formelle devant la richesse de sa matière et l'ampleur de ses ambitions. « *Il ne fera jamais un livre qui soit à la fois long et bon* », disait-il de Kipling ; le jugement s'applique mieux à lui-même.

Le déséquilibre de *Rodney Stone* est d'autant plus perceptible que l'association entre dandies et pugilistes, telle qu'il la décrit, ne peut recevoir le sens qu'il veut lui donner. Il voudrait présenter ces deux mondes, aristocratique et populaire, communiant dans un même culte de l'effort, du courage, bref, encore une fois, des vertus chevaleresques. Ce qu'il nous montre, car il est trop honnête pour trahir ses sources, ce sont les gladiateurs et les patriciens d'une Rome décadente. Arthur Conan Doyle sait faire vibrer le lecteur au rythme d'un combat ; en contant comment la mère du héros est sauvée de la déchéance alcoolique par l'amour de son fils, il arrive à toucher la corde sentimentale sans tomber dans la sensiblerie. Mais attribuer le vouloir-vivre britannique face à la menace napoléonienne au seul amour du sport est une caricature qui, tout à fait à sa place dans le mode romanesque qui est celui du cycle Gérard, a une valeur explicative trop faible pour le mode scientifique qui est celui de *Rodney Stone*.

Arthur est cependant fier d'avoir su donner à la boxe un rôle qu'elle n'avait jamais tenu jusqu'alors en littérature. James Payn, entre autres, lui avait fait part de la conviction générale des milieux cultivés : la boxe est un sujet pour la presse à sensation et non pour le roman. Bien que son livre ne soit pas un chef-d'œuvre, Conan Doyle a prouvé le contraire, et cette victoire sur le goût de ses confrères, victoire qui le confirme dans son sentiment de vivre au diapason de son public, le remplit d'une satisfaction telle qu'il en oublie qu'à l'origine il avait eu, pour *Rodney Stone,* des ambitions plus hautes.

Touie refuse d'envisager un troisième hiver à Davos. La nouvelle maison à Hindhead est loin d'être prête. Les Conan Doyle décident donc d'hiverner en Egypte. Ce choix n'est pas motivé par le seul avis des médecins. Arthur estime, en effet, que l'aventure impériale, plus que la réforme sociale, sera la grande affaire de l'époque. Les réformes qu'un libéral peut souhaiter lui semblent, sinon réalisées, du moins en voie de l'être, selon ce processus d'évolution auquel il croit de toutes ses forces. Il note dans ses cahiers le 22 mars 1894 : « *L'instruction s'est généralisée, le droit de vote accordé plus largement. Une longue crise économique s'est écoulée sans troubles sociaux. La criminalité baisse. Les bibliothèques se multiplient. Où est donc cette crise qui nous menace tant ?* » Il est frappant de constater combien l'évolution d'Arthur Conan Doyle accompagne celle du mouvement libéral-unioniste qu'il avait rejoint dès sa création en 1886. Il ne milite plus, il est vrai, mais il reste en parfaite communion d'idées avec le parti et ses chefs, notamment Joseph Chamberlain. Celui-ci est un membre éminent de l'Eglise unitarienne, la seule secte protestante qui trouve grâce aux yeux de Conan Doyle, parce que sa largeur de vues sur le plan théologique va de pair avec un sens aigu de l'importance des œuvres, surtout l'éducation populaire dont Chamberlain était le champion. Lors de ses stages chez le Dr Hoare à Birmingham, Arthur avait pu voir, de ses propres yeux, les bienfaits de l'action sociale entreprise par une municipalité agissante sous l'égide, justement, de Joseph Chamberlain. Ce fut Chamberlain, encore, qui avait pris la tête de ces libéraux qui, comme Arthur, avaient refusé le *Home Rule* pour l'Irlande en 1886. Sans oublier tout à fait leurs origines radicales, les *liberal unionists,* maintenant alliés aux conservateurs, sont surtout des *liberal imperialists*. A la suite des élections de juin 1895, Joseph Chamberlain devient ministre des Colonies. Conan Doyle est certes impérialiste depuis toujours, mais ce n'est que vers le milieu des années 1890, à l'image de Chamberlain, que l'Empire devient pour lui la plus grande et presque la seule question politique du jour.

Il n'y a pas qu'en Egypte que l'on peut voir l'impérialisme à l'œuvre. En Afrique du Sud, le conflit qui oppose les colons britanniques aux Boers s'envenime chaque jour. Mais l'action britannique en Afrique du Sud inspire à Conan Doyle des sentiments d'une certaine ambivalence. L'impérialisme est pour lui une mission civilisatrice désintéressée, un moyen d'apporter les bienfaits du progrès aux peuples arriérés. Il n'est pas sûr que les Boers soient un peuple arriéré, et il sait pertinemment que le désintéressement n'est pas le trait principal de Cecil Rhodes. Les ambitions britanniques en Afrique du Sud sont trop associées aux intérêts bassement matériels pour qu'il puisse les approuver pleinement. En revanche, sauver les finances égyptiennes de la gabegie, arracher le Soudan au fanatisme des derviches, voici des entreprises qui, indiscutablement, font avancer la civilisation dans sa marche vers le progrès. Si l'on veut voir l'impérialisme en action, c'est en Egypte qu'il faut aller. Les Doyle quittent

donc la Suisse en octobre 1895 et, après un séjour à Rome
— il faut voyager par petites étapes, pour ne pas fatiguer
Touie — rallient Brindisi, où ils s'embarquent pour
Alexandrie. A la fin du mois de novembre, ils sont
installés au Mena Park Hotel, devant les Pyramides.

Le séjour, bien qu'agréable, devient vite ennuyeux. Le
repos absolu que les médecins imposent à Touie entraîne,
pour ses proches, une inactivité qu'Arthur ne peut
longtemps supporter, et cela d'autant plus que de grands
événements se préparent. On parle, en effet, d'une
prochaine reconquête du Soudan, dix ans après la mort de
Gordon[1] à Khartoum. Voilà qui est autrement passionnant que le golf et le tennis. Il travaille, sans grande
conviction, à tirer une pièce de théâtre d'un roman de
James Payn. Il passe son énervement sur la direction du
Strand, coupable d'avoir sacrifié son texte aux illustrations. De plus en plus souvent, il se rend au Caire, où sa
notoriété lui ouvre les portes des mess d'officiers et des
cercles fréquentés par la colonie anglaise. Bien qu'il ne
connaisse pas grand-chose aux chevaux et éprouve une
sainte horreur du jeu, il va au champ de courses pour
apercevoir Cromer et Kitchener. L'auteur de Sherlock
Holmes est accepté, autant qu'un écrivain peut l'être, par
les fonctionnaires militaires et civils, mais il n'est pas des
leurs et ils le lui font sentir. On lui assure, avec le plus
grand sérieux, que les manuels de la police égyptienne
incorporent désormais les méthodes de Sherlock Holmes.
Il s'entend dire, par un responsable de la police qui se
déclare pénétré de ces mêmes méthodes, que sa propre
physionomie trahit d'indiscutables tendances criminelles.

1. Gordon, Charles (1833/1885). Dit « le Chinois » en raison de ses
longs séjours dans ce pays, Gordon sert l'Empire en Egypte, au Cap,
en Palestine, avant d'être chargé de l'évacuation du Soudan égyptien
révolté. Assiégé par les derviches du Mahdi à Khartoum, il est tué
lors de la prise de la ville, trois jours avant l'arrivée des secours
Personnage légendaire de son vivant même, Gordon est le symbole de
l'Empire britannique.

L'orgueil quelque peu ridicule qu'il prête au colonel Cochrane-Cochrane dans *La tragédie du Korosko* montre que le regard qu'Arthur pose sur la caste impériale est aussi ironique qu'admiratif : il avait déjà rencontré cet esprit d'exclusive chez les petits hobereaux qu'il avait côtoyés à Stonyhurst. Si ces hommes, avec leurs rites absurdes, sont bien, comme il le croit, les instruments de la Providence, c'est que les voies de celle-ci sont bien mystérieuses. Il ne peut cependant s'empêcher d'envier les militaires. Eux, au moins, auront connu une vie d'action ; en fait d'action, lui doit se contenter d'une promenade quotidienne à cheval devant l'hôtel. Il garde, d'ailleurs, une cicatrice à l'arcade sourcilière en souvenir d'un coup de sabot assené par une monture particulièrement rebelle.

Alors qu'Arthur ronge son frein, Touie reprend des forces. Début janvier, elle est assez rétablie pour que les Doyle entreprennent une croisière sur le Nil. Le *Nitocris* est un bateau luxueux. Touie et Lottie sont ravies. La nature est aussi impressionnante que les monuments de l'homme. Pour Arthur, les temples de Louxor et les tombeaux de la Vallée des Rois ne sont qu'autant de musées d'horreurs remplis d'accessoires utiles pour les nouvelles d'épouvante. Les quelques nouvelles qui utilisent ce qui pour l'auteur est le folklore égyptien — *Le lot 249, L'anneau de Thoth* — sont antérieures à 1896. S'il n'y revient guère, c'est parce que l'Egypte des Pharaons lui inspire une certaine répulsion. Il tient la momification pour le comble du matérialisme ; être incapable d'imaginer la vie après la mort sans l'enveloppe corporelle lui semble témoigner d'une rare indigence spirituelle.

L'aventure archéologique ramène vers un passé oppressant ; le présent est plus passionnant, comme le désert est plus beau que tous les temples. Et, au fur et à mesure que le *Nitocris* remonte le fleuve, ce désert devient ce qui est plus passionnant encore : un pays ennemi. Parfois, à partir du pont, il croit apercevoir des troupes de cavaliers dans le lointain. Un village où l'on fait étape vient de recevoir la visite des derviches. On conduit le Dr Doyle voir les blessés parmi les survivants. Les touristes poussent jusqu'à Ouadi-Halfa, le dernier poste des troupes anglo-égyptiennes. C'est l'extrême limite de l'Empire britannique. Quand Arthur Conan Doyle, empruntant les jumelles du commandant de la place, promène son regard sur le désert immense et vide, c'est un pays inconnu, un pays à conquérir, qu'il peuple de tous les dangers et de toutes les aventures. Il a presque honte de se trouver là, entouré de son épouse et de sa sœur, en tant que client choyé de l'agence Cook, et non comme officier à l'avant-garde d'une armée de conquête. C'est la tête pleine d'aventures et dans une fièvre d'enthousiasme impérialiste qu'il entame le long voyage de retour vers Le Caire.

L'existence reprend alors le rythme luxueux mais banal du Mena Park Hotel, alors qu'au Caire les rumeurs de guerre se font de plus en plus insistantes. Pour rompre la monotonie, Conan Doyle décide de faire une expédition dans le désert pour visiter le monastère copte du lac Natran. Les moyens de transport ayant été réquisitionnés pour les armées, le seul véhicule disponible est le carrosse doré construit à l'intention de l'impératrice Eugénie à l'occasion de l'inauguration du canal de Suez. Cet engin incongru n'est guère adapté aux pistes du désert. Le guide égyptien se perd. Ce n'est que parce qu'Arthur, en vieux marin, sait s'orienter par rapport aux étoiles, que le carrosse de l'impératrice arrive enfin à destination. Le monastère, en l'occurrence, ne vaut guère le déplacement. Les bâtiments sont délabrés, les moines démoralisés, les manuscrits précieux de la bibliothèque dans un piteux état. Le Prieur ne montre ni goût ni intérêt pour une discussion sur la vie spirituelle mais, apprenant que le visiteur est médecin, en profite pour se faire ausculter. L'épisode confirme Conan Doyle dans sa conviction de la décadence de toutes les institutions religieuses.

De retour au Caire, il est à la fois ravi et furieux d'apprendre que pendant ses quelques jours d'absence l'armée a reçu ses ordres de marche. « *Ce serait dommage,* écrit-il à sa mère, *de se trouver si proche d'événements historiques sans pouvoir y participer ou même en voir quelque chose.* » En fait de proximité, les événements historiques se déroulent à plus de mille kilomètres, mais un Conan Doyle, avec trois têtes de daim sur son blason et l'amour de la bagarre dans le sang, ne s'arrête pas à ce genre de détail. Comme il est toujours en froid avec le *Strand,* il télégraphie au *Westminster Gazette* pour être accrédité comme correspondant de guerre. En attendant, il se procure un revolver et une centaine de cartouches, consulte les cartes d'état-major, dresse des plans de bataille. Sitôt reçue l'autorisation officielle, il se précipite, la joie au cœur, rejoindre un groupe de confrères en partance pour Ouadi Halfa.

Il s'agit, en effet, de refaire le voyage qu'il avait fait avec Touie à bord du *Nitocris,* mais dans des conditions moins luxueuses. Le Nil est la seule voie de communication permettant de ravitailler les troupes, et Kitchener ne considère pas les journalistes comme indispensables à l'armée. Il faut donc quitter le bateau à Assouan pour rejoindre Ouadi Halfa par le désert. Ce voyage à dos de chameau, convenablement romancé, fournira la matière de *Trois correspondants.* Il faut voyager de nuit et dormir de jour, tout en restant sur ses gardes, car les bandes derviches sont signalées dans la région. Pour aller plus vite, en effet, les correspondants avaient faussé compagnie à l'escorte que les autorités militaires avaient prévue. Aucun ennemi ne surgit ; heureusement, car les journalistes ont déjà fort à faire pour maîtriser leurs montures — on ne s'improvise pas méhariste — et le revolver de Conan Doyle est un engin plus dangereux pour le tireur que pour une cible éventuelle. Au bout de quatre jours, les correspondants reprennent le bateau à Korosko pour gagner Ouadi Halfa. Ils apprennent aussitôt, de la bouche de Kitchener lui-même, que leur précipitation était parfaitement inutile. Le *Sirdar* est un général prudent. Il ne

saurait être question de faire mouvement vers le sud tant
que la concentration de troupes, de chameaux, de matériel, n'est pas achevée. Il ne se passera donc rien avant des
mois. A la différence de ses confrères, Arthur Conan
Doyle ne peut attendre. Le printemps est déjà bien
avancé, et il ne peut risquer d'exposer Touie à la chaleur
de l'été égyptien. En guise de consolation, Kitchener
l'invite à dîner dans sa tente. Arthur profite de l'occasion
pour demander de l'avancement pour son frère, Innes.
Kitchener, lui aussi, avait fait ses débuts dans l'artillerie.
De même, Kitchener, sans y être nommé, est le héros de la
nouvelle *Les débuts du Bimbashi Joyce*. L'admiration que
Conan Doyle portait au *Sirdar* était certes sincère, mais il
se disait aussi qu'il y a plus d'une manière pour un jeune
lieutenant de passer capitaine. S'il comptait, cependant,
sur son entretien en tête à tête avec le commandant en
chef pour obtenir des confidences, il était déçu. Kitchener
ne fait que lui confirmer qu'aucune initiative ne sera prise
tant que les difficultés logistiques ne seront pas résolues.

Arthur, à grand regret, prend passage sur le premier
bateau en partance pour Assouan. Au moment d'embar-
quer, il apprend que l'ordinaire des passagers n'est pas
assuré. Descendant rapidement à terre, il parcourt Ouadi
Halfa à la recherche de quelques provisions. On est en
train de larguer les amarres quand il revient enfin avec
quelques boîtes d'abricots au sirop, qui seront sa seule
nourriture pendant la semaine à venir.

Il rapportera cependant, de cette aventure, un peu plus
qu'un dégoût durable pour les abricots au sirop. Les
articles qu'il envoie au *Westminster Gazette,* en plus du
récit humoristique de ses mésaventures avec les différents
chameaux qui eurent à porter, avec une mauvaise grâce
constante, ses quatre-vingt-dix kilos, respirent l'exaltation
de la lutte de la civilisation contre la barbarie, la joie de
participer à l'aventure impérialiste, le romantisme de la
guerre dans le désert. Ses quatre jours à chameau entre
Assouan et Korosko, dans l'attente de voir les derviches

surgir à tout moment, avaient été aussi passionnants qu'inconfortables. La rencontre avec l'Afrique et l'Islam d'une part, et le fer de lance de l'Empire britannique de l'autre, va stimuler son imagination et nourrir sa fiction. Certes, il a manqué son rendez-vous avec le combat, mais il a assez payé de sa personne pour qu'on ne puisse l'accuser d'être seulement un impérialiste en chambre. *La tragédie du Korosko* prend déjà forme dans son esprit.

Arthur Conan Doyle avait espéré que sa nouvelle maison à Hindhead serait prête dès son retour d'Egypte. Elle n'est même pas commencée. Il avait acheté le terrain dans une telle hâte qu'il n'avait pas procédé à toutes les vérifications nécessaires. Il s'avère que le terrain est traversé par un chemin où subsiste un droit de passage reconnu par le droit coutumier. Il faut donc que cette affaire soit réglée devant les tribunaux avant que Stanley Ball puisse commencer les travaux. Conan Doyle loue une villa à Haslemere, tout près, de manière à être sur place pour surveiller le chantier.

Avant de transformer ses expériences égyptiennes en fiction, il veut tirer le bilan de sa réflexion sur l'épopée napoléonienne. Il constate rapidement qu'il en est incapable. Pour un libéral comme Conan Doyle, la légitimité politique réside dans les suffrages des électeurs et non dans l'arbitraire d'un dictateur. Il reproche à Carlyle de vouloir *restaurer les dictateurs, l'aristocratie, le règne de la force*. Mais quand on est un fervent d'une évolution guidée par la Providence, comment exclure le recours à l'homme providentiel ? Même si l'on admet que les peuples évolués dominent ceux qui le sont moins, comment faire la part, chez les chefs charismatiques — un Bonaparte, un Kitchener — du dévouement au bien public et de la soif de puissance ? Il est persuadé que la reconquête du Soudan, aux débuts de laquelle il avait assisté, serait impossible si Kitchener était soumis aux multiples contraintes du régime parlementaire. Mais Kitchener faisant un 18 Brumaire ? L'idée serait saugrenue si elle n'était pas inimaginable. Napoléon, bien sûr, est un personnage d'une tout autre envergure, et Conan Doyle, bien que fasciné, n'arrive pas à formuler à son égard un jugement moral. Napoléon était-il *un grand héros* ou *un grand coquin*? Conan Doyle avoue sa perplexité : *de l'adjectif seul j'étais sûr*. Cette incertitude fera que *L'oncle Bernac* n'aura ni forme ni fond. Arthur Conan Doyle le sait bien, puisqu'il écrit à sa mère, en juillet 1896 : « *Je travaille avec acharnement et difficulté sur un misérable petit récit napoléonien.* »

Après un début prometteur, en effet, le récit d'aventures se perd dans un tableau statique de la Cour impériale, tableau conçu et réalisé bien avant et qui se trouve placé là seulement parce que l'auteur ne sait plus comment achever ce qu'il avait si bien commencé. Même l'apparition de Gérard ne suffit pas à donner de l'allant à la deuxième partie de l'œuvre.

Le récit s'articule autour de l'idée de devoir. Le héros, aristocrate émigré en Angleterre, veut rallier la France par devoir patriotique. Mais son devoir le lie-t-il à la France ou à la personne de l'Empereur ? Son devoir de Français — ou de sujet — peut-il prendre le pas sur ses devoirs familiaux et même son devoir d'honnête homme ? Etant incapable de porter un jugement moral sur Napoléon, Conan Doyle se trouve du même coup privé du critère qui lui aurait permis d'aménager une intrigue où son héros se réaliserait dans ses choix. Par conséquent, le dilemme qui se pose au héros est résolu par une pirouette digne du roman à sensation le plus extravagant, une solution qui ne résout rien. On comprend que l'auteur soit fort mécontent de *L'oncle Bernac*.

Depuis cinq ans, il a consacré trois romans et une dizaine de nouvelles aux quinze premières années du XIXe siècle ; il a dit tout ce qu'il avait à dire, dans des registres différents. Pendant la rédaction de *L'oncle Bernac*, son imagination travaille déjà sur l'Egypte ; il a hâte de se mettre à *La tragédie du Korosko*. C'est une œuvre d'une tout autre envergure que *le misérable petit récit napoléo-nien*. Pendant la croisière du *Nitocris,* il avait vu combien il serait facile aux derviches d'enlever un groupe de touristes comme celui dont il avait fait partie avec Touie et Lottie. C'est donc un tel enlèvement qui déclenche l'action. S'engage alors une course-poursuite pendant laquelle les prisonniers, à force d'argumenter avec leurs ravisseurs sur les mérites respectifs du christianisme et de l'Islam, gagnent le temps nécessaire aux troupes britanniques pour venir à la rescousse.

Pour ce qui est de l'action et du suspense, peu d'auteurs ont la maîtrise d'Arthur Conan Doyle. Le récit n'est cependant que le prétexte à une réflexion plus profonde sur la nature même de la civilisation. Les différentes nationalités représentées au sein du groupe de touristes sont campées avec une ironie qui n'exclut ni le respect ni l'estime. On y trouve d'abord le vieux militaire anglais, avec tous les préjugés de sa caste et la coquetterie en plus ; ensuite, la très moralisante Américaine qui, scandalisée de voir un Egyptien maltraiter son âne, trouve normal de maltraiter l'Egyptien ; enfin, le Français, libre-penseur et soucieux de se démarquer en toute chose des Anglo-Saxons mais qui finira, devant les exigences islamiques, par s'écrier, tout athée qu'il est : « *Je suis chrétien et je le resterai !* ».

Car, pour Conan Doyle, c'est la religion qui fait l'essentiel de la civilisation, qui fonde la culture dans laquelle les hommes et les femmes se reconnaissent. Tant et si bien que ceux mêmes qui ne vivent pas cette religion sont prêts à mourir pour elle. Arthur Conan Doyle a perdu toute foi chrétienne. Il est persuadé de la décadence de toutes les Eglises. Il estime que toutes les religions se fondent sur *le courage et le fatalisme paisible, essentiel, qui forment le cadre antique de la religion ; les dogmes nouveaux ont poussé comme du lichen sur sa surface de granit.* Si les chrétiens doivent l'emporter sur les derviches, ce n'est donc pas parce que leur dogme correspond à une quelconque vérité transcendantale, mais plutôt parce qu'ils représentent le progrès de l'humanité ; *le XIXᵉ siècle s'est vengé sur le VIIᵉ*. L'affrontement entre le christianisme et l'Islam est, en réalité, une lutte entre peuples évolués et peuples arriérés ; l'Occident, selon Conan Doyle, ne cesse de progresser alors que *l'Orient est immuable.*

Les spécificités nationales au sein de cette évolution occidentale justifient l'impérialisme britannique. « *Le monde est petit,* fait-il dire à un personnage, *et il se rapetisse chaque jour. Une gangrène locale pourrait se propager.* » Il faut donc, dans l'intérêt de tous, que les plus aptes dirigent les plus faibles. L'histoire montre que les plus aptes sont les peuples anglo-saxons ou, selon les termes de Conan Doyle, anglo-celtes. « *A chacun sa propre mission,* fait-il dire à un touriste anglais devant un collègue américain, *l'Allemagne excelle dans la pensée abstraite, la France dans la littérature, les arts et les grâces. Mais vous et nous — car tous ceux qui parlent anglais sont logés à la même enseigne — nous avons dans notre élite une conception plus élevée du sens moral et du devoir public que dans n'importe quel autre peuple. Or, ce sont les deux qualités qui sont nécessaires pour diriger une race plus faible. On ne peut pas aider des peuples faibles par de la pensée abstraite ou par les arts d'agrément, mais seulement par ce sens moral qui tient en équilibre les plateaux de la justice et qui se garde pur de toute souillure. C'est ainsi que nous gouvernons les Indes. Nous sommes arrivés là-bas par l'effet d'une sorte de loi naturelle, tout comme l'air se précipite pour combler un vide. Partout dans le monde, contre notre intérêt direct et au mépris de nos intentions délibérées, nous sommes poussés à faire la même chose. Cela vous arrivera à vous aussi ; la pression de la destinée vous obligera à administrer toute l'Amérique, du Mexique au cap Horn.* »

Cette justification de la mission civilisatrice anglo-saxonne, loin d'être propre à Conan Doyle, est déjà fort répandue dans les milieux politiques et intellectuels de part et d'autre de l'Atlantique. On la trouve chez Kipling, qui chante *le fardeau de l'homme blanc*. Dès 1885, J. Fiske salue le *Manifest Destiny* du peuple américain. Joseph Chamberlain parlera des peuples anglophones comme d'une *race gouvernante*. Conan Doyle, bien qu'il pense souvent le contraire, est le porte-parole de son époque et non un prophète qui ne serait pas écouté en son pays. En effet, pour ceux qui seraient tentés, en raison de ses réflexions sur le danger que représenterait pour une Europe décadente un renouveau du fanatisme islamique, de donner au livre une actualité qu'il n'a pas, son discours impérialiste suffit à montrer combien *La tragédie du Korosko* est un document de son époque. C'est un ouvrage qui n'aura pas la pérennité du cycle Holmes, mais il n'en constitue pas moins l'une des meilleures clés de l'univers mental d'Arthur Conan Doyle.

Le temps passe, et la nouvelle maison n'est toujours pas prête. Avant qu'elle ne le soit, il survient un bouleversement qui empêchera Conan Doyle de jouir en paix de la joie, tant anticipée, d'un foyer retrouvé. Lors d'une visite à Londres, le 15 mars 1897, il rencontre Miss Jean Leckie. C'est le coup de foudre. Il est envahi d'une passion violente et exclusive qui est d'une tout autre nature que la tendre complicité qu'il partage depuis dix ans avec Touie. Arthur Conan Doyle a maintenant trente-huit ans, il croyait que sa vie était faite. Il se sent possédé d'une envie furieuse, qu'il sait irréalisable, de la refaire.

VIII

LES TÉNÈBRES

> Je lutte contre les puissances des ténèbres. Et je gagne.
>
> Arthur CONAN DOYLE

La nouvelle maison de Hindhead, baptisée « Undershaw », est adossée au versant sud d'une colline verte et boisée. Bâtie en briques rouges, avec colombages et pignons, c'est une maison imposante de deux étages. Située dans un grand domaine, elle est protégée de la route qui passe derrière par cent cinquante mètres d'épais taillis. En façade, les grandes baies vitrées, exposées au sud, dominent toute la vallée de Nutcombe.

Arthur Conan Doyle n'est pas le seul à apprécier les charmes de Hindhead. En plus de Grant Allen, qui lui avait indiqué le lieu, il compte parmi ses nouveaux voisins le grand journaliste W. T. Stead, qui avait financé son voyage à Berlin pour assister aux expériences de Koch, le romancier Rider Haggard et George Bernard Shaw. Conan Doyle, comme à son habitude, ne tarde pas à s'intégrer aux divers clubs et associations qui animent la vie locale.

« Undershaw », d'ailleurs, est déjà assez animée. La maisonnée comprend Arthur, Touie et les deux enfants, Mrs Hawkins et Lottie Doyle, ainsi que Charles Terry, qui sert de secrétaire à Arthur, et une demi-douzaine de domestiques. Innes est en Inde avec son régiment, mais Connie et son mari Willie Hornung sont des visiteurs fréquents. Arthur Conan Doyle a le sens de l'hospitalité. Il est rare que quelque parent ou ami ne séjourne pas sous son toit. A quoi bon le tennis, le stand de tir, la grande salle de billard qui fait toute la largeur de la maison, s'il est tout seul à en bénéficier ? A quoi bon les quatre chevaux dans ses écuries s'il n'y a personne pour les monter ?

Touie, bien sûr, ne profite pas des installations sportives, bien qu'elle ait son carrosse pour prendre l'air par temps clément. L'arthrite s'étant ajoutée à la tuberculose, elle a du mal à se déplacer. Arthur fait aménager des systèmes d'ouverture des portes pour qu'elle puisse plus facilement aller et venir dans la maison. S'il remplit « Undershaw » de ses amis, parents et relations, c'est non seulement parce qu'il aime vivre en patriarche, mais aussi parce qu'il ne veut pas que l'invalidité de Touie donne à sa maison un air d'hôpital.

Il continue, en effet, à jouer son rôle de patriarche. Pour ses propres enfants, Mary et Kingsley, c'est un père autoritaire, certes, mais, comme le veut la coutume de l'époque, distant et donc peu encombrant. En raison des multiples activités de leur père et de l'invalidité de leur mère, ils jouissent d'une liberté rare pour des enfants de leur milieu. Ils flânent nu-pieds dans les bois, et Mary pratique tous les sports que les usages réservent aux garçons. Quand Mary Foley Doyle proteste qu'ils ne vont pas à l'église le dimanche, Arthur se contente de grogner que le bon air frais de la campagne est autrement sain que le parfum de l'encens. Ses enfants sont, en fait, les membres de sa famille dont il s'occupe le moins.

Même en Inde, où les frais sont moindres et les traitements plus élevés, il ne saurait être question pour un officier de vivre de sa solde. Aussi est-ce toujours Arthur qui finance la carrière de son frère. C'est Arthur aussi qui surveille les affaires matrimoniales de ses sœurs. Grâce à lui, Jane Doyle, de quinze ans sa cadette, fréquente des milieux mondains où sont aussi invités, également par son entremise, les cousins Foley de Lismore. Jane ne tardera pas à épouser Nelson Foley. La benjamine, Bryan Mary, était restée auprès de sa mère dans le Yorkshire, où elle se fiance avec un clergyman anglican, Cyril Angell. Arthur, satisfait de l'enquête de moralité qu'il mène au sujet du jeune homme, donne son accord et, de surcroît, prête à son futur beau-frère l'argent nécessaire pour fonder un établissement scolaire. De même, chaque fois qu'un nom de jeune fille revient trop souvent dans les lettres d'Innes, Arthur se charge de se renseigner sur la famille.

Les deux cadettes une fois casées, Arthur pense à leur aînée, Lottie, qui, depuis 1893, sert de garde-malade à Touie et partage avec Mrs Hawkins la charge d'élever Mary et Kingsley. Lottie a maintenant dépassé la trentaine. Arthur sait que c'est pour lui qu'elle a sacrifié ses années de jeunesse. Aussi la récompense-t-il de son dévouement en lui offrant un séjour de trois mois en Inde pendant l'hiver 1899/1900. Les paquebots qui desservent l'Inde sont surnommés « la flotte de pêche » ; de nombreuses jeunes filles — et des moins jeunes — les empruntent à la recherche d'un beau parti parmi les fonctionnaires du *Raj*. Pour Lottie, il s'agit en principe de tenir compagnie à Innes, mais ce qu'on espérait ne tarde pas à arriver. Arthur est heureux, mais non vraiment surpris, d'apprendre les prochaines fiançailles de sa sœur avec le capitaine Leslie Oldham.

Mary Foley Doyle, quant à elle, continue à résider auprès du Dr Waller dans le Yorkshire, mais ses dernières filles mariées ou en train de l'être, elle dispose désormais de bien plus de liberté pour s'occuper de son fils préféré. Lors de sa première visite à « Undershaw », elle constate que parmi les blasons des familles alliées ou apparentées qui ornent l'entrée, il manque le plus important, à savoir, le sien. Négligence inexplicable, et qui provoque de sa part des commentaires acerbes. L'âge et la surdité aidant, Mary Foley Doyle est devenue encore plus volontaire. Le fait que son fils chéri aille sur ses quarante ans ne l'empêche pas de vouloir régenter sa vie. « *Même à votre âge*, lui écrit-elle, *je représente Dieu sur terre en ce qui te concerne.* » Arthur l'appelle « Mam », diminutif écossais de « maman ». Son biographe officiel, John Dickson Carr, étant américain et donc peu familiarisé avec l'usage écossais, transforme ce « Mam » en « Madame », ce qui donne des rapports entre mère et fils une fausse impression de formalisme. L'absence du blason de Mary Foley Doyle, pour involontaire qu'elle fût, n'en est pas moins symbolique. Malgré tout l'amour qu'il porte à sa mère et toute la déférence qu'il lui montre, c'est bien Arthur et non elle le chef de famille, et il entend mener sa vie à sa guise.

Sa rencontre avec Jean Leckie, cependant, le place dans une situation ambiguë, où il aura plus que jamais besoin du réconfort affectif et de la caution morale de sa mère. Pendant ses années d'errance, il avait souffert d'être chef d'une famille sans foyer ; le foyer est maintenant prêt mais, malgré le soin pointilleux qu'il met à assumer ses devoirs de *pater familias* victorien, malgré tout le plaisir qu'il y prend, sa famille et son foyer ne sont plus vraiment au centre de sa vie. Le point de mire de ses pensées et de ses affections n'est pas « Undershaw », Hindhead, mais Glebe House, Blackheath, le domicile londonien de Miss Jean Leckie.

Depuis le coup de foudre de leur première rencontre, le 15 mars 1897, Jean Leckie n'est jamais absente de son esprit. Elle est tout le contraire de sa femme. Touie est une invalide, Jean une sportive qui chasse à courre. Arthur est un peu plus jeune que son épouse, mais il a quatorze ans de plus que Jean. Touie sort de la moyenne bourgeoisie du Sud-Ouest de l'Angleterre ; Jean est issue d'une lignée de hobereaux écossais qui, comme tant d'autres, croit compter le Rob Boy immortalisé par sir Walter Scott parmi ses ancêtres. Les Leckie, bien qu'installés à Londres, sont de fervents adeptes de l'Eglise presbytérienne d'Ecosse ; Touie et sa famille sont des anglicans non moins fervents. Jean est grande, svelte, les

cheveux châtain clair aux reflets dorés, les yeux verts.
Touie est petite, ronde, brune aux yeux noirs. Jean est
cultivée, passionnée par les controverses littéraires. Touie
n'a aucune prétention intellectuelle, son univers se limite
à sa famille et sa maison. Avant sa maladie, elle n'avait
guère quitté l'Angleterre ; pour elle, l'étranger est toujours
un exil subi à contrecœur. Jean, au contraire, parle le
français, l'italien et l'allemand ; elle a longuement
séjourné à Florence et à Dresde pour y suivre des cours de
chant auprès des meilleurs maîtres européens. A l'époque,
les jeunes filles de bonne famille et d'éducation stricte ne
font pas carrière au théâtre, mais Jean Leckie a une voix
de mezzo-soprane qui vaut celle de bien des cantatrices
professionnelles.

En songeant à cette dimension intellectuelle et culturelle, Arthur écrit à Innes : « *Il y avait tout un côté de ma
nature qui était resté en friche, mais ce n'est plus le cas
maintenant.* » Quand il pense à tout ce qui sépare Touie
de Jean, il est parfois tenté de se rassurer en se disant que
les deux femmes de sa vie sont complémentaires et non
concurrentes.

C'est là un mensonge qui, pour être consolateur, n'en
est pas moins un mensonge, et personne ne le sait mieux,
au fond, qu'Arthur Conan Doyle. Son éducation comme
son caractère le portent à des jugements sans complaisance dans le domaine moral. Il aime Jean Leckie à la
folie, sans pourtant cesser de ressentir une profonde
tendresse pour la femme qui lui a donné deux enfants et
qui partage sa vie depuis dix ans. Toutes les forces de son
être le portent vers Jean Leckie, mais ce serait une lâcheté
égoïste que d'abandonner une épouse exemplaire, et de
surcroît invalide. Le nouvel amour, tellement plus fort
que l'ancien, est venu le surprendre alors qu'il ne le
cherchait pas ; sur ce point, sa conscience est tranquille.
Mais que faire ? Quoi qu'il fasse, et même s'il ne fait rien,
soit Touie soit Jean, sinon les deux, en souffriront. Il y a
dans cet imbroglio inextricable de quoi faire douter de la

bonté de la Providence envers ses créatures. Le Mal, pour
Arthur Conan Doyle, doit toujours servir le Bien. Quel
Bien pourrait découler de cette épreuve sentimentale et
morale ? Justement, ce qu'il faut attendre de toute
épreuve : qu'elle raffermisse la volonté, qu'elle élève
l'esprit, qu'elle purifie le cœur. Arthur Conan Doyle, pas
plus que sa mère, n'oublie les trois têtes de daim sur fond
azur. Noblesse oblige.

Cette affaire est donc d'abord une affaire d'honneur.
Un Doyle n'a qu'une parole, et il l'avait donnée en
épousant Touie ; quoi qu'il arrive, il ne la trahira pas. Il
tient donc d'emblée à établir ses rapports avec Jean
Leckie sur les bases de la plus parfaite clarté. Il respectera
scrupuleusement la lettre, sinon l'esprit, de ses vœux
conjugaux. Tant que Touie vivra, il n'y aura pas de
relations sexuelles entre Jean Leckie et Arthur Conan
Doyle. Et quand son beau-frère Willie Hornung lui fait
remarquer que cette abstinence ne change pas grand-
chose au fond de l'affaire, Arthur, furieux, répond :
« *C'est toute la différence entre l'innocence et la culpabilité !* » Sa conduite n'est dictée ni par un interdit religieux
ni par le respect humain. Arthur Conan Doyle rejette en
bloc tous les dogmes de toutes les Eglises. Tout en voyant
dans la famille la cellule sociale fondamentale, il ne croit
pas à l'indissolubilité du mariage. Dans ces milieux
ploutocratiques où les nouveaux riches — comme lui-
même — se mêlent à l'aristocratie d'ancienne et de fraîche
date, l'adultère est la règle plutôt que l'exception, et
personne n'y trouve à redire, à condition qu'une certaine
discrétion soit observée.

Arthur Conan Doyle ne veut se soumettre à aucune
autorité morale extérieure, mais seulement au sentiment
de l'honneur qui jaillit de sa propre conscience. Son
amour pour Jean Leckie sera donc calqué sur le modèle de
l'amour courtois. Son œuvre ne cesse de vanter la noblesse
du code de chevalerie. Voici l'occasion, non de montrer
aux autres, mais de se prouver à lui-même, qu'il est bien à

la hauteur de ses principes, qu'il est aussi apte que n'importe quel d'Ouilly ou d'Oyley d'antan à supporter les épreuves du chevalier.

Dans *Sir Nigel*, roman de chevalerie entrepris dès 1899, on trouve le dialogue suivant :

— *Vous serez... l'étoile qui me guidera pour m'aider à progresser. Nos deux âmes sont unies dans la conquête de l'honneur. Comment... pourrions-nous reculer, puisque notre but est le même ?*

— *C'est ce qu'il vous semble en ce moment... mais il en sera peut-être autrement lorsque les années passeront. Comment prouverez-vous que je suis effectivement une aide et non une gêne ?*

— *Par mes actions d'éclat... cela vous prouvera que même si je vous aime, je ne laisserai cependant point votre pensée s'interposer entre moi et les actions honorables.*

— *Moi aussi, je fais un vœu... je jure de vous attendre...*

C'est, en substance, l'accord passé entre Jean Leckie et Arthur Conan Doyle.

Reste à régler les modalités pratiques. La clandestinité leur semble indigne d'eux. Ce serait un aveu de culpabilité, et ils ne veulent pas se croire coupables. Mary Foley Doyle et les frère et sœurs d'Arthur d'une part, les parents et les frères de Jean Leckie d'autre part, sont mis au courant des résolutions prises par les amoureux. Tous s'engagent à les aider à les tenir.

Arthur et Jean ne se cachent donc pas ; il leur arrive même de paraître ensemble en public. Ils n'en tiennent pas moins à éviter le scandale. Il ne faut pas que des mauvaises langues ternissent la réputation de Jean Leckie. Il faut surtout que Touie ne se doute de rien. « *Je n'ai rien que de l'affection et du respect pour Touie*, écrit-il à sa mère. *Nous ne nous sommes jamais disputés de toute notre vie conjugale, et je ne la ferai jamais souffrir. Je ne m'explique pas comment j'ai pu te donner l'impression que sa présence m'était pénible. Cela n'est pas vrai.* » Ainsi

que le laisse deviner cette lettre, si la volonté d'épargner
Touie reste entière, le poids de la dissimulation, surtout
pour un homme qui se targue de sa franchise, est parfois
insoutenable.

Ce n'est pas seulement pour protéger leur secret ni
même pour se mettre à l'abri des tentations de la chair
qu'Arthur et Jean ne se voient que rarement, et presque
jamais seul à seule. Ils ont décidé de vivre leur amour
comme une épreuve, et une épreuve n'a de valeur que
dans la mesure où elle est acceptée sans arrière-pensée et
supportée sans faiblesse. C'est même le triomphe sur
l'épreuve qui donne à leur amour tout son sens et qui
rachète, à leurs yeux, ce qu'il comporte d'injustice pour
Touie. S'ils se rencontrent rarement, pourtant ils s'efforcent de rester en communion de pensées. Chaque fois
qu'Arthur prend la parole en public à Londres, Jean
Leckie est dans la salle. Quand il joue au cricket à Lords,
elle se glisse parmi les spectateurs. Sachant qu'elle aime la
chasse à courre, il s'y met aussi, bien qu'il monte mal et
n'y prenne guère de plaisir. Comme elle chante Mozart et
Mendelssohn à ravir, il se procure un banjo et se met,
péniblement et sans le moindre succès, à apprendre des
airs de music-hall, la seule musique qui lui semble à sa
portée. Surtout, ils s'écrivent presque tous les jours, le
courrier passant généralement par l'intermédiaire de
Mary Foley Doyle.

On ne saurait trop insister sur l'importance, pour
Arthur, du soutien moral tant de sa propre mère que de
celle de Jean Leckie. Son enfance lui a donné la certitude
que les mères, garantes de la cellule familiale, sont
porteuses des valeurs morales essentielles. Tant que sa
conduite est cautionnée par les deux mères, sa moralité ne
peut être mise en doute. Pourtant, il a beau être
convaincu de la droiture d'une démarche que Jean
partage avec une même exaltation romantique et chevaleresque, il ne peut s'empêcher de se sentir coupable vis-à-
vis de Touie. Son violent accès de colère quand Connie et

Hornung s'interrogent sur la valeur de l'épreuve qu'il s'impose est révélateur moins de ses certitudes que de ses doutes qui, une fois refoulés, ne peuvent être réveillés sans compromettre son équilibre nerveux. « *Depuis six ans, je vis dans une chambre de malade, écrit-il à sa mère en 1899, et oh, comme cela m'épuise ! Chère Touie ! C'est plus dur pour moi que pour elle. Elle ne s'en doute jamais, et j'en suis très heureux.* » Il est permis de penser qu'Arthur proteste trop. Ce sentiment incontournable de culpabilité, plus que l'abstinence sexuelle ou le poids de la dissimulation, mine sa santé, faisant de ses nuits une suite d'insomnies et de cauchemars. Il s'efforce de vivre une vie normale, mais pendant cette période il n'est jamais loin de la dépression nerveuse.

Il tente de réagir en multipliant ses activités. Activité physique, d'abord, toujours un excellent exutoire pour son trop-plein d'énergie physique et nerveuse. S'il chasse à courre pour se rapprocher de Jean Leckie, il tente de l'oublier dans d'autres sports. « *Du golf et du tennis me maintiendront dans le droit chemin* », écrit-il, se faisant involontairement l'écho de ses maîtres des *public schools* qui s'efforçaient de chasser les pensées impures de leurs élèves à force de douches froides et de courses à pied. Il est vrai qu'Arthur se prescrit aussi, dans le même but, les œuvres d'Ernest Renan. Il s'entraîne régulièrement à son stand de tir, pour le plus grand danger des passants. Il a moins d'occasions de pratiquer le football et le rugby, mais il se rend aussi souvent que possible à Londres pour faire du cricket pour le compte du prestigieux MCC. Il se mesure avec succès au légendaire W. G. Grace, considéré comme le meilleur joueur de tous les temps. Au golf et au tennis, Arthur n'est qu'un amateur doué ; au cricket, il tient sa place, même à quarante ans passés, dans n'importe quelle formation professionnelle. Et le fait de savoir que Jean Leckie est parmi les spectateurs n'est pas pour diminuer son ardeur.

Activité mondaine, ensuite. « *Je ne risque pas de*

mourir de faim », note-t-il en voyant le nombre impressionnant d'invitations à dîner qu'il reçoit. Pour Noël 1898, il donne un grand bal masqué à Hindhead ; les invités se déguisent en personnages tirés de ses romans. Il est assidu aux réunions de l'*Authors' Club,* dont il ne tarde pas à assumer la présidence. Il succède aussi à son voisin Rider Haggard à la présidence de l'*African Writers' Club.* Il multiplie les conférences et lectures publiques partout dans le pays, notamment devant l'*Irish Literary Society* à Londres, où il profite, paradoxalement, d'une conférence sur les mercenaires passés au service des ennemis de l'Angleterre pour plaider en faveur de la réconciliation de tous les Irlandais autour du drapeau britannique. Sir Henry Thompson, chirurgien de renom, invite, le huit du mois, huit personnalités à un dîner de huit plats, servi à huit heures précises. Parmi les convives à ces *Octave Dinners* on trouve le prince de Galles et Arthur Conan Doyle. Il assiste aux grandes manœuvres militaires de 1898 dans la tribune officielle, aux côtés du général Wolesely, commandant en chef des armées impériales. Le prix de ces mondanités est un embonpoint que ses activités sportives ne suffisent pas à enrayer, mais il peut se flatter d'être devenu, comme son grand-père *HB,* un membre à part entière de l'élite londonienne.

Comme toujours, le travail est le meilleur dérivatif. En 1897, il publie un recueil de vers, dont certains seront mis en musique et vendus comme chansons. Arthur Conan Doyle ne s'est pas découvert une vocation de poète ; il sait bien que son talent dans ce domaine est des plus limités. Mais il se targue de son professionnalisme, et un bon professionnel doit être capable de produire une œuvre commercialisable dans tous les genres. Ayant prouvé, avec *Songs of Action,* qu'il sait tourner des vers aussi bien que quiconque, il revient vers des genres plus familiers, la nouvelle et le théâtre.

A la plus grande déception du *Strand,* cependant, il refuse de ressusciter Sherlock Holmes. Holmes lui rap-

pelle une période où il avait délaissé Touie, et maintenant, plus que jamais, il veut se montrer un mari
irréprochable. Mais Holmes ne cesse de hanter son
imagination. En 1896, il avait donné un pastiche au
journal étudiant d'Edimbourg. Les sherlockiens sont
confus d'apprendre que Watson, loin d'être diplômé d'un
grand hôpital londonien, avait fait sa médecine, comme
son créateur, dans la capitale écossaise. L'année suivante,
il se consacre à une pièce en cinq actes ayant Holmes pour
héros. L'acteur-imprésario Herbert Beerbohm Tree se
rend à « Undershaw » pour prendre connaissance de
l'œuvre, attiré par la popularité durable du grand détective. Le nom de Conan Doyle est partout aussi puisque sa
pièce *Waterloo* est jouée à Londres pour le jubilé de la
reine Victoria, et celle qu'il avait tirée du roman de James
Payn est annoncée. Tree, imperturbable devant un Conan
Doyle médusé, déclare son intention de jouer les deux
rôles de Holmes et de Moriarty. Quand Arthur lui fait
humblement remarquer que les deux personnages sont en
scène en même temps, Tree, d'un geste expansif, écarte
l'objection : « *Pour Moriarty, je mettrai une barbe.* »
L'affaire ne va pas plus loin.

Peu après, l'acteur américain William Gillette sollicite
la permission d'incarner Holmes sur scène. Conan Doyle
est bombardé de télégrammes d'outre-Atlantique, car
Gillette veut tout changer. Enfin, de guerre lasse, Conan
Doyle répond : « *Vous pouvez tuer Holmes, ou le marier,
ou tout ce que vous voudrez.* » Gillette ne s'en prive pas.

Au printemps de 1899, Gillette se rend à Hindhead
montrer son texte à Conan Doyle. Celui-ci, venu accueillir
son visiteur à la gare, voit descendre du train un homme
grand et mince, affublé d'une cape et de la fameuse
casquette, une pipe serrée entre les dents et une loupe à la
main. Cette apparition se dirige vers Conan Doyle,
l'enveloppe d'un nuage de fumée, le scrute longuement à
la loupe et finit par s'écrier : « *Un auteur, sans nul
doute !* » Après un moment d'hésitation, Arthur part d'un

grand éclat de rire. Les deux hommes se découvrent bientôt nombre de points communs, dont un intérêt pour le spiritisme. Dès lors, l'autorisation de Conan Doyle ne fait plus de doute. Le Holmes de Gillette n'est pas tout à fait celui de Conan Doyle, mais celui-ci reconnaît en Gillette un authentique homme de théâtre. Pour des raisons de copyright, il y aura une seule représentation à Londres, le 12 juin 1899, et puis Gillette s'en va monter sa pièce à New York. Gillette jouera Sherlock Holmes partout en Amérique pendant trente ans, et avec un succès tel qu'il lui est impossible de jouer autre chose. Pour le public américain, Sherlock Holmes aura désormais la silhouette et la physionomie de William Gillette.

Cette activité théâtrale ne fait qu'encourager le *Strand* à réclamer encore des nouvelles de Sherlock Holmes, mais Conan Doyle persiste dans son refus. Il s'engage, en revanche, à fournir d'autres nouvelles. Il lui faut financer son train de vie et, surtout, se délivrer de ses angoisses. Il n'est pas de ceux qui peuvent impunément mener une double vie. Pour la première et dernière fois de sa carrière, écrire devient une psychothérapie autant qu'une activité professionnelle. Il ne saurait donc être question de se plier à la discipline d'un héros et d'un cadre uniques. Aussi écrit-il à Greenhough Smith : « " *Nouvelles policières* " *ne serait pas une description exacte. Je veux garder les mains très libres, pour pouvoir recourir à une autre source d'inspiration si la première venait à se tarir. A votre place, je ne parlerais pas de détectives ni de Holmes dans l'annonce aux lecteurs. Ce serait pourtant vrai de dire qu'il y aura du mystère et de l'aventure, de l'étrange et de l'épouvante.* » Il y aura surtout du cauchemar.

La trentaine de nouvelles parues entre 1897 et 1900, malgré leur grande diversité, utilisent des thèmes familiers mais qui, dans le contexte affectif du moment, prennent un relief tout particulier. Le coupable est racheté par l'amour d'une femme (*La boîte laquée, Le pectoral du grand prêtre).* Une famille respectable est mise à l'abri du scandale *(La chambre scellée, Le professeur de Lea House).* Si l'on trouve dans la plupart de ces textes ce *mélange de baroque et de tragique qui stimule tant l'imagination populaire (L'homme aux montres),* le thème qui obsède l'imagination d'Arthur Conan Doyle est celui de la trahison. Certes, depuis sa mésaventure chez Budd, il a coutume d'utiliser le mensonge comme ressort de ses nouvelles d'épouvante, mais l'ambiance n'est plus la même dès que c'est lui-même, inconsciemment sans doute, qu'il accuse de mauvaise foi. Le réalisme cru de ses contes de la vie médicale est bien innocent par rapport à la sophistication dans la souffrance qui se révèle dans *Les nouvelles catacombes, B-24, Le chat brésilien, La retraite du signor Lambert* et tant d'autres. On est loin de la bonne humeur, de la formidable santé morale, des cycles Holmes et Gérard; on y trouve, au contraire, une misanthropie malsaine, un parti pris de pessimisme, une morbidité obsessionnelle, une complaisance dans la cruauté psychologique et physique : Arthur Conan Doyle broie du noir.

Pourtant, il n'oublie ni Gérard ni Holmes. Il arrive même, peut-être par réaction, à faire, avec *Comment le brigadier tua le renard* un pur chef-d'œuvre comique. *L'homme aux montres* et *On a perdu un train spécial* font allusion à *un raisonneur amateur jouissant d'une certaine réputation* qui ne peut être que Holmes et qui leur fait cruellement défaut. Ces nouvelles n'ont pas le mouvement, la chaleur, la vie ; bref, cette électricité que produit le couple Holmes/Watson. Ce ne sont que des énigmes, et l'énigme ne suffit pas dans le genre policier.

A l'exception du *Maître de Croxley,* où la boxe se mêle à ses souvenirs d'étudiant désargenté, le code de chevalerie est absent. Sharkey, le pirate dont il conte les méfaits avec une sombre délectation, en est même la négation complète. Ce n'est pas l'exaltation d'une lutte victorieuse contre les puissances des ténèbres qui s'exprime dans son œuvre, mais la mauvaise conscience de sa trahison,

morale et affective sinon physique, vis-à-vis de Touie.
C'était chez lui un article de foi que cette Providence
bienveillante qui guide l'évolution humaine ne permet le
Mal que pour mieux promouvoir le Bien. Cette croyance,
pourtant fondamentale, s'effrite au fur et à mesure que le
temps passe sans la moindre lueur d'espoir d'un dénouement heureux de son imbroglio sentimental. Arthur
Conan Doyle en vient même à douter de la Providence.

C'est ce qui ressort des nouvelles traitant du spiritisme.
Certes, *La main brune* est une histoire de fantômes
classique. Le revenant trouve enfin la paix éternelle une
fois que sa main amputée lui est rendue. La dialectique de
la peur et du réconfort est ainsi respectée. Il en va de
même dans *L'entonnoir de cuir,* qui ne sera publié qu'en
1902. C'est une nouvelle pourtant moins rassurante.
Grâce à la psychométrie, le pouvoir qu'ont les objets
anciens de ramener celui qui les approche à leur époque
d'origine, le protagoniste horrifié assiste à une séance de
torture dans la France du XVIIᵉ siècle. Le seul réconfort
réside dans la supériorité morale, lourdement soulignée,
des temps modernes sur cette époque arriérée, mais la
recherche occulte elle-même est présentée comme source
de danger et de terreur. Or, telle n'est pas l'attitude
habituelle d'Arthur Conan Doyle vis-à-vis du surnaturel.
Son drame affectif relègue à l'arrière-plan les préoccupations scientifiques et religieuses, mais il continue de suivre
les activités de la SPR. Il participe à une enquête sur un
esprit frappeur. Il est persuadé, pendant une séance, de
recevoir une communication du capitaine Dodd, un
officier qu'il avait connu au Caire et qui avait trouvé la
mort au Soudan. Depuis ses premiers tâtonnements, il
croit profondément à la bonté de cette Providence qui
régit l'univers. Ce que pourraient trouver les spirites au
cours de leurs expériences ne pouvait donc qu'être favorable à l'homme. Dans *Jouer avec le feu* (1900), la peur n'est
tempérée par aucun réconfort. Un spirite français — pour
Conan Doyle, la qualité de Français signifie une vive

intelligence dépourvue de sens moral — incite ses collègues anglais à pousser plus loin que d'habitude leurs
recherches. Ce n'est pas un revenant porteur d'un message de paix et de consolation qui surgit, mais une bête
monstrueuse qui sème la panique, la dévastation et la
mort.

Ce dénouement prend tout son sens quand on remarque
que la discussion sur la sagesse de pousser le plus loin
possible la recherche spirite qui sert de préface à la
nouvelle sera reprise, presque textuellement, avec les
mêmes anecdotes et les mêmes exemples, dans *La nouvelle révélation* vingt ans plus tard, mais avec un
jugement de valeur tout différent. L'approfondissement
de la connaissance de l'au-delà sera alors présenté comme
le seul espoir, la seule chance, de l'humanité. Dans *Jouer
avec le feu,* ce même approfondissement, justifié par les
mêmes arguments, n'a que des conséquences tragiques.
Les déclarations chevaleresques qui remplissent ses lettres
à sa mère et à Jean Leckie ne parviennent pas à dissiper
son malaise. La façade de l'auteur à succès, du sportif
insouciant, avait toujours caché une âme plus sensible,
plus inquiète. Vers 1898, Arthur Conan Doyle est pour la
première fois envahi par l'obsession de la mort, une mort
qui ne serait pas un début mais une fin. Il juge utile de
rédiger son testament.

Il ne retrouve une certaine sérénité — le fait est
révélateur de l'homme — que lorsqu'il aborde son
dilemme en face. *Un duo,* roman rédigé dans les trois
derniers mois de 1898, prend pour thème l'amour conjugal. « *Ce n'est pas un conte de fées,* écrit-il, *mais un couple
vivant, avec les faiblesses, tentations et peines qui peuvent
venir tester le caractère et assombrir la vie.* » De 1893 à
1897, il avait erré de pays en pays, d'hôtel en logis
provisoire. Depuis 1897, sa nouvelle et belle maison n'est
pas un vrai foyer, car il ne la partage pas avec la femme
qu'il aime. Dans *Un duo,* les souvenirs de ses meilleurs
moments avec Touie se mêlent à ses rêves d'un hypothéti-

que bonheur futur avec Jean pour fournir la matière de l'histoire d'un couple bourgeois très ordinaire. C'est un récit tendre et drôle, trop sentimental peut-être, mais que H. G. Wells, grand spécialiste des heurs et malheurs de la bourgeoisie, trouve admirable de réalisme et de justesse. Le livre, dont Arthur fait relier le manuscrit pour Jean, garde une place spéciale dans son cœur. « *Dans mon for intérieur,* écrit-il, *je sais que ce n'est pas un échec.* » Cette certitude et cet attachement se rapportent davantage au fond du livre qu'à sa réalisation. Sous les apparences d'une comédie de mœurs d'inspiration réaliste, *Un duo* exprime l'idéal conjugal de son auteur. C'est dans cet esprit qu'il en confie la publication à Grant Richards, un jeune éditeur qui était son voisin à Hindhead. Richards vient, justement, de se marier.

Si H. G. Wells et Conan Doyle aiment le livre, ils sont presque les seuls. Comme avec *Idylle de banlieue,* la critique, habituée à de l'épouvante et du policier de la part de Conan Doyle, a du mal à voir en lui un auteur de comédies de mœurs. Elle juge *Un duo* bien insipide. Un certain Robertson Nicoll, cependant, trouve le moyen de le taxer d'immoralité, ce qui lui vaut une réponse cinglante de la part de Conan Doyle.

Ce Robertson Nicoll est un clergyman littéraire qui publie des chroniques dans une demi-douzaine de revues, tant anglaises qu'américaines. Arthur Conan Doyle saisit l'occasion pour dénoncer les agissements déloyaux de la critique en général. C'est selon lui une activité parasitaire qui, souvent pour des raisons bassement intéressées, s'emploie à fausser les rapports naturels entre l'auteur et ses lecteurs. Cette position, qui est la sienne depuis toujours, n'explique pourtant pas la violence de sa riposte. En fait, Robertson Nicoll n'est que le dernier, après Hall Caine et Max Beerbohm, à essuyer les reproches publics de Conan Doyle. Hall Caine, lui aussi auteur à succès, faisait sa publicité d'une manière que Conan Doyle estimait vulgaire et nuisible à la bonne

réputation de la profession. Max Beerbohm avait eu
l'impertinence de mettre en doute la véracité historique de
certains détails de *Rodney Stone*. Ce sont des vétilles,
mais Conan Doyle réagit avec une agressivité qu'on ne lui
connaissait pas. Le bon gros ours qu'il avait été est en
train de devenir un ours mal léché. Ses enfants, ses amis,
ses domestiques, même parfois sa mère, ont la surprise
désagréable de se voir confrontés à un Conan Doyle
irritable, sarcastique, incapable de supporter la moindre
contradiction. « *J'ai été dans un état très nerveux*, écrit-il
à sa mère, *pardonne-moi si j'ai paru agacé ou discutail-
leur. Tout cela, c'est mes nerfs — et je suis bien plus
nerveux qu'on ne le croit généralement.* » Et au fur et à
mesure que le temps passe sans que son drame sentimental évolue vers un dénouement quelconque, il devient de
plus en plus nerveux. Aussi n'est-il pas mécontent de
trouver de temps à autre un Robertson Nicoll sur qui
passer sa mauvaise humeur.

Comme la thématique d'*Un duo* lui avait permis de
retrouver un certain équilibre, il cherche à continuer dans
la même voie. Pour refouler sa culpabilité, il met en
valeur, dans ses lettres à sa mère et à Jean, l'aspect
chevaleresque de l'épreuve qu'il s'est imposée. Alors,
pourquoi pas un roman de chevalerie, dans le même
registre que *La compagnie blanche* ? A force de raconter
les hauts faits qu'un chevalier s'engage à accomplir pour
gagner le droit d'épouser l'élue de son cœur, il aura
toujours présents à l'esprit des exemples de courage et
d'abnégation qui l'aideront à mieux supporter son propre
drame. C'est dans ce but thérapeutique qu'il se met à *Sir
Nigel*.

A peine a-t-il le temps de dépoussiérer ses vieux cahiers
qu'il doit de nouveau les ranger dans ses tiroirs. Car, le
11 octobre 1899, se déclenche la guerre d'Afrique du Sud.
Cette guerre, si funeste qu'elle doive être, à terme, pour
l'Empire britannique, sera, dans l'immédiat, le salut
d'Arthur Conan Doyle.

Pourtant, il n'avait jamais ressenti pour l'expansion britannique en Afrique du Sud l'enthousiasme impérialiste que lui avait inspiré la conquête du Soudan. Le sacrifice d'un peuple de paysans libres au profit de Cecil Rhodes est bien autre chose que le triomphe de la civilisation moderne sur le fanatisme barbare des derviches. Dès le *Jameson Raid* de janvier 1896, Mary Foley Doyle avait pris fait et cause pour les Boers, et Arthur, bien qu'indigné par les multiples vexations que Kruger fait subir aux Britanniques venus chercher l'or sur son territoire, n'est pas loin de partager l'opinion de sa mère. Le 24 janvier 1899, il avait même présidé une réunion publique à Hindhead où ses voisins W. T. Stead et G. B. Shaw avaient plaidé pour un règlement pacifique du conflit.

Mais quand 50 000 Boers envahissent le Natal, assiégeant les 15 000 soldats britanniques dans des positions improvisées, un réflexe patriotique le fait changer d'avis. En bon Britannique, il estime que le fait que la Grande-Bretagne soit en train de perdre cette guerre, alors que toutes les grandes puissances s'en réjouissent, est une raison plus que suffisante pour que ce soit une guerre juste. L'Empire, seul contre tous, est en danger : il est temps pour tous ses fils de se serrer autour du drapeau. Chacun doit oublier ses soucis personnels — il le fait d'autant plus volontiers que les siens sont graves et inextricables — pour ne songer qu'à la patrie.

Pendant que des renforts, sous les ordres de sir Redvers Buller, s'acheminent vers Le Cap, il estime que c'est en écrivain qu'il peut le mieux accomplir son devoir de patriote. *Sir Nigel* est mis de côté. Il se met à recueillir la documentation pour un livre sur l'Afrique du Sud qui justifiera la Grande-Bretagne aux yeux de l'opinion mondiale. Alors survient la *semaine noire* de décembre 1899 ; à Magersfontein, Stormberg et Colenso, les trois éléments du corps expéditionnaire britannique sont mis en déroute.

Seul à « Undershaw » — Lottie est en Inde, Touie et les enfants sont partis passer l'hiver à Naples — Arthur Conan Doyle, la veille de Noël, décide que l'heure n'est plus à la littérature. Pourquoi se contenter de raconter des actions d'éclat quand on pourrait en faire ? Déjà, il étudie, à son stand de tir, un nouveau dispositif pour les fusils, dispositif dont les services officiels, à sa grande déception, ne voudront pas. Portés par un grand élan patriotique, les fidèles sujets de la reine Victoria s'engagent en masse. Des queues se forment devant les bureaux de recrutement. Ayant lancé un appel en faveur de l'engagement volontaire, Arthur, malgré les objurgations d'une Mary Foley Doyle furieuse, fait la queue avec les autres, pour s'entendre dire, au bout de trois heures d'attente sous une pluie battante, qu'il est trop vieux, et trop bien en chair, pour le service actif. Dans les armées que lord Roberts et Kitchener vont commander en Afrique du Sud, il n'y aura pas de place pour les quadragénaires ventripotents n'ayant aucune expérience militaire. Il a beau faire jouer toutes les relations dont il dispose dans les milieux officiels, rien n'y fait. A son grand désespoir, et à la satisfaction non moins grande de sa mère, l'armée britannique ne veut absolument pas d'Arthur Conan Doyle.

Il apprend alors que des amis fortunés, les Langman, ont l'intention d'équiper, à leurs propres frais, un hôpital de campagne. Arthur est après tout médecin ; pourquoi ne partirait-il pas avec l'hôpital ? C'est une initiative privée, et Langman est libre du choix de son personnel. Mary Foley Doyle a beau pester, Arthur est ravi. « *J'ai plus d'influence sur les jeunes — surtout les jeunes sportifs, les jeunes athlètes — que n'importe qui, sauf Kipling*, lui explique-t-il. *Ce n'est pas moi et mes quarante ans, bien que je tienne une forme aussi grande que jamais ; il s'agit de mon influence sur la jeunesse.* » Il se flatte, en effet, de produire une littérature virilisante et patriotique, et les propos désobligeants du sergent-recruteur l'avaient piqué. Surtout, il avait lancé un appel public ; ce serait déshonorant de ne pas montrer l'exemple. Et puis, il a besoin de s'oublier dans l'action. Il avait manqué son rendez-vous avec le combat au Soudan ; il ne faut pas rater celui de l'Afrique du Sud.

Il n'en reste pas moins qu'il part dans des conditions un peu particulières. L'hôpital Langman comprend trente-cinq tentes, cent lits et les fournitures médicales corres-pondantes. Une trentaine d'infirmiers et d'aides-soignants doivent épauler les médecins. La direction administrative est assurée par Archie Langman, fils du bailleur de fonds. La direction médicale est confiée à Robert O'Callaghan, gynécologue apprécié dans la haute société londonienne, mais dont la spécialité ne semble guère en rapport avec la médecine militaire. Le médecin-chef est Conan Doyle, qui n'exerce plus depuis dix ans et qui n'a aucune expérience en milieu hospitalier. Les docteurs Scharlieb et Gibbs, médecins mondains tous les deux, complètent l'effectif civil. L'armée nomme, à titre d'officier de liaison, le major Drury, un Irlandais arborant une magnifique cirrhose du foie, qu'il entretient amoureusement avec de généreuses libations de whisky. Avant le départ, l'hôpital a déjà son premier malade, déguisé en médecin militaire.

Alors que les Langman et Conan Doyle font leurs préparatifs en Angleterre, on assiste à un renversement de la situation militaire en Afrique du Sud. L'intelligence a changé de camp. Les généraux boers sont de merveilleux tacticiens, mais ils manquent de vision stratégique. Leur première offensive ouvre le chemin du Cap, mais ils perdent leur temps à assiéger les quelques villes sans intérêt encore aux mains des Britanniques. Ils savent gagner des batailles, mais ils ne savent pas exploiter la victoire. Or, le 10 janvier 1900, lord Roberts, avec Kitchener à ses côtés, arrive en Afrique du Sud. Roberts, vieux chef déjà légendaire de l'armée des Indes, est d'une tout autre trempe que sir Redvers Buller. Par une manœuvre brillante, il oblige Cronje et ses Boers à évacuer leur forteresse à Magersfontein, lève le siège de

Kimberly, envoie sa cavalerie, par marches forcées, couper la retraite des Boers vers Bloemfontein, finit par enfermer Cronje dans un camp retranché improvisé à Paardeberg. Les Boers se défendent avec leur opiniâtreté habituelle mais, le 27 février, Cronje doit capituler avec armes et bagages. Buller lève le siège de Ladysmith. En l'espace de deux mois, l'initiative militaire est repassée aux Britanniques.

Ces nouvelles ne sont pas encore parvenues à Londres quand, le 28 février, Conan Doyle et l'hôpital Langman s'embarquent sur *l'Oriental* à Tilbury. Avant le départ, l'effectif est passé en revue par le vénérable duc de Cambridge, qui avait été, pendant quarante ans jusqu'en 1895, le commandant en chef des armées de sa cousine la reine Victoria. Les mauvaises langues disaient qu'alors que d'autres tiraient l'épée pour la défense de l'Empire, le noble duc se contentait de tirer son salaire. Devant l'hôpital Langman au grand complet, l'ancien généralissime ne trouve rien de mieux que de lui reprocher ses boutons non réglementaires. Après le rejet de son dispositif de tir, ce deuxième heurt avec la bureaucratie militaire est de mauvais augure pour la suite. Une fois arrivé à Bloemfontein, le 2 avril 1900, l'hôpital Langman trouvera pire.

Roberts, qui vient aussitôt passer l'inspection, est bloqué à Bloemfontein depuis le 13 mars. Il est harcelé par De Wet et son commando. L'intendance ne suit pas ; il manque de vivres, de munitions, et, surtout, de moyens de transport. Il veut relancer son offensive. Donc, priorité absolue aux besoins strictement militaires. L'hôpital Langman, comme les autres hôpitaux privés et l'hôpital militaire proprement dit, devront assurer leur mission avec les fournitures médicales apportées dans leurs bagages. Roberts n'assurera pas l'approvisionnement.

Tant qu'il ne s'agit que de soigner les blessés de la récente campagne, cela n'est pas très grave. L'hôpital Langman dresse ses tentes sur le terrain de cricket de la ville. Conan Doyle recueille des témoignages pour son livre sur la guerre, échange ses impressions avec les journalistes, sympathise avec un jeune aventurier nommé Winston Churchill. Il organise des parties de football entre le personnel médical et les soldats. Avec ses quarante ans et son embonpoint, il n'est plus en état de faire du football, surtout contre des adversaires dont le jeu est tout sauf technique. Cela commence par lui procurer une entorse au genou, et cela finit par deux côtes fêlées. Il n'aura pas le temps de se soigner.

Le château d'eau qui ravitaille Bloemfontein en eau potable est situé à Sannah's Post, à quelque 50 km. Roberts pense à s'en assurer le contrôle, mais trop tard ; De Wet le devance, et Bloemfontein est privé d'eau courante. Il faut avoir recours aux puits utilisés autrefois par les indigènes. Les services sanitaires ne disposent pas des produits chimiques, déjà en service dans l'armée allemande, permettant de tester la pureté de l'eau. Les soldats sont déjà affaiblis par les fatigues de la campagne et le manque de nourriture. Une épidémie de typhoïde ne tarde pas à se déclarer.

Il y aura mille cinq cents cas environ, entraînant six cents décès. Tous les hôpitaux sont débordés. L'hôpital Langman, prévu pour cent malades, doit en accueillir jusqu'à trois cents. Le directeur, O'Callaghan, ne voyant guère l'occasion de pratiquer la gynécologie, repart pour Londres, laissant à Conan Doyle toute la charge sur les épaules. Le major Drury émerge des vapeurs de l'alcool seulement pour menacer tout le monde, malades et personnel civil, de conseil de guerre. La moitié de l'effectif tombe malade. Heureusement, Scharlieb et Gibbs, aidés par le Dr Schwartz qui arrive du Cap et deux religieuses venues d'on ne sait où, fournissent un travail héroïque, sous la direction d'un Conan Doyle épuisé.

La fièvre typhoïde, à cette époque et dans ces conditions, ne se soigne pas. On ne peut que limiter la contagion, pallier les souffrances des victimes. Etant donné l'impossibilité de se procurer de l'eau pure — celle des puits doit être bouillie et le combustible manque — et le refus de l'autorité militaire d'affecter des moyens de transport à l'approvisionnement en fournitures médicales, les hôpitaux sont démunis de moyens de lutte contre la maladie. Les malades gisent par terre. Le linge sale n'est ni remplacé ni désinfecté. L'hygiène élémentaire ne peut être assurée. Les médicaments viennent à manquer. Un journaliste de passage qui interroge Conan Doyle sur Sherlock Holmes s'étonne de recevoir des réponses vagues et à peine polies. Quand on dirige un hôpital surpeuplé où l'on enregistre jusqu'à quarante décès par jour, on n'a vraiment pas le cœur à causer littérature.

Conan Doyle et ses collègues font une démarche auprès du commandement en vue de réquisitionner des lits, du lait frais, des couvertures, des locaux, pour se voir opposer une fin de non-recevoir péremptoire. Lord Roberts ne veut rien faire qui puisse lui aliéner la population locale.

Même quand il attrape la typhoïde lui-même — heureusement sous une forme atténuée — Arthur est heureux. Devant les souffrances de tant de ses semblables qui n'ont d'espoir qu'en lui, il n'a plus à se poser des questions angoissantes sur sa conduite. Son devoir est clair, et Arthur Conan Doyle n'est rien sinon un homme de devoir. C'est pourquoi il peut écrire à sa mère : « *Il est curieux de constater que malgré les disputes, quelques privations et beaucoup de travail très dur, je me sens si complètement entre les mains de la Providence dans cette affaire, et si certain que j'ai raison d'être ici que l'idée d'être ailleurs ne m'effleure jamais l'esprit.* » Arthur Conan Doyle est un volontaire civil, qui sert à titre bénévole et à ses propres frais. Aucune contrainte légale ne l'oblige à risquer sa vie parmi les malades agonisants à Bloemfontein. Malgré la saleté et la puanteur, malgré son impuissance à soulager les malades autrement que par le réconfort de sa présence, malgré les blessures — il a les côtes plâtrées — et la fièvre qui l'affaiblissent, il reste à son poste jusqu'à la fin de l'épidémie. Mise à part cette résistance à la souffrance dont le soldat britannique est coutumier, la guerre d'Afrique du Sud comptera assez peu de héros dans les rangs des armées impériales, mais l'un d'entre eux sera assurément Arthur Conan Doyle.

Dans les derniers jours d'avril, le général Hamilton reprend Sannah's Post et son château d'eau. Arthur, qui accompagne l'expédition, constate avec dégoût que la puanteur de ce charnier qu'était Bloemfontein se fait sentir à des kilomètres à la ronde. L'épidémie, cependant, est presque finie. Le nombre des décès baisse, la contagion est stoppée. Roberts, ayant refait ses stocks de vivres et de munitions, autorise des convois médicaux. Le vieux chef a hâte de quitter Bloemfontein. Le 1er mai, l'armée reprend sa marche en avant.

Bientôt, l'hôpital n'abrite plus que des convalescents. Sa présence n'étant plus indispensable, Arthur suit l'armée. Après l'atmosphère viciée de l'hôpital, quel soulagement que de respirer l'air pur du *veld* ! Par contraste avec ce mois passé à regarder des hommes mourir dans la boue et l'excrément, la guerre en plein air semble une activité normale et saine. « *Merveilleuse est l'atmosphère de la guerre !* » s'écrie-t-il, pris dans l'euphorie de la marche conquérante de l'armée. Le 30 mai, Roberts entre à Johannesburg. Le 5 juin, Pretoria, capitale du Transvaal, est occupé par les troupes britanniques. Arthur, installé dans le fauteuil même de Kruger pour fumer une pipe méditative, peut penser que la guerre est finie. Il s'apprête donc à regagner l'Angleterre.

Avant de partir, il aura un entretien fort désagréable avec lord Roberts. Malgré la censure militaire, la nouvelle de l'épidémie de Bloemfontein s'est répandue. La presse et l'opinion britanniques se sont émues, des questions ont été posées à la Chambre. Roberts soumet donc Conan Doyle à un interrogatoire serré sur les insuffisances des services sanitaires en général et de l'hôpital Langman en particulier. Or, c'est Roberts lui-même qui avait trop tardé à saisir Sannah's Post, c'est lui qui avait interdit l'approvisionnement en fournitures médicales, lui encore qui avait refusé aux services sanitaires le droit de réquisition ; s'il y a un homme qui porte la responsabilité de l'épidémie, c'est bien lord Roberts. Pourtant, c'est lui qui joue le rôle de l'inquisiteur, obligeant Conan Doyle à prendre celui de l'accusé. Arthur voue une grande admiration au chef dont le talent et l'énergie ont permis de redresser une situation militaire bien compromise. Il ne veut surtout rien dire ou faire qui puisse porter atteinte au moral des troupes ou alimenter la propagande ennemie. Aussi se contente-t-il, en serrant les dents, de s'expliquer sans rappeler les responsabilités de son interlocuteur.

L'incident lui laisse donc une certaine amertume. Ses expériences lui ont appris que l'institution militaire est encore plus injuste, plus inhumaine, plus portée à sacrifier l'intérêt général à ses intérêts corporatistes, que toute autre bureaucratie. Il est plus que jamais persuadé que toute bureaucratie est une vaste machine pour broyer la personnalité humaine. En bon libéral, il tient cette personnalité humaine pour ce qu'il y a de plus précieux au monde. La défense de l'individu contre l'oppression bureaucratique sera désormais l'un des leitmotifs de son action publique.

L'amertume est vite oubliée. S'il n'aime guère l'institution militaire, il voue un culte au soldat britannique. Et plus que jamais, il est convaincu de la justice de sa cause. La victoire britannique est d'abord l'expression des lois de l'évolution : *L'avenir appartient à l'homme du xxᵉ siècle et non à celui du xviiᵉ*. Mais elle représente plus pour Conan Doyle que l'aboutissement inévitable d'un processus historique. Elle doit être aussi la victoire de la vérité sur le mensonge, de l'honneur sur la mauvaise foi. Dans la presse de tous les pays, y compris l'Angleterre, les soldats britanniques sont accablés de tous les vices, accusés de toutes les atrocités. Conan Doyle est scandalisé devant ces calomnies, à tel point que certains, comme le journaliste H. W. Nevinson, qui l'accompagne pendant le voyage de retour, en viennent à douter de sa capacité à évaluer objectivement les faits qui lui sont soumis.

Toujours est-il qu'Arthur Conan Doyle, avant même de débarquer en Angleterre pour affronter une Mary Foley Doyle à la fois soulagée et furieuse, sait que la guerre n'est pas terminée. Il y a toujours un front contre les Boers au Transvaal : il va ouvrir un nouveau front contre la calomnie et le mensonge en Grande-Bretagne. Les ténèbres qui assombrissaient sa vie ont été chassées par le soleil du *veld* sud-africain. C'est un homme nouveau, sûr d'être l'instrument de la Providence, qui va continuer le combat. Certes, il est toujours pris entre la volonté d'épargner Touie et son amour pour Jean Leckie, mais ce drame tout personnel n'est plus une obsession de tous les instants. « *Il y avait quelque chose de chevaleresque malgré tout* », avait-il écrit dans *Le maître de Croxley* à propos d'un combat de boxe. « *Il se battait aussi bien pour d'autres que pour lui-même.* » A force de se battre pour d'autres, Arthur Conan Doyle reprend goût au combat et donc à la vie.

Il avait écrit à sa mère, pour la rassurer, avant son départ en Afrique du Sud : « *Je reviendrai rajeuni de cinq ans.* » Il ne pensait pas si bien dire. Un chevalier ne doit pas laisser la pensée de sa dame le détourner du chemin de l'honneur, sous peine de faillir non seulement à son devoir mais aussi à son amour. C'est pourquoi la situation en ce qui concerne Touie et Jean Leckie lui cause moins de souffrance. Il écrit à sa mère en mars 1901 : « *Comme il est naturel et inévitable, mon âme est toujours un peu déchirée en deux. A la maison, je me surveille sans relâche. Je suis sûr d'avoir toujours été affectueux et attentionné auprès de Touie. La situation est pénible, n'est-ce pas. Jean est un modèle de bon sens et de correction dans toute l'affaire. Il n'y a jamais eu de nature plus tendre ou plus généreuse* ». La situation est pourtant moins pénible qu'avant son départ.

L'heure, en effet, n'est plus à l'introspection. Il ne s'agit plus de résister à la tentation de la chair en se demandant si, malgré cette résistance, l'existence même de son amour pour Jean n'était pas, vis-à-vis de Touie, une trahison impardonnable. « *Jamais amour n'a été mis à l'épreuve comme le nôtre* », s'écrie-t-il. Désormais, l'épreuve ne prend plus la forme de la résistance passive, mais d'un combat à remporter, non seulement sur lui-même mais aussi sur des adversaires nombreux, résolus et puissants. Aussi retrouve-t-il la foi en son étoile et en la Providence. « *J'ai toujours pensé,* écrit-il à sa mère, *que le cours de notre vie était tracé d'avance, et qu'une Providence sait tirer de nous le meilleur de nous-mêmes au bon moment. Je suis toujours à l'écoute d'un tel appel.* » Certes, il souffre de voir Jean si rarement, de ne plus mériter pleinement la confiance de Touie ni partager sans arrière-pensée cette tendre complicité qui avait fondé dix ans de bonheur. Pour ses problèmes personnels, il s'en remet désormais à cet *ange gardien* dont il affirme sentir la présence près de lui ; il n'est plus que l'instrument de la Providence.

Fort de cette conviction, il va vivre six années d'une plénitude extraordinaire. Si, comme il le prétend, *le premier devoir d'un homme est de tirer le meilleur parti de tout ce qu'il porte en lui,* il n'y a pas failli. Revenu en Angleterre le 10 juillet 1900, il termine les quelque trois cents pages de son *Histoire de la guerre d'Afrique du Sud* avant la fin de septembre. Ce n'est pas, à vrai dire, de l'histoire, ne serait-ce que parce que la guerre est loin d'être finie au moment de la parution du livre. Il s'agit plutôt d'un grand reportage fait dans un but de propagande ; le témoignage tourne rapidement au plaidoyer. Trente-huit mille exemplaires seront vendus, au prix coûtant, avant la fin de l'année. Le livre sera traduit en quinze langues et distribué dans tous les pays de l'Europe et des Amériques.

Murés dans « l'isolement splendide », nombreux sont les

Anglais qui estiment qu'il est inutile, sinon humiliant, de s'expliquer devant l'opinion internationale. Conan Doyle a compris qu'avec la montée des pays étrangers dont chacun est un ennemi en puissance pour la Grande-Bretagne, l'époque de « l'isolement splendide » est révolue. L'Empire a besoin d'alliés, donc d'appuis dans l'opinion publique à l'étranger.

La phase des hostilités qui s'ouvre après son retour en Angleterre voit s'intensifier l'hostilité manifestée par l'opinion internationale à l'encontre de la Grande-Bretagne. Pour venir à bout de la guérilla menée par les Boers, Kitchener quadrille le pays de barbelés, brûle les fermes et massacre le bétail, enferme les non-combattants, femmes et enfants, dans des camps où ils meurent par milliers. Conan Doyle n'est pas hostile à cette politique. Il demande même que des prisonniers boers soient transportés à bord des trains pour décourager les attaques menées par leurs compatriotes, sans oublier de faire remarquer, à l'adresse du public allemand, que ce furent les Prussiens qui avaient inventé cette politique. S'il reconnaît la forte mortalité dans les camps, qu'il attribue à l'ignorance de la part des internés de l'hygiène la plus simple, il persiste à vouloir dégager la responsabilité du commandement britannique. Pour ce faire, il rédige, en l'espace de quelques semaines à la fin de 1902, un nouveau livre de deux cents pages environ, *Causes et conduite de la guerre en Afrique du Sud*. Il bénéficie, en plus de sa documentation personnelle, des rapports officiels communiqués tant par le Foreign Office que par les services secrets. Sans le vouloir, et même sans s'en rendre compte, Conan Doyle est devenu un porte-parole officieux du gouvernement. *Causes et conduite,* comme le livre précédent, bénéficiera d'une large distribution internationale, financée par une souscription publique.

Arthur Conan Doyle aura tendance à exagérer l'impact de ses deux pamphlets. Comme toute œuvre passionnée, ils témoignent davantage des convictions de l'auteur que de la justice de la cause défendue. Toujours est-il qu'il s'est astreint à un travail exténuant, sans la moindre récompense financière. Son désintéressement est tel qu'il va jusqu'à exiger la saisie et la mise au pilon de la deuxième édition de *L'histoire* sous prétexte qu'un portrait de lui-même orne la couverture. Il ne recherche ni profit ni publicité mais seulement la satisfaction du devoir accompli.

Ce devoir ne se limite pas à la propagande. Un chapitre de *L'histoire* souligne les faiblesses militaires mises en évidence par la guerre. Il dénonce le manque de compétence et de conscience professionnelle des officiers, dû à un type de recrutement qui interdit la carrière militaire aux candidats sans fortune personnelle — ayant versé d'innombrables chèques en blanc à Innes, il en sait quelque chose —, les insuffisances de l'armement et de l'organisation. Ses critiques sont universelles et irréfutables, et Conan Doyle n'est ni le seul ni le premier à les formuler. Mais il ne se contente pas de dénoncer : il esquisse les grandes lignes d'un projet de réforme militaire. La défense de l'Empire serait confiée à une armée de métier dont les effectifs seraient réduits de moitié et les soldes doublées, de manière à améliorer le recrutement. La défense des îles Britanniques, par contre, serait assurée par une milice populaire, recrutée sur la base du volontariat et entraînée au maniement des armes dès le temps de paix.

Comme il veut donner l'exemple, Conan Doyle organise chez lui, à Hindhead, un club de tir où peuvent s'inscrire toutes les bonnes volontés. Il tient à ce que cette milice s'organise par des initiatives privées, avec l'Etat ne jouant qu'un rôle d'encouragement et de contrôle : « *Moins il y aura d'intervention officielle et mieux cela vaudra.* » On retrouve là sa méfiance à l'égard de toute bureaucratie. C'est ce qui conduira son projet à l'échec. Quelques clubs de tir, à l'image du sien, se fondent çà et là mais, faute d'organisation centrale, ne dureront guère. Les projets de réforme militaire pullulent. Chaque nouveau ministre a le sien, sans parler de ceux élaborés par des amateurs passionnés. Celui qui sera enfin mis en œuvre sous la direction de lord Haldane ne devra rien aux conceptions de Conan Doyle.

Comme il l'avait montré en fondant son club de tir, Conan Doyle ne demande qu'à payer de ses deniers et de sa personne. Or, des élections générales se déroulent en septembre 1900. Le gouvernement conservateur de lord Salisbury doit répondre devant l'électorat de sa conduite de la guerre. Au grand scandale d'Arthur, une fraction importante de l'opinion, dont l'un des chefs de file est son voisin W. T. Stead, réprouve la guerre dans sa conduite et dans son principe, et cela avec une violence verbale qui dépasse tout ce qu'on peut trouver dans la presse étrangère anglophobe. Arthur n'est plus le militant politique qu'il avait été dans sa jeunesse, il se méfie de la politique politicienne. C'est pourquoi il hésite quand, à l'occasion de son premier match de cricket à Lords après son retour, on lui propose d'être candidat. Il lui semble à la réflexion, cependant, qu'il s'agit là d'un appel de la Providence auquel il est de son devoir de répondre.

Il est entendu qu'il se présentera sous l'étiquette de son parti d'origine, le parti libéral-unioniste, et non sous celle du parti conservateur. Pour bien marquer qu'il entend se battre uniquement pour la cause impériale et non pour un programme purement partisan, il demande à affronter le chef des libéraux hostiles à la guerre, dits libéraux gladstoniens, dans son fief à Stirling. Mais l'adversaire de sir Henry Campbell-Bannerman est déjà désigné ; Arthur doit se contenter de cet autre bastion du libéralisme gladstonien qu'est la circonscription d'Edimbourg où il est né. La lutte s'annonce rude. Les gladstoniens sont si bien installés dans la circonscription que lors de l'élection précédente leurs adversaires avaient jugé inutile de présenter un candidat.

En 1900, cependant, le candidat gladstonien, George

MacKenzie Brown, est une personnalité assez terne, qui a, de plus, le handicap, dans ce quartier populaire, d'être un bourgeois richissime, directeur de la grande maison d'édition édimbourgeoise Nelson & Sons. *Dans tout conflit opposant un éditeur à un auteur,* dit le journal local, *c'est l'éditeur qui gagne.* Dans un premier temps, il semble que ce dicton ne va pas se confirmer. Dans son manifeste électoral, Conan Doyle prend soin de se démarquer du conservatisme en affirmant son attachement aux valeurs de *liberté, tolérance et progrès* et en s'engageant à combattre *toute législation partisane ou réactionnaire.* En même temps, il met l'accent sur la cause impériale et le patriotisme ; voter pour son adversaire c'est trahir les soldats écossais qui se battent encore en Afrique du Sud.

Surtout, il mène une campagne active, allant à la rencontre des électeurs dans les ateliers, les bureaux, les jardins publics. Il est un enfant du pays, il sait comment toucher ce petit peuple écossais au sein duquel il a grandi. C'est un excellent orateur. Ses réunions publiques — il en tiendra quatorze en l'espace de trois jours — sont bondées. Le vieux Joe Bell vient à la tribune apporter son soutien à son ancien élève. « *Tout va bien,* écrit Arthur à sa mère. *Nous tenons une lettre qui serait fatale à mon adversaire, mais j'interdis aux miens de s'en servir ; ce serait un coup au-dessous de la ceinture.* » Les pointages le donnent gagnant mais, en fait de coups au-dessous de la ceinture, il va être servi.

Le matin même du scrutin, les murs d'Edimbourg se couvrent d'affiches émanant d'une mystérieuse *Association de Défense Protestante.* On peut y lire que Conan Doyle est un papiste, un laquais du Vatican, un agent des Jésuites, une menace pour la religion protestante et les libertés publiques. Dans cette circonscription presbytérienne où la présence d'une minorité irlandaise aiguise le sentiment anti-catholique, le coup est fatal. Et il survient trop tard pour qu'Arthur puisse expliquer qu'il avait depuis son adolescence rompu avec le catholicisme, à supposer qu'il accepte d'étaler une question si personnelle sur la place publique ou qu'on veuille l'entendre s'il le faisait. Arthur Conan Doyle est battu.

La législation régissant les opérations de vote lui aurait permis de faire annuler l'élection, mais il préfère ne pas y recourir. Il a très sensiblement réduit la majorité de son adversaire et, s'il est battu à Edimbourg, sur le plan national ses idées ont triomphé. L'électorat a confirmé son soutien aux conservateurs et à leurs alliés libéral-unionistes, donc à la guerre en Afrique du Sud. Il se contente, dans les semaines après le scrutin, de présider le banquet de victoire de son ami Winston Churchill et de multiplier les appels en faveur de la réconciliation en Irlande. Comme sa défaite personnelle n'est en aucune manière imputable à une négligence de sa part, il garde la certitude d'avoir fait tout son devoir.

La campagne, s'ajoutant à la fatigue de la rédaction rapide de *L'histoire,* a épuisé Conan Doyle. Il souffre d'une recrudescence de la fièvre entérique qui l'avait frappé à Bloemfontein. En mars 1901, il prend quelques jours de vacances dans le Norfolk en compagnie d'un ami journaliste, Fletcher Robinson. Le temps, froid et pluvieux, interdit le golf. Assis au coin du feu dans les salons du Royal Links Hotel à Cromer, Fletcher Robinson raconte une légende de sa province qui a pour protagoniste un chien diabolique. Arthur Conan Doyle est fasciné.

Les deux amis décident aussitôt de faire figurer cette bête effrayante dans un roman d'épouvante qui aura pour titre *Le chien des Baskerville.* Le projet est soumis au *Strand,* aux conditions financières habituelles. La revue, cependant, ne veut pas d'une collaboration. Fletcher Robinson est un inconnu, il faut le seul nom de Conan Doyle. Avant même de se rendre à Dartmoor pour revoir les lieux où va se dérouler l'action, Arthur désormais seul à faire le livre décide que le héros de ce nouveau roman sera Sherlock Holmes.

Ce projet, en effet, ne risque pas de monopoliser ses énergies au point que Touie puisse en pâtir. Il ne s'agit pas d'une série de nouvelles à livrer à date fixe, mais d'un roman, d'ailleurs court, dont l'idée principale, l'intrigue, le cadre, ont déjà été fournis par Fletcher Robinson. En réalité, le livre est tout fait ; il ne reste plus qu'à l'écrire.

Pour cela, il faut un écrivain, Fletcher Robinson n'en est pas un ; Arthur Conan Doyle, si. Là où le journaliste ne voit qu'une légende folklorique caractéristique d'une certaine région, l'écrivain, instinctivement, devine une allégorie universelle réclamant le décor le plus approprié à sa mise en valeur. Le chien est un symbole du Mal si puissant qu'il faut, pour le vaincre, un personnage tout aussi légendaire. Holmes, grâce à son absence prolongée, a pris, justement, la dimension épique nécessaire.

La décision de faire revivre Holmes n'est pas purement artistique. Cela fait plusieurs années que Conan Doyle n'a plus de grand succès de librairie à son actif. Le temps et l'argent consacrés aux affaires publiques ont compromis l'équilibre de son budget. Ce qui est plus grave, son énergie créatrice semble affaiblie. Il avait bien essayé d'exploiter une nouvelle veine en faisant des récits fiction-nalisés de crimes réels, mais sans succès. Il est assez médecin pour savoir que certains délits relèvent davan-tage de l'hôpital que de la prison, mais la mentalité criminelle en tant que telle ne suscite chez lui ni intérêt ni sympathie. « *Je ne me suis jamais senti moins sûr de ce que je faisais* », disait-il avant d'abandonner l'entreprise. Quand on n'arrive plus à faire du neuf, il faut bien se contenter de l'ancien, surtout quand l'ancien est une valeur aussi sûre que Sherlock Holmes.

Conan Doyle n'ignore pas l'impatience du public améri-cain pour de nouvelles aventures holmesiennes. Il n'ignore pas non plus que la pièce de Gillette, ayant fait un triomphe à New York, doit se donner à Londres à l'automne de 1901. Quelle meilleure occasion pour relan-cer Holmes dans le *Strand* ? En apprenant au journal que

Holmes va faire sa rentrée, Conan Doyle laisse tomber, négligemment, que le prix du manuscrit sera par conséquent doublé. Quand le *Strand* proteste, il lui offre le choix : *Le chien des Baskerville* sans Holmes, au prix normal et convenu, ou bien avec Holmes, au prix fort. Bien dur est le sort d'un directeur de revue qui doit traiter avec un auteur écossais. Greenhough Smith, en maugréant, accepte la deuxième solution. Arthur Conan Doyle devient ainsi l'auteur le mieux payé du monde.

Le *Strand* ne regrettera pas de s'être plié aux exigences de son auteur-vedette. *Le chien des Baskerville* y paraît en feuilleton entre août 1901 et avril 1902, et simultanément aux Etats-Unis. Le succès est immédiat et massif. Il faudra sept tirages du numéro contenant le premier épisode. Pour la parution en librairie, on prévoit un tirage de 25 000 pour la Grande-Bretagne et de 70 000 pour les Etats-Unis. La publication américaine sera différée trois fois ; les presses ne tournent pas assez vite pour satisfaire la demande. En effet, 50 000 exemplaires sont vendus dans les dix premiers jours. C'est un fait sans précédent, et d'autant plus remarquable que la publication en feuilleton est à peine terminée. Conan Doyle ne manquera donc pas d'argent pour investir, soit dans des mines d'or où l'on trouve tout sauf du métal précieux, soit dans des bons sud-africains dont le cours s'écroule aussitôt.

Si *Le chien des Baskerville* est un énorme succès commercial, ce n'est cependant pas la partie la plus réussie du cycle Holmes. On n'y trouve pas la perfection formelle des nouvelles, même si, grâce aux narrateurs multiples, Conan Doyle parvient, mieux que dans les autres romans du cycle, à déjouer les pièges de la construction romanesque. Cette relative cohérence dans l'aménagement du récit n'est acquise qu'au prix de l'absence de Holmes pendant une grande partie de l'action. Sherlock étant par définition un héros de la raison, il ne peut être confronté à un phénomène authentique surnaturel. En même temps, si le chien n'est que

l'instrument innocent de la méchanceté humaine, il perd
une partie de sa charge symbolique. Faire une véritable
intrigue policière, dans ces conditions, relève de la
quadrature du cercle. En tant qu'énigme, donc, le livre,
malgré quelques prouesses de déduction, n'est guère
satisfaisant pour l'esprit, et cela d'autant plus que le faible
nombre de personnages exclut tout suspense véritable
quant à l'identité du coupable. Le dénouement, en effet,
bien que fort bien enlevé, ne peut être à la hauteur de
l'attente que Conan Doyle a su susciter chez le lecteur.

Mais *Le chien des Baskerville,* conçu à l'origine comme
un roman d'épouvante, ne relève pas, en fait, du genre
policier. C'est la plus gothique des histoires de Sherlock
Holmes, ce qui fait à la fois sa force et sa faiblesse. Sa
faiblesse, en raison de l'insuffisance de l'énigme et de
l'absence de Holmes qu'elle entraîne. Sa force, car le chien
est une incarnation du Mal d'une extraordinaire puissance.

La peur du chien est une constante dans la tradition
populaire universelle. La peur des bêtes sauvages est une
peur normale, mais que le chien, animal domestique par
excellence, le plus fidèle et le plus ancien ami de l'homme,
puisse se muer en ennemi, voilà qui fait vibrer une corde
sensible dans l'inconscient collectif. C'est pourquoi la peur
du chien est plus insidieuse, plus angoissante, que celle du
loup. La trahison du chien remet en cause la place que
l'homme s'est octroyée au sommet de la hiérarchie des
espèces, elle le ravale au niveau d'une espèce parmi
d'autres. Et contre cette terreur ancestrale se dresse
l'homme supérieur : Sherlock Holmes, à la fois savant,
artiste et homme d'action, réunissant en sa seule personne
tout ce qui fait la supériorité de la civilisation. Le chien et
Holmes, on ne saurait imaginer de meilleurs symboles
pour un affrontement entre la régression et le progrès,
entre le Mal et le Bien.

Le décor est digne de ce combat héroïque. Le vrai
Dartmoor ne ressemble guère à la lande désolée et

sauvage du roman, mais Conan Doyle, d'ailleurs familier du lieu, ne se soucie pas de faire un traité de géographie. Cette lande, le terrain d'élection d'un monstre diabolique, doit être diabolique, elle aussi. Ces marécages verdoyants et traîtres sur fond d'ardoise noire, ces habitations primitives d'où pourrait à tout moment surgir l'homme préhistorique ou le bagnard tout aussi barbare, cette silhouette noire se découpant sur un fond de ciel étoilé un instant dégagé, ce brouillard épais illuminé seulement par les énormes mâchoires luisantes du monstre ; autant d'images fortes qui donnent à l'action la qualité irréelle et fascinante du cauchemar. *Le chien des Baskerville* ne s'adresse pas à l'intelligence, mais aux sens et aux instincts. C'est une nouvelle preuve du génie d'écrivain de Conan Doyle que d'avoir su, à partir d'une intrigue assez faible, créer, sans appareil conceptuel explicite et par sa seule puissance d'évocation, une allégorie d'une portée et d'une valeur universelles.

Le succès du livre pousse les éditeurs à réclamer, avec une insistance croissante, de nouvelles aventures de Sherlock Holmes. Arthur hésite toujours. Une série de nouvelles serait plus astreignante qu'un court roman. Il a retrouvé sa verve ancienne, mais ne veut pas risquer de la voir s'épuiser à force de répétition. Et puis, il a autre chose à faire.

Pendant que le public se passionne pour les derniers épisodes du *Chien des Baskerville,* Conan Doyle s'enferme dans son bureau à « Undershaw » pour rédiger *Causes et conduite de la guerre,* qui est bien plus important à ses yeux que Holmes. Celui-ci avait du moins le mérite d'avoir fait un peu vendre *Un duo,* qui n'avait eu aucun succès lors de son lancement. Arthur se met donc à tirer de son roman préféré une pièce de théâtre, qui sera présentée à Londres pendant l'été 1902, sans grand succès ; le bonheur familial ne fait pas recette.

Il travaille, en même temps, à une édition de ses œuvres choisies. « *Personne n'a autant sacrifié d'argent à son idéal d'art que moi* », écrit-il à Mary Foley Doyle. Ce ne sont cependant pas ses gros succès de librairie qu'il enlève de cette édition, mais seulement les œuvres de jeunesse qu'un *jugement plus mûr* estime indignes de sa réputation. L'ensemble se regroupe autour des trois piliers que sont le cycle Holmes, le cycle Gérard, et les romans historiques, ces derniers occupant la place de choix. En mettant de l'ordre dans son passé, Arthur signale aussi ses intentions pour l'avenir. Sa période créatrice est terminée ; désormais, il refera, avec plus de maîtrise et de maturité ce qu'il a prouvé qu'il sait faire, mais il ne prendra plus de risques, ni artistiques ni commerciaux. « *Deux fois, déjà, j'ai créé un goût*, avait-il écrit à la sortie d'*Un duo, je vais peut-être y réussir encore*. » Il n'y avait pas réussi, et il n'est pas prêt à renouveler l'expérience.

Quel est cet *idéal d'art* qu'il évoque ? Bien déçu serait celui qui chercherait dans la préface à ces *Œuvres choisies* un manifeste littéraire. Arthur Conan Doyle récuse toutes les doctrines et toutes les écoles. En littérature, il prêche le même éclectisme qu'en religion. Tout dogme, tout sectarisme est à proscrire. Le seul critère d'un bon livre, c'est qu'il retient l'intérêt du lecteur. Seuls méprisent la littérature d'évasion ceux qui n'en ressentent pas le besoin. C'est le plaisir du lecteur, non celui de l'auteur et encore moins celui du critique, qui est primordial. Meredith a coutume de traiter ses lecteurs de *porcs ;* Conan Doyle s'interdit de mépriser son public.

Comme son public, il s'intéresse à bien des choses en dehors de la littérature. Non content d'installer l'électricité — une grande nouveauté pour l'époque — à « Undershaw », il fait construire un monorail à gyroscope dans le jardin, pour la plus grande joie de ses enfants. Il survole le comté en ballon et parle, au grand effroi de Touie, d'un saut en parachute. Le golf, le tennis et le cricket occupent ses loisirs. Il suit des cours de développement musculaire auprès du grand gymnaste Eugen Sandow. Il préside même le jury quand Sandow organise un concours national au Royal Albert Hall. Il siège au conseil d'administration de Raphael Tuck & Cie, fabricant de cartes de vœux, l'un de ses rares placements rentables. Il est très sollicité sur le plan mondain. Le roi le mande à Sandringham pour une représentation de sa pièce *Waterloo* donnée en l'honneur du Kaiser, en présence de la Cour et du Cabinet. Il fréquente Joseph Chamberlain et Arthur Balfour, le nouveau Premier ministre, qui ne reconnaît pas dans l'auteur à succès qui l'entretient de spiritisme le jeune colosse qui faisait le coup de poing lors de certaines réunions à Portsmouth vingt ans auparavant. Il se rend à Birmingham prendre livraison d'une automobile, pensant que les 300 km du retour seront une bonne initiation à la conduite. Heureusement, il ne se produit que quelques incidents mineurs avant qu'il n'apprenne à ne plus confondre frein et accélérateur. Sa Wolseley, un monstre bleu et rouge de douze chevaux, terrorise bientôt le voisinage. En 1904, à la suite d'une erreur d'appréciation, il heurte un pilier à l'entrée d'Undershaw, et la voiture se retourne sur le conducteur. Pendant que Innes cherche du secours, Arthur calcule combien de minutes il faudra pour que le poids brise sa colonne vertébrale. Conan Doyle, qui accumule les amendes pour excès de vitesse, conduit avec le flegme du Dr Watson et l'élan du brigadier Gérard.

Gérard, justement. Voici encore un filon qui est loin d'être épuisé. En avril 1902, Arthur s'offre des vacances chez sa sœur Jane et son mari, Nelson Foley, qui avaient élu domicile sur une île du golfe de Gaëte, au large des côtes italiennes. Il en profite pour parcourir l'Italie depuis la Sicile jusqu'aux Alpes. Venise l'inspire ; il y situe une nouvelle aventure de Gérard. D'autres suivront. Une photographie montre Conan Doyle à Rome, en compagnie de son beau-frère Hornung et de ses confrères en littérature, George Gissing et H. G. Wells. Les trois autres ont un petit air compassé de touristes incertains de l'accueil qui leur est réservé ; Arthur est détendu, rayonnant, heureux. Et pour cause. Ces nouvelles aventures de

Gérard sont aussi enlevées, aussi pleines de rodomontades et de situations cocasses, aussi délicatement suspendues entre le macabre et le rire, que les premières. Le public est ravi de retrouver Gérard, d'abord dans le *Strand,* ensuite au théâtre tant à New York qu'à Londres.

De retour de son périple italien, Arthur aura encore maille à partir avec la redoutable Mary Foley Doyle. L'accord entre la mère et le fils est si profond qu'ils peuvent se permettre le luxe de se disputer sans cesse. Mary Foley Doyle apporte un soutien total à son fils pour ce qui est de ses rapports avec Touie et Jean Leckie, mais elle le harcèle sans relâche sur tout le reste : ses opinions politiques, ses fréquentations mondaines, ses séances spirites qu'elle a en horreur, sa façon de s'occuper — ou de ne pas s'occuper — de ses enfants. Certes, Kingsley est maintenant à Eton, ce qui le met à l'abri des fantaisies paternelles. En revanche, Mary, sous l'œil bienveillant de son père, est devenue la vedette du club de tir de Hindhead. Tirer au fusil avec les soldats n'est pas, selon Mary Foley Doyle, une occupation convenable pour une demoiselle de la bonne société. Maintenant, il y a une nouvelle pomme de discorde. En avril 1902, Buckingham Palace fait savoir à Arthur Conan Doyle qu'en récompense des services éminents rendus au pays pendant et après la guerre d'Afrique du Sud, son souverain reconnaissant entend l'élever prochainement au grade de chevalier.

Son premier mouvement est de refuser. Il avait mis ses talents de médecin et d'écrivain au service de la nation dans un esprit de patriotisme désintéressé ; ce serait dévaloriser son geste que d'accepter la moindre récompense, même honorifique. Il se demande dans son for intérieur — d'autres le diront à grands cris — si ce n'est pas plutôt le retour de Sherlock Holmes qui lui vaut cette distinction. Ce même grade de chevalier est refusé par Holmes dans *Les trois Garrideb,* dont l'action est située en juin 1902, justement. Arthur aurait voulu en faire autant.

Il partage avec sa mère le culte des ancêtres, mais il croit à la noblesse de caractère et non à celle de la naissance. Le libéralisme avancé de sa jeunesse lui laisse un certain dégoût pour les titres. Le seul titre qu'il prise, dit-il, est celui de « Docteur » qu'il avait conquis par ses propres efforts et, il n'oublie pas de le rappeler, les sacrifices de sa mère. Dans une tout autre optique, ce grade de chevalier est bien dévalorisé. Pour les fonctionnaires, c'est un titre conquis à l'ancienneté ; pour les autres, prétend Arthur, non sans un certain snobisme, c'est *l'insigne des maires des villes de province*. Les auteurs qu'il admire — un Meredith, un Kipling — ne sont pas chevaliers. C'est à ce monde-là qu'il veut appartenir, non à celui des notables des province.

Mary Foley Doyle ne veut rien entendre de tout cela. Pour elle, les Doyle sont de la vraie noblesse, injustement déchus de leurs terres et de leurs titres. La proposition faite à son fils, indépendamment de cette guerre d'Afrique du Sud qu'elle abomine, n'est que la réparation tardive et partielle d'une injustice historique. Comme cet argument ne convainc pas son fils rebelle, elle en utilise un autre. L'honneur vient du roi ; ce serait insulter Sa Majesté que de le refuser. Argument spécieux car les nominations sont faites par le Premier ministre, mais qui est repris en chœur par Touie, par Innes, par Hornung et toute la sainte famille. Quand Jean Leckie se met de la partie, Arthur cède enfin. Le 9 août 1902, ayant reçu l'adoubement royal, il devient, de très mauvaise grâce, sir Arthur Conan Doyle. Et quand, à la réception après la cérémonie, il reçoit un télégramme de félicitations adressé à « Sir Sherlock Holmes », la mauvaise humeur se transforme en accès de colère qui confine à l'attaque apoplectique.

Sherlock Holmes, en effet, ne cesse de le persécuter. Les éditeurs exigent toujours de nouvelles aventures. Il avait pourtant pris soin de placer *Le chien des Baskerville* avant *Le dernier problème* dans la chronologie holmesienne ; en principe, Holmes est toujours mort. Au printemps de 1903 arrive une proposition de sa vieille connaissance Sam McClure. Si l'auteur acceptait de faire revivre Holmes pour de bon — donner une explication plausible à cette regrettable affaire aux chutes du Reichenbach — McClure serait disposé à lui verser £25 000 pour six nouvelles, ou £ 30 000 pour huit, ou £45 000 pour treize. Cela pour les seuls droits de reproduction en feuilleton sur le territoire américain, les autres droits venant en sus.

L'offre est tentante, même pour l'auteur le mieux payé du monde, mais sir Arthur hésite. *Le chien des Baskerville* était un petit roman et l'intrigue lui était fournie. Des nouvelles à inventer pour livraison à date fixe, c'est une tout autre affaire. Il se souvient de South Norwood, de l'angoisse de la feuille blanche, de la hantise des échéances, des reproches muets de sa famille délaissée. Maintenant, plus que jamais, sa conscience lui fait un devoir d'entourer et de soutenir Touie. Mais sa mère, avec un empressement sans doute feint, lui conseille de refuser sous prétexte qu'il ne pourrait jamais égaler la qualité des premières nouvelles. Sir Arthur est piqué au vif. « *Je suis toujours en pleine possession de mes moyens,* tonne-t-il. *Mon travail n'est pas moins consciencieux que par le passé.* » Comme le sait fort bien sa mère, il suffit de lancer un défi à sir Arthur Conan Doyle pour qu'il ressente une furieuse envie de le relever. Aussi envoie-t-il à McClure une simple carte postale avec ces mots griffonnés à la main : *Très bien. A. C. D.*

La rédaction s'avère pourtant difficile. Si la première de la série, *La maison vide,* vient facilement, grâce à la collaboration de Jean Leckie, il bute sur les suivantes. Le *Strand,* qui assure la publication anglaise, ne les trouve pas bonnes. Sir Arthur se défend, mais, au bout de trois nouvelles, il fait part à Greenhough Smith de son *extrême réticence* à continuer la série. Mais il a signé un contrat pour treize nouvelles, et un professionnel n'a pas droit aux états d'âme. Il faut tenir ses engagements. Il forme le projet de louer un pavillon de chasse isolé à Montauk, dans l'Etat de New York, pour y passer l'été, dans l'espoir qu'un changement de cadre lui apportera une inspiration nouvelle. Le projet ne se réalise pas, mais il suffit qu'il soit évoqué pour la presse pour qu'il trouve dans son courrier une invitation officielle à la Maison Blanche.

Péniblement, il arrive au bout de sa tâche. « *Je ne voudrais pas faire figurer Holmes dans une énigme qui ne soit pas digne de lui,* dit-il. *Trouver des énigmes, cela me tue.* » Il réutilise donc des astuces qui avaient déjà servi. *Les six Napoléon* ressemble fort à *L'escarboucle bleue,* le dénouement de *La deuxième tache* est identique à celui du *Traité naval.* Il prend également des idées au *Raffles* de son beau-frère Hornung. Conan Doyle n'approuve pas Raffles : « *Il ne faut pas faire du criminel un héros* », dit-il, mais *L'école du Prieuré* et *Charles-Auguste Milverton* doivent beaucoup à Hornung. Les exploits de Holmes, en effet, doivent, pour ne pas décevoir le public, se conformer à la formule mise au point dix ans plus tôt, et qui ne souffre guère de variation. « *Il est impossible,* écrit sir Arthur à Greenhough Smith, *d'éviter une certaine uniformité, une certaine absence de fraîcheur. Tout ce que l'on peut faire, c'est d'essayer de produire des récits que le public aurait trouvés bons et originaux s'il les avait connus avant les autres.* » En cela, il a sans nul doute réussi. Ces treize nouvelles, publiées en librairie en 1905 sous le titre *Le retour de Sherlock Holmes,* ne sont aucunement inférieures à celles des *Aventures* et des *Mémoires.*

Malgré l'uniformité dont l'auteur se plaint, on constate une certaine évolution des personnages. Depuis son retour d'Afrique du Sud, sir Arthur a pris pour secrétaire une vieille connaissance de Southsea, Alfred Wood, qui lui fournit pour Watson un modèle qui est un ami autant qu'un collaborateur. Watson, tout en gardant ses rôles multiples et indispensables, gagne encore en solidité dans la mesure où Holmes lui exprime plus souvent et de manière plus explicite son affection.

Holmes lui-même n'est plus l'intellectuel décadent des années quatre-vingt-dix. Avec le procès d'Oscar Wilde, le dandysme est passé de mode ; la guerre d'Afrique du Sud porte un coup final à la vogue décadente. Holmes prend moins souvent son violon. Sa toxicomanie est plus discrète. Son activité de détective n'est certes pas un vulgaire gagne-pain, mais il s'agit moins de *l'art pour l'art* que du *sport pour le sport*. Holmes est plus que jamais le défenseur de la morale bourgeoise. Comme sir Arthur n'est plus un débutant désargenté mais un auteur confirmé qui fréquente les milieux aristocratiques, l'action se déroule plus souvent dans les hautes sphères de la société. Dans ses rapports avec les grands de ce monde, l'attitude de Holmes est double. Il les juge sévèrement ; le duc de Holdernesse, *un des plus éminents sujets de la Couronne,* est vertement réprimandé. En même temps, Holmes se fait un devoir d'éviter le scandale ; la discrétion est une obligation morale autant que professionnelle. Interrogé par un journal sur le point de savoir quel était le danger social le plus menaçant à l'aube du siècle nouveau, Conan Doyle avait répondu : *Une presse à sensation émotive et irresponsable.* Et comment ne pas voir dans ce souci de discrétion le reflet de ses préoccupations vis-à-vis de Jean Leckie ?

Pour ce qui est de la maîtrise formelle, *Le retour* n'a rien à envier aux recueils précédents. Les déductions de Holmes, les descriptions des personnages secondaires, le jeu de Holmes et de Watson, le décor à la fois réaliste et idéalisé du Londres des années 1890, la dialectique de la peur et du réconfort, bref, tout ce qui fait l'ambiance spécifique du cycle Holmes, est assuré avec un bonheur qui ne se dément pas. Conan Doyle, ainsi qu'il s'en est vanté et malgré ses difficultés, est toujours en pleine possession de ses moyens.

Ses difficultés sont pourtant réelles. Il aimerait mieux se faire arracher les dents que de refaire du Sherlock Holmes. C'est pourquoi il signifie au public, à la fin de la série, que son héros *s'est définitivement retiré... se consacre à la science et à l'apiculture*. L'auteur ne se sent plus tout à fait chez lui dans l'univers holmesien. C'est un univers darwinien, rendu dans des images tirées de la lutte pour la vie qui se déroule dans *la jungle londonienne du crime*. Les criminels sont des bêtes féroces, des rats, des serpents, des loups affamés, alors que Holmes *bondit comme un tigre* ou se voit comparé tantôt à un oiseau de proie, tantôt à un chasseur de fauves. Seule la lutte sans fin contre les espèces inférieures peut conserver cet acquis précieux de l'évolution qu'est une société policée. Et Holmes, du moment où il cesse de lutter contre la régression sociale qu'est le crime, retombe lui-même dans cette régression individuelle qu'est la cocaïne. Si le réconfort l'emporte toujours sur la peur, un frémissement d'inquiétude demeure. L'univers holmesien est toujours pris dans le *cercle de la violence et de la peur* évoqué dans *La boîte en carton,* sans le moindre espoir d'en sortir.

Or, sir Arthur lui-même entrevoit la possibilité de briser ce cercle. Sa résistance à l'épreuve qu'il s'est imposée dans son amour pour Jean Leckie le confirme dans sa foi en une Providence bienveillante qui guide l'évolution de l'humanité vers le Bien. Cette foi est encore subjective et personnelle, mais il croit possible de la transformer un jour en vérité scientifique. Les certitudes spirites de scientifiques aussi éminents que sir William Crookes, Russel Wallace ou sir Oliver Lodge l'avaient vivement impressionné. Il en avait discuté avec Lodge à Buckingham Palace, le jour où ils furent tous deux faits chevaliers. Alors qu'il rédige *Le retour,* il est passionné par le témoignage posthume de son correspondant F. W. Myers, le fondateur de la SPR. Myers y affirme sa certitude d'une intelligence indépendante de la matière, d'une vie après la mort biologique. « *Ce livre est comme une grande racine,* écrit-il à sa mère en octobre 1903, *qui se développera pour devenir un arbre de la connaissance.* » Mais c'est un arbre dont Holmes, ce héros de la science positive, ne peut cueillir les fruits. Aussi sa carrière est-elle définitivement close — c'est du moins ce que pense l'auteur — à la fin du *Retour*.

Avant même que *Le retour* soit terminé, sir Arthur est de nouveau sollicité par Joseph Chamberlain. Celui-ci, inquiet des progrès de l'économie allemande — la concurrence germanique est particulièrement sévère pour la métallurgie de sa ville de Birmingham — s'est fait le champion du protectionnisme, remettant ainsi en cause le dogme du libre-échange qui trône sur la vie politique britannique depuis des décennies. Dans l'esprit de Chamberlain, ce protectionnisme, d'ailleurs modéré, serait assorti d'un système de préférence impériale qui ferait de l'Empire une unité économique comme la guerre d'Afrique du Sud, avec ses volontaires venus du Canada, d'Australie, de la Nouvelle-Zélande, avait montré qu'elle pouvait être une unité militaire. Conan Doyle, persuadé depuis toujours que l'évolution travaille en faveur des ensembles les plus grands, est séduit par ce projet.

Chamberlain lui propose de se présenter de nouveau aux élections parlementaires. Aucune consultation électorale n'est prévue avant 1906, mais il faut du temps pour prendre en main une circonscription. Celle que le parti libéral-unionist attribue à sir Arthur est Hawick Burghs, un ensemble de trois villes écossaises près de la frontière anglaise et assez proche de la demeure familiale de Jean Leckie. Dès l'automne de 1903, il prépare son implantation dans la circonscription. Il y tient de nombreuses réunions, multiplie les articles, politiques et littéraires, dans la presse locale. Il conduit des équipes de cricket, avec des joueurs connus, se mesurer aux clubs locaux. Le rugby eût mieux fait son affaire, car Hawick est l'une des rares villes d'Ecosse où se sport est vraiment populaire mais, à quarante-quatre ans, sir Arthur n'est plus en âge de le pratiquer. Il fait même de la réclame pour une marque de tabac, car cela lui permet d'avoir sa photographie sur les murs. Cet effort en direction des électeurs est entrepris avec réticence, presque avec dégoût. Il veut se placer sur un plan plus noble que la politique politicienne ou la quête de la popularité. Le protectionnisme est une grande cause nationale et impériale ; il veut la traiter avec le sérieux qu'elle mérite. Pendant deux ans, dans les pages des grandes revues à audience nationale, il joute avec les libre-échangistes. En avril 1905, ces articles, surtout consacrés à l'industrie de la laine, qui est la principale activité de sa circonscription, sont publiés en brochure. Cela ne suffit pas pour gagner les bonnes grâce de la population. Pour avoir des chances sérieuses de les remporter, il eût fallu s'installer à Hawick pour se consacrer entièrement aux affaires locales, et cela d'autant plus que son adversaire, le vieux notable gladstonien Thomas Shaw, est réélu régulièrement depuis 1892.

Or, même pour faire plaisir à Chamberlain, il n'envisage pas de quitter « Undershaw » et de délaisser Touie. Il ne veut pas non plus se consacrer entièrement à la politique. Au début de 1904, il reprend le projet de roman de chevalerie interrompu par la guerre d'Afrique du Sud. Il reste ainsi dans l'optique des *Œuvres choisies* ; ce n'est pas un nouveau départ, mais une reprise de *La compagnie blanche*. Mêmes personnages typés, incidents similaires, intrigue aussi décousue, même langue cérémonieuse et archaïque, même pléthore de descriptions minutieuses et superflues. Bref, Conan Doyle, soucieux d'instruire et d'élever l'âme du public, retombe dans le mode scientifique. Il y a quelques notes personnelles. Dame Ermyntrude est un portrait de sa mère. Le jeune héros et la dame de son cœur sont une transposition de lui-même et de Jean Leckie. Mais *Sir Nigel* est moins un roman qu'une visite guidée de l'époque, agrémentée de batailles pour retenir l'attention des distraits. Sir Arthur mesure la qualité de l'œuvre par le sérieux de sa documentation et la pureté de ses intentions. « *C'est ce que j'ai fait de mieux et je ne ferai jamais mieux* », dit-il, exactement comme pour *La compagnie blanche*. Et, comme pour *La compagnie blanche,* la critique, pourtant élogieuse, l'irrite et le déçoit en considérant le livre comme un simple récit d'aventures et non comme une évocation historique.

On lit peut-être *Sir Nigel* de travers, mais on le lit. Sir Arthur avait vendu les droits américains de reproduction en feuilleton pour la coquette somme de $25 000. « *J'aurais préféré une publication en librairie,* remarque-t-il, *mais le feuilleton, dans la mesure où il rapporte quatre fois plus à l'auteur, n'est pas tout à fait condamnable.* » Même si le but didactique n'est pas atteint, donc, *Sir Nigel* est un réconfort pour son amour-propre comme pour son compte en banque.

Il en a grand besoin, car l'élection à Hawick, qui se déroule en même temps que la parution de *Sir Nigel,* porte un coup à l'un comme à l'autre. D'abord parce que le candidat supporte lui-même les frais de sa campagne, ensuite parce que les électeurs de Hawick Burghs ne traitent pas sir Arthur Conan Doyle avec toute la déférence qu'il croit être son dû. Les principes gladstoniens sont aussi bien enracinés que le presbytérianisme à Hawick. Les gens du cru ont la réputation d'avoir les idées étroites et la langue bien pendue. C'est un petit peuple de paysans, d'ouvriers, d'artisans, farouchement indépendants, susceptibles et animés d'un esprit de clocher virulent. Ils n'aiment pas les ploutocrates et les étrangers ; surtout, ils n'aiment pas les Ecossais qui préfèrent vivre en Angleterre.

La campagne électorale s'ouvre donc en janvier 1906, sous les plus mauvais auspices pour Conan Doyle, et cela d'autant plus que l'alliance des conservateurs et des *liberal-unionists* au pouvoir est faible et divisée, alors que l'opposition libérale a le vent en poupe. A chaque réunion, sir Arthur se trouve face à des contradicteurs qui persistent à l'appeler Sherlock Holmes. On lui soumet des énigmes. On le ridiculise en jouant sur son ignorance de la vie locale. Malgré ses dons d'orateur et son sens de la réplique, il n'arrive pas à mettre les rieurs de son côté.

Thomas Shaw, en vieux routier de la politique, évite le débat tout en laissant son adversaire multiplier les maladresses.

Le pauvre sir Arthur n'arrive même pas à placer le débat sur le terrain qu'il avait choisi, celui du protectionnisme. Au contraire, on l'interroge sur les conditions des ouvriers chinois en Afrique du Sud. D'ailleurs, le protectionnisme, assimilé à la vie chère, répugne à une population attachée à la tradition du libre-échange. Thomas Shaw est réélu avec une majorité sensiblement accrue. Sur le plan national, la coalition conservateur/libéral-unioniste subit un véritable désastre. Joseph Chamberlain, victime d'une attaque cérébrale, se retire de la vie publique. Ayant ainsi perdu son mentor aussi bien que l'élection, sir Arthur conclut que la Providence ne le destine pas à une carrière parlementaire.

A la mi-juin, la santé de Touie s'aggrave subitement. Une tumeur se déclare, entraînant une paralysie partielle. Elle s'affaiblit de jour en jour, pour s'éteindre enfin au petit matin, le 4 juillet 1906.

La voie est maintenant ouverte, après une période de deuil convenable, à son mariage avec Jean Leckie. Il eût été normal qu'Arthur, malgré sa tristesse, envisage l'avenir avec sérénité. Il n'en est rien. La mort de sa femme le plonge dans un état de prostration proche de la dépression. Sa seule consolation réside dans la certitude que Touie n'avait rien su de la nature véritable de ses rapports avec Jean Leckie. En quoi il se trompe. Peu avant sa mort, Touie avait convoqué sa fille Mary pour lui dire qu'elle ne devait pas en vouloir à son père de se remarier après sa mort. Touie, si elle ne savait pas tout, avait deviné l'essentiel, et elle n'en avait rien dit, pour ne pas faire souffrir son mari. Les biographes, comme Conan Doyle lui-même, ont toujours sous-estimé la place de Touie dans sa vie et dans ses affections. Pendant vingt ans, et malgré sa maladie, elle lui avait assuré une présence douce, compréhensive et la sécurité affective d'un foyer calme et chaleureux. Elle n'est plus, et Arthur est déboussolé.

Il n'a plus d'appétit, ne dort plus, sombre dans une léthargie morbide. Au Dr Gibbs, son adjoint de Bloemfontein, il déclare : « *Je n'ai pas de symptômes, seulement une faiblesse générale.* » La médecine, en effet, ne lui est d'aucun secours. Il s'agit, sans doute, en partie d'une réaction après toutes ces années où il a fallu faire semblant, mais aussi de la honte qu'il ne peut s'empêcher de ressentir à cause de cette dissimulation. « *J'étais beaucoup dans sa chambre après sa mort,* écrit-il à sa mère, *et, debout, près de son corps, j'étais persuadé que j'avais fait de mon mieux.* » Il a beau s'efforcer de se donner bonne conscience, la question se pose, insidieuse : suffit-il de faire de son mieux ?

Sous le choc de la mort de son épouse, il lui semble que non. Il s'était promis, dès mars 1897, de respecter la lettre de ses vœux conjugaux, et cette promesse a été tenue. Mais, comme Lancelot du Lac, il se croit coupable par la pensée. La lettre n'est rien par rapport à l'esprit. La fidélité du corps rachète-t-elle l'infidélité du cœur ? Pour se donner bonne figure, il s'était pris pour un chevalier sans peur et sans reproche. S'il n'a jamais manqué de courage, dans les semaines qui suivent la disparition de Touie il s'accable de reproches.

Un chevalier se doit d'accomplir des actions d'éclat. Où sont les siennes ? Il a gagné beaucoup d'argent, vendu beaucoup de livres, mais seulement à force de se répéter. Depuis dix ans, il n'a rien créé de neuf. Il a défendu l'honneur de son pays, mais il n'a pas su réveiller l'Angleterre de la torpeur d'autosatisfaction qui la conduit irréversiblement vers le déclin. Ses campagnes pour la réforme militaire et douanière se sont soldées par des échecs. Deux fois il s'est présenté devant les électeurs, deux fois il a été battu. Surtout, le fait d'avoir trahi la confiance de son épouse lui laisse un sentiment de culpabilité lancinant. Les ténèbres dissipées par la guerre d'Afrique du Sud se referment sur lui, au fur et à mesure qu'il se persuade qu'il a démérité par rapport à l'idéal qu'il s'était fixé. Tout le long de cet été 1906, sir Arthur Conan Doyle éprouve le besoin de se racheter.

C'est pourquoi il saute sur l'occasion qui lui est offerte par l'affaire Edalji. Les faits remontent à 1903. Edalji, fils d'un Parsi devenu clergyman anglican, est un jeune notaire accusé, d'une part, d'être l'auteur de lettres anonymes, et d'autre part, d'avoir mutilé du bétail. Ce dernier chef d'inculpation est retenu. Edalji est condamné à sept ans de prison ferme. Ce verdict crée un certain malaise. Roger Dawson Yelverton, ancien magistrat colonial qui, depuis, 1888, préconise la création d'une cour d'appel habilitée à réparer les erreurs judiciaires, lance une campagne en faveur de la révision du procès Edalji dès 1903. Cette campagne, à laquelle Conan Doyle ne prend aucune part, aboutit à la libération anticipée de George Edalji en octobre 1906. Mais il est simplement libéré ; il n'est ni disculpé ni compensé. Edalji clame son innocence dans la presse. Ce sont ces articles qui, en novembre 1906, attirent l'attention de sir Arthur. Pour un chevalier à la recherche de torts à redresser, l'occasion est parfaite.

Sir Arthur prend contact avec Edalji et ses défenseurs. Il se rend sur les lieux du crime, consulte les comptes rendus du procès, interroge les témoins. Les incohérences de l'enquête policière sont flagrantes. Edalji est si myope et de santé si fragile qu'il lui eût été matériellement impossible d'accomplir les gestes qui lui sont reprochés. De même, le Dr Lindsay Gordon, le graphologue qui avait identifié Esterhazy comme l'auteur du bordereau dans l'affaire Dreyfus, affirme qu'Edalji ne saurait non plus être l'auteur des lettres anonymes. Fort de ces preuves, Conan Doyle part en campagne.

Une suite d'articles dans le *Daily Telegraph,* repris dans la presse provinciale, une brochure, une correspondance volumineuse et de multiples démarches auprès des pou-

voirs publics aboutissent à la création d'une commission
d'enquête qui, sans vouloir revenir sur la chose jugée,
recommande la grâce d'Edalji. Ce sera chose faite au
début de 1907. Conan Doyle continue de se battre pour
qu'Edalji soit non seulement grâcié mais innocenté et
compensé de ses trois années de prison, sans parler du
préjudice moral. Les pouvoirs publics s'y refusent; sir
Arthur n'obtiendra plus rien.

La légende, entretenue par les biographes, voudrait que
sir Arthur Conan Doyle, seul et contre tous, ait obtenu la
complète réhabilitation d'Edalji, la condamnation du vrai
coupable et la réforme du système judiciaire anglais. Les
résultats réels sont bien plus modestes. Conan Doyle est
intervenu tard dans l'affaire, quand le plus difficile, la
libération d'Edalji, avait déjà été acquise par Yelverton et
ses amis. Il n'en reste pas moins qu'il a consacré son
temps, ses énergies et son argent à la réparation d'une
injustice, et cela de manière désintéressée, par dévouement au bien public.

Son action dans cette affaire le réconcilie avec lui-
même, le purge de cette honte, d'autant plus pernicieuse
qu'elle est refoulée, niée même au niveau conscient, et
qu'elle empoisonne sa vie. Grâce à George Edalji, il a pu
réussir cette action d'éclat qui chasse les ténèbres et le
rend enfin digne du bonheur.

Son mariage avec Jean Leckie sera célébré par son
beau-frère Cyril Angell en l'église de St Margaret's
Westminster, le 18 septembre 1907.

IX

LE PROPHÈTE

L'Angleterre ne peut plus se passer de ses Irlandais et de ses Ecossais parce qu'elle ne peut se passer d'un minimum de bon sens.

George Bernard SHAW

Sir Arthur Conan Doyle est irlandais d'origine, écossais de naissance et anglais d'adoption. Si nul n'est prophète en son pays, ce n'est pas, dans son cas, faute d'avoir essayé. Il va, en effet, s'efforcer de se faire auprès de ses compatriotes la voix du bon sens. La réforme militaire et celle du divorce, le régime du Congo et celui de l'Irlande, les jeux Olympiques et les erreurs judiciaires, le tunnel sous la Manche et le naufrage du *Titanic,* les sous-marins et les esprits frappeurs ; autant de questions, parmi tant d'autres, qui lui inspirent une irrésistible envie d'éclairer l'esprit public. Il commence par donner son avis si on le lui demande ; il finit par le donner surtout quand on ne le lui demande pas. Son œuvre, sans être engagée, n'est plus seulement une littérature d'évasion ; la fiction devient facilement allégorie. Désormais, son nom se rencontre plus souvent en bas d'une lettre indignée au *Times* qu'en couverture du *Strand.* Les romans sont moins nombreux, dans la liste de ses publications, que les brochures de propagande.

Tout à son bonheur, cependant, il n'imagine pas ce rôle de gardien de la conscience publique au moment de son mariage. Arthur Conan Doyle, les tempes et les moustaches grisonnantes à l'approche de la cinquantaine, aborde, avec une anticipation émue, une nouvelle étape de sa vie. Undershaw recèle trop de souvenirs. Pour commencer sa vie avec Jean, il faut une nouvelle maison. Les Leckie avaient choisi pour villégiature une charmante bourgade nommée Crowborough, à une trentaine de kilomètres des côtes du Sussex. C'est là où il va s'installer, pour que Jean ne soit pas séparée des siens. Arthur entretient les meilleures relations avec sa belle-famille. Son beau-frère Malcolm, médecin lui aussi, est un ami intime. Les propriétés à vendre à Crowborough sont rares, et les agences immobilières bien placées pour le savoir. Sir Arthur doit donc payer la sienne un prix exorbitant. Il n'en a cure ; Windlesham lui convient à merveille.

La maison, exposée au sud-ouest, est perchée en haut d'une colline. De son bureau du premier étage, Arthur peut contempler le paysage vert et vallonné du Sussex qui se déroule jusqu'à la mer. C'est la vue qu'il prêtera à Challenger. Windlesham est une maison encore plus spacieuse qu'Undershaw. Dans la grande salle du rez-de-chaussée, où Jean aura son piano à queue et sa harpe, Arthur ses collections de monnaies anciennes et d'objets napoléoniens, ses livres et son billard, on peut recevoir jusqu'à trois cents invités. La cheminée est à elle seule un salon, où la famille aime à se réunir le soir pour entendre Arthur lire, avec cet accent écossais qui lui est resté, sa dernière nouvelle.

Sir Arthur Conan Doyle, le *self-made man* par excellence, aime vivre sur un grand pied puisqu'il en a les moyens. S'il aime être servi — l'entretien de Windlesham nécessite une nombreuse domesticité — il impose à ses enfants, ses invités et à lui-même le devoir de courtoisie envers les domestiques. Coléreux et généreux, il est d'un abord facile, mais déteste la familiarité. Il discute une heure sans compter avec un clochard rencontré par hasard, mais peu nombreux sont ceux qu'il autorise à l'appeler par son prénom. C'est un imitateur doué et malicieux, ce que ses amis n'apprécient pas toujours. Il est

lui-même l'auteur des meilleurs pastiches de Sherlock
Holmes. De même, *Scènes de Borrow* est une parodie de
l'auteur du même nom. On peut regretter qu'il n'ait pas
exploité davantage ses talents comiques, mais il est tout
pétri d'un profond puritanisme qui doit autant à son
tempérament qu'à son éducation. L'âge et la notoriété
aidant, sir Arthur Conan Doyle se prend de plus en plus
au sérieux.

Ni gourmet ni gourmand, il est assez amateur de
bourgogne, bien qu'il en fasse un usage modéré. En
souvenir des excès de son père, il lui arrive parfois de
s'imposer une abstinence totale, rien que pour se prouver
qu'il en est capable. Sa faiblesse est un tabagisme excessif
et impénitent. Comme Sherlock Holmes, c'est en fumant
force pipes qu'il arrive à bout de ses énigmes. Issu d'une
famille d'artistes, il apprécie la peinture, à condition
qu'elle reste conventionnelle. Il aime les néo-classiques,
abomine les post-impressionnistes. La nouveauté en
matière esthétique lui est inintelligible. Malgré sa femme,
il n'est pas mélomane. Il reste, par contre, un lecteur
vorace. Sa bibliothèque abrite l'une des plus vastes
collections privées d'Angleterre dans le domaine philosophique et religieux, mais il lit tout ce qui lui tombe sous la
main, que ce soit en allemand, en français ou en anglais.

Sir Arthur n'en est pas moins un homme de plein air
plutôt que d'étude. C'est un marcheur infatigable, et la
pluie ne lui fait pas peur. Il préfère sortir au plus fort de
l'orage, quand les autres cherchent un abri, pour mieux
profiter de la tempête. Il pratique toujours le golf et le
tennis. Il fait venir régulièrement un pugiliste professionnel pour qu'il puisse s'entraîner à la boxe. Le boxeur non
averti qui se croit convié à une partie de plaisir récolte
assez de contusions pour se convaincre du contraire. Sur
le ring ou ailleurs, Arthur Conan Doyle n'est jamais un
adversaire commode.

Windlesham respire le solide confort anglais. Les tapis
sont moelleux, les fauteuils massifs et profonds, les étoffes

riches et lourdes. Parmi les meubles et bibelots qui encombrent les pièces, sir Arthur place ses souvenirs ; ici, un harpon du baleinier *Hope,* là un jeu d'échecs, don d'un soldat qu'il avait assisté dans ses derniers instants sur le veld africain. Sur la table de son bureau trône un buste de Sherlock Holmes sculpté par un admirateur. Windlesham n'a pourtant rien d'un musée. Raquettes de tennis, cannes de golf, bottes couvertes de boue et imperméables ornent les meubles et traînent par terre. Le confort l'emporte sur l'esthétique. Il estime que les maisons sont faites pour qu'on y vive et non pour qu'on les regarde. Les jardins aussi ; celui de Windlesham est un lieu de jeux et de promenades et non un lieu saint réservé à la contemplation des visiteurs. Jean aura aussi sa roseraie, qu'Arthur plante avec une énergie telle que son épouse doit lui rappeler que jardinage et excavation sont des activités distinctes et contradictoires.

Windlesham avait coûté cher à l'achat, mais cela ne l'empêche pas d'entreprendre d'importants travaux d'aménagement. Il dépense sans compter, car il est sûr de s'y installer pour la vie. Sa situation financière est pour l'instant florissante et, en cas de besoin, il pourra toujours rappeler Sherlock Holmes de sa retraite l'espace de quelques nouvelles.

Comme les travaux ne sont pas terminés à temps pour leur mariage, Arthur et Jean s'offrent trois mois de lune de miel en Méditerranée. Une longue croisière en mer Egée, coupée d'un séjour en Egypte et d'une visite en Turquie, où Conan Doyle est décoré par un sultan grand amateur de Sherlock Holmes. Ils sont de retour en Angleterre pour fêter Noël en famille dans la nouvelle maison.

Crowborough les accueille à bras ouverts. Jean se partage entre la musique, les bonnes œuvres et la chasse à courre, jusqu'à ce que sa première grossesse l'oblige à se ménager. Arthur, oubliant les centaines d'accouchements de sa jeunesse, est inquiet comme un néophyte. Néanmoins, il fait des conférences devant la *Literary Society,* accepte de présider la fédération locale du mouvement scout. La vie à Windlesham suit un cours serein. La lune de miel ne finit pas avec le retour en Angleterre : « *Elle commença le jour de mon mariage,* dit-il, *et continuera pendant toute l'éternité.* »

Depuis *Sir Nigel,* paru en janvier 1906, il n'a rien écrit. Au début de 1908, donc après deux ans de silence, il se remet au travail, mais sans enthousiasme. Ces quelques nouvelles — dont deux de Sherlock Holmes — ne montrent aucune originalité ni dans le style ni dans les thèmes. Du bon travail d'artisan, sans plus. « *J'ai terminé tout le travail que j'avais en cours,* écrit-il en août 1908, *et sans une forte impulsion, je n'entreprendrai rien d'autre.* »

Et pourquoi donc entreprendrait-il quoi que ce soit ? C'est un homme comblé. Holmes lui assure désormais des revenus importants et une renommée croissante. Depuis quinze ans, les imitateurs sont légion, mais leurs efforts les plus ingénieux ne servent qu'à faire ressortir la supériorité du maître de Baker Street. Des auteurs qu'il admire et qui l'avaient influencé — Bret Harte, Mark Twain aux Etats-Unis, Kipling en Angleterre — font, eux aussi, des imitations de Sherlock Holmes. Les maîtres rendent hommage à l'élève. Et la gloire de Sherlock Holmes ne se limite plus au public anglo-américain.

Les premières traductions françaises remontent à 1896, mais c'est surtout à partir de 1905 que Holmes fait fureur à Paris. Entre 1905 et 1908, différents éditeurs lancent une demi-douzaine de recueils holmesiens sur le marché français. Dès 1906, le Dr Bercher publie *L'œuvre de Conan Doyle et la police scientifique au xxe siècle.* Maurice Leblanc fait entrer un Holmes à peine déguisé — Conan Doyle lui avait refusé le droit d'utiliser le personnage tel quel — dans l'univers d'Arsène Lupin. La presse fait des comparaisons ironiques entre les prodiges de Baker Street et les bévues de la Sûreté. A partir de 1907, et pendant plus de trois cents représentations, Firmin

Gémier triomphe dans le rôle de Sherlock au Théâtre Antoine. « *Nous allons de trucs en trucs avec un ébahissement croissant* », note *La Revue des Deux Mondes*.

Les Français ne sont pas les seuls à être ébahis. La première traduction italienne remonte à 1895. Un journal allemand remarque que Holmes est en passe de devenir la grande figure mythique du xxe siècle, comme Byron avait été celle du xixe. En Espagne, en Russie, au Brésil, les plumitifs du cru, sans trop se soucier des lois du copyright, mettent le grand détective à la sauce locale. Sauce si pimentée, parfois, qu'en 1910 les chemins de fer suisses, croyant y voir une menace pour la morale publique, interdisent la vente des aventures holmesiennes — les vraies comme les fausses — dans les librairies de gare. Conan Doyle a beau protester : Sherlock Holmes jouit d'une existence propre, indépendante de celle de son créateur.

Le cinéma s'est déjà emparé du personnage. Les premiers courts métrages sont réalisés dès 1900 en Amérique. La société française *Eclair* tourne toute une série. Alors que les courts métrages se multiplient tant aux Etats-Unis qu'en Europe, *Samuels & Cie* entreprend le tournage d'*Une étude en rouge* et puis de *La vallée de la peur*. Les acteurs et techniciens qui tournent les aventures de Holmes en extérieur à Bexhill-on-Sea remarquent souvent parmi la foule de curieux un grand monsieur distingué aux moustaches impressionnantes qui semble suivre l'action avec une attention particulière ; ils ne savent pas qu'il s'agit de sir Arthur Conan Doyle. Un public innombrable, partout dans le monde, n'a jamais entendu parler de Conan Doyle mais reconnaît instantanément Sherlock Holmes. Les plus raffinés poussent la sophistication jusqu'à affecter de croire que Sherlock Holmes existe bel et bien, en chair et en os, tout en formulant les plus expresses réserves sur l'existence réelle de sir Arthur Conan Doyle.

Celui-ci ne s'en soucie guère, tant qu'il continue, grâce

à la vigilance d'A. P. Watt, à percevoir ses droits d'auteur. Pendant la première année de son mariage, il est trop plongé dans son propre bonheur pour se soucier de la carrière internationale de son personnage. Windlesham est le théâtre où sa vie se joue, et tout ce qui se passe dans le vaste monde n'est que bruits de coulisse.

Cela ne durera pas. Le deuxième Noël à Windlesham est moins joyeux que le premier. Arthur ressent de violentes douleurs intestinales. On pense d'abord à des séquelles de la fièvre typhoïde dont il avait souffert à Bloemfontein ; il avait déjà subi plusieurs rechutes. Ses médecins se rendent bientôt compte que le mal est plus grave. Le 9 janvier 1909, chez lui à Windlesham, il subit une intervention chirurgicale destinée à dégager le blocage intestinal. L'opération est réussie, mais le malade est très affaibli. Pendant une semaine, les bulletins de santé quotidiens du *Times* font craindre le pire. Jean, enceinte de six mois, est folle d'inquiétude. Il en faut plus pour abattre Arthur Conan Doyle. Rapidement, il reprend le dessus. Le 22 janvier, il est suffisamment remis pour recevoir des visites. Il est assez rétabli pour se disputer avec sa mère sur le prénom de l'enfant qui naîtra le 17 mars. Mary Foley Doyle avait tiré de sa manie généalogique divers prénoms hauts en couleur de preux chevaliers. Arthur et Jean tiennent bon ; leur premier fils s'appellera tout simplement Denis.

L'alerte, pour être brève, avait été chaude. Elle le perturbe assez pour que, dans son autobiographie, il la passe sous silence. Ce bref face-à-face avec la mort déclenche chez Conan Doyle une réflexion sur le sens de sa vie. « *Notre vie conjugale est un rêve*, avait-il noté, *c'est la preuve que notre mariage est béni de Dieu.* » Quand on est, comme il pense l'être, un instrument de la Providence, on n'a pas le droit de vivre dans un rêve. Il ne peut se contenter d'un bonheur qui ne serait que privé et personnel.

Sir Arthur a maintenant derrière lui cinquante années

d'une vie bien remplie. Il a beaucoup lu et médité, beaucoup voyagé, beaucoup acquis d'expérience des hommes et des choses. Il a conquis de haute lutte la fortune et la gloire. La Providence, en lui gardant la vie sauve, vient de marquer combien elle compte sur lui pour accomplir ses desseins. Grâce à cette même Providence, il a trouvé avec Jean son propre bonheur; son devoir est maintenant de faire, autant qu'il est en son pouvoir, celui de l'humanité.

Telle est l'explication de son engagement dans les affaires publiques qui ne cessera de s'affirmer au cours des années à venir. Ces multiples causes et campagnes absorbent son temps, ses énergies et sa fortune. Elles ne lui rapportent rien, sauf une publicité dont, en tant qu'auteur, il n'a nul besoin. Il ne s'agit pas non plus d'un désir de sortir de l'ombre de Sherlock Holmes. Il est vrai que ce n'est jamais Conan Doyle qui mêle le nom du détective à son action publique, même si ses adversaires n'y manquent pas, vrai aussi qu'il accorde rarement le moindre intérêt aux milliers d'énigmes que lui soumettent ses lecteurs. Il se contente, quand il daigne répondre, d'une formule de politesse sur une carte postale sans timbre, pour que le lecteur importun prenne à sa charge les frais postaux. S'il mène une enquête dans le cadre d'une campagne contre une erreur judiciaire, ce n'est pas pour prouver qu'il sait faire dans la réalité ce qu'il fait faire à son personnage dans la fiction. Conan Doyle n'a aucune envie de se faire passer pour Sherlock Holmes. Il ne ressent pas non plus, à l'égard de sa création, l'antipathie que la légende lui prête. Il sait bien que c'est Holmes qui lui vaut l'attention de la presse et du public. En ce début du xxe siècle, le rôle joué aujourd'hui par les vedettes du grand et du petit écran revient aux auteurs à succès. Même s'il lui arrive parfois de céder à l'illusion selon laquelle le public aime les vedettes pour ce qu'elles sont et non pour ce qu'elles font, il considère l'audience que la notoriété lui confère comme une charge publique et non comme un hommage personnel. Ainsi, Conan Doyle convalescent se met à l'écoute de la Providence.

Un premier appel lui est déjà parvenu, mais il n'y reconnaît pas la voix de la Providence. Le numéro du *Times* qui a relaté son opération a rapporté aussi un fait divers banal : le meurtre d'une vieille dame à Glasgow. La police arrête un juif silésien Oscar Slater, de son vrai nom Joseph Leschzner. Sa condamnation est si peu convaincante qu'une pétition en faveur de sa grâce recueille vingt mille signatures. La peine capitale est commuée en travaux forcés à perpétuité. Les avocats, se souvenant d'Edalji, sollicitent l'intervention de Conan Doyle. Celui-ci refuse. L'innocence de Slater n'est pas établie. C'est un individu peu recommandable, à la différence d'Edalji. Slater, apatride sans feu ni lieu, est bigame, joueur, escroc au petit pied, proxénète à ses heures. Sa personnalité inspire à Conan Doyle, lui inspirera toujours, une profonde répugnance.

Et puis, en juin 1909, il a autre chose à faire. Il monte, au Lyric Theatre, une pièce tirée de *La tragédie du Korosko*. Les comédiens sont engagés, les décors en place. Il est en train de diriger les répétitions. Sa présence à Londres est indispensable, et voilà qu'on lui demande de tout laisser tomber pour s'en aller à Glasgow s'occuper d'un individu qui n'en vaut pas la peine. Décidément, la Providence ne veut pas qu'il s'intéresse à Slater. En quoi il se trompe. Sa pièce connaîtra un succès modéré. Il sera floué par un associé et perdra des sommes considérables, qu'il ne pourra récupérer que plus tard, après le suicide du coupable. Et Oscar Slater reviendra empoisonner son existence.

Quand sa pièce quitte l'affiche, sir Arthur est enfin libre de prendre le repos que ses médecins avaient conseillé à la suite de son opération de janvier. En septembre, donc, il part avec Jean pour une croisière au large du Portugal. Ce n'est sans doute pas seulement pour chercher un climat plus doux qu'il vogue vers le sud, mais aussi un repos qu'on ne trouve plus en Angleterre. Dès l'été 1909, en effet, s'ouvre une crise politique et sociale qui ira en s'aggravant jusqu'à la Grande Guerre.

Le triomphe électoral du parti libéral lui permet de réaliser son programme. Le libéralisme n'aura donc plus de raison d'être. En allant au bout de leurs principes, les libéraux vont acculer les conservateurs à une opposition qui confine à la sédition, sans pour autant satisfaire les nouvelles forces politiques et sociales dont les revendications vont bien plus loin que ce que le libéralisme peut offrir. Les libéraux auront ainsi à faire face à une guerre sur deux fronts. D'une part, une Chambre des pairs résolue à ne rien céder de ses privilèges héréditaires et une dissidence protestante en Ulster encouragée par les conservateurs, armée par l'Allemagne, soutenue par l'armée. D'autre part, un nationalisme irlandais qui ne se contente plus du *Home Rule* enfin obtenu, un mouvement syndical militant, voire révolutionnaire, des suffragettes qui ont choisi la violence. L'obstruction parlementaire menée tant par les ultras conservateurs que par les Irlandais, les grèves nombreuses, longues et dures qui se succèdent sans rémission, les attentats commis par les suffragettes, ont ceci de commun qu'ils sont symptomatiques de l'agonie de cette valeur libérale fondamentale qu'était la recherche de compromis négociés entre interlocuteurs qui se respectent autant qu'ils respectent les règles du jeu politique. Ces gouvernements libéraux — les derniers que connaîtra la Grande-Bretagne — qui font face tant bien que mal à l'anarchie politique et sociale, président à l'apogée et, en même temps, à l'éclatement, de ce consensus autour des valeurs libérales qui régit la vie publique britannique depuis le milieu du XIXe siècle.

Sir Arthur Conan Doyle est né et a été élevé dans ce consensus libéral, qui pour lui est synonyme de civilisation. En effet, Conan Doyle est un libéral ; libéral *unionist* il est vrai, mais libéral tout de même. Par attachement à l'union avec l'Irlande et à l'Empire, il s'était battu contre le libéralisme gladstonien en 1900 et en 1906, mais l'alliance électorale avec les conservateurs n'a jamais été, pour lui, un ralliement. Les ennemis du gouvernement libéral — les privilèges de la naissance et de la fortune, le sectarisme protestant, le séparatisme irlandais, l'agitation sociale, le féminisme militant — que sir Arthur accueille avec une incompréhension apoplectique qui lui vaudra du purin dans sa boîte aux lettres — sont aussi les siens. Il combat en tant que franc-tireur et non en tant que soldat enrôlé sous la bannière des troupes gouvernementales. Il se trouve ainsi dans la situation d'un auxiliaire d'une garnison assiégée qui, parti faire une sortie en terre ennemie, trouve à son retour la forteresse en ruine.

A l'origine de son libéralisme se trouve la foi en une évolution bienfaisante conduite par une Providence qui a bien voulu amener la Grande-Bretagne et son Empire à la pointe du progrès humain. Il s'agit donc de défendre l'acquis de cette évolution, sans oublier que, par définition, elle n'est pas terminée. La société britannique est perfectible et, comme il l'écrit dans le *Daily Mail* (20/6/12) *progressivement, dans le respect de l'ordre et de la Constitution* doit être perfectionnée. Il va s'y employer.

La défense de la mission civilisatrice de l'impérialisme sera sa première campagne. En 1909, il prend connaissance, grâce à E. D. Morel, fondateur de la *Congo Reform Association* des atrocités commises par l'administration de Léopold II, roi des Belges. Le Congrès de Berlin avait donné le Congo à Léopold, à condition d'y instaurer la liberté commerciale et d'œuvrer pour la promotion des populations indigènes. Des témoignages de missionnaires et, surtout, une enquête menée sur place par un consul britannique, Roger Casement[1], montrent qu'il n'en est

---

1. Casement, Roger (1864/1916). Consul britannique, Casement se fait remarquer par son action humanitaire en faveur des indigènes du Congo et des Indiens de l'Amazonie. Rallié à la cause de l'indépendance de son Irlande natale, il se rend en Allemagne au début de la Grande Guerre pour tenter de recruter, parmi les prisonniers de

rien. Léopold se réserve le monopole du commerce et, pour augmenter ses bénéfices, instaure au Congo un véritable règne de terreur. « *Nous sommes en présence,* annonce sir Arthur dans le *Times* (18/08/09), *du crime le plus énorme de l'histoire.* » Il reprend les mêmes termes dans une lettre-circulaire adressée à une soixantaine de journaux américains. Fort de la documentation fournie par Morel et Casement, il s'enferme dans son bureau à Windlesham. On laisse ses repas sur un plateau devant la porte ; il lui arrive de ne pas y toucher pendant trois jours. Son livre *Le crime du Congo* paraît en octobre 1909. Sir Arthur exploite son retentissement en faisant, avec Morel, une série de réunions publiques dans les grandes villes de province et en Ecosse.

Si, dans cette affaire, Conan Doyle est excessif, emporté, parfois injuste, c'est que l'enjeu dépasse les considérations humanitaires ; il s'agit de la moralité de l'impérialisme. La seule justification de celui-ci est le devoir, pour les peuples évolués, d'aider ceux qui le sont moins. La recherche du profit, bien qu'en soi légitime, doit toujours rester secondaire par rapport à l'objectif principal qu'est la promotion matérielle et morale des peuples soumis. Une Grande-Bretagne qui n'agirait pas pour faire cesser le scandale du Congo se montrerait indigne de sa propre mission impériale. Elle aurait cessé d'évoluer vers un niveau supérieur de civilisation pour entamer une régression vers la barbarie. Et si tel était le cas, alors toute l'idée que Conan Doyle se fait de l'ordre de l'univers s'effondre.

La mobilisation de l'opinion le rassure sur la santé morale de ses compatriotes. Il reste cependant persuadé que la société britannique, si évoluée qu'elle soit, ne s'est

---

guerre, une Légion irlandaise qui se battrait aux côtés des Allemands contre la Grande-Bretagne. Les Allemands, constatant son échec, le renvoient en Irlande, où il est aussitôt arrêté. Il sera condamné à mort pour haute trahison.

pas encore dégagée des survivances d'une étape antérieure et inférieure. Comme toujours, ce sont les Eglises, avec leur prétention de soumettre la société civile à des Livres saints millénaires, qui font obstacle au progrès. Cela ne lui semble nulle part plus évident que dans le domaine du divorce. En 1909, sir Arthur prend la présidence de la nouvelle *Divorce Law Reform Union,* présidence qu'il gardera dix ans. Son pamphlet *Divorce Law Reform* (1909) sera suivi de nombreuses interventions dans la presse. Il s'agit d'abord de libérer la société civile du joug des Eglises, ensuite d'établir entre hommes et femmes l'égalité devant le divorce. Sir Arthur se considère comme un féministe ; c'est pourquoi les agissements des suffragettes le scandalisent. La politique n'est pas assez importante à ses yeux pour que les femmes y perdent leurs énergies au détriment de leur rôle essentiel, qui est d'assurer la pérennité de la cellule familiale. Une femme enchaînée à un homme qui, par folie, alcoolisme irréversible ou désertion, s'est montré indigne d'être le père de ses enfants doit avoir la liberté de fonder un nouveau foyer. Le divorce vient ainsi au secours de la famille.

En réclamant la libéralisation du divorce, Conan Doyle pense sans doute à ses propres parents, mais il ne plaide pas, *a posteriori,* son propre cas. Jamais un seul instant il n'avait pensé à divorcer d'avec Touie, et son projet de réforme ne lui eût d'ailleurs pas permis de le faire. Dans ce domaine, sir Arthur est en avance sur son époque ; il faudra vingt-cinq ans pour que toutes ses thèses passent dans la législation.

Son activité de pamphlétaire et de tribun ne l'empêche pas de poursuivre son œuvre, mais celle-ci est plus que jamais le reflet de ses préoccupations morales. Il reprend *La maison des Temperly,* la pièce qui avait inspiré *Rodney Stone*. Il veut, certes, innover en matière théâtrale mais, surtout, il persiste à croire la boxe *une chose excellente du point de vue national*. Pendant les répétitions, il est invité à arbitrer le championnat du monde poids lourds qui doit opposer, le 4 juillet 1910, à Reno, Nevada, le boxeur noir Jack Johnston à l'ancien champion Jim Jeffries, *le grand espoir blanc*. Son premier mouvement est d'accepter. Il faudra toute l'éloquence de Mary Foley Doyle, discrètement appuyée par Jean, pour l'en dissuader. Dans un combat qui déchaîne les passions raciales, la seule personne susceptible de faire l'unanimité, mais contre elle, serait l'arbitre. Sir Arthur se résout à se consacrer à la boxe sur scène à Londres et non sur le ring en Amérique.

Il insiste pour que les combats dans sa pièce soient de vrais combats. Les figures tuméfiées qu'arborent les acteurs à la ville comme sur scène suffisent à convaincre les sceptiques. La pièce connaît un succès de scandale qui n'est pas durable. Le public féminin veut des intrigues sentimentales et non des échanges de coups. La pièce se donne devant des salles à moitié vides avant d'être condamnée par le deuil national qui suit la mort du roi, survenue en mai 1910.

Cet échec est grave. Avec ses nombreux décors et ses quarante-trois comédiens, *La maison des Temperly* avait coûté une fortune. Le seul bail du théâtre s'élève à £600 par semaine. Même l'auteur le mieux payé du monde ne peut supporter des pertes de cette importance. En cas de problème financier, sir Arthur sort l'arme absolue : Sherlock Holmes. Quinze jours après la fin de *La maison des Temperly,* il fait jouer une pièce tirée du *Ruban moucheté*. Malgré la léthargie du boa constrictor qui joue le rôle du serpent, il y aura cent soixante-neuf représentations, suivies par des tournées en province. Sir Arthur rentre dans ses fonds. Les quelques aventures holmesiennes écrites à cette période répondent, en effet, à un souci financier plutôt qu'à une impulsion artistique. « *Holmes mourra vraiment le jour où je ne me sentirai plus à la hauteur* », écrit-il à Greenhough Smith. Ce jour semble proche. Ces nouvelles ne figurent pas parmi les meilleures. Elles sont écrites à des mois, voire des années d'intervalle. A aucun moment, il n'entre pleinement dans l'univers holmesien; il se contente de reproduire une formule qui avait fait ses preuves. Son imagination est ailleurs.

La vie à Windlesham continue calme et sereine. Jean aura un deuxième fils, Adrian, en 1910, et une fille, Jean, en 1912. Les choses ont bien changé depuis son mariage avec Touie. Pour Mary et Kingsley, qui fait maintenant sa médecine à Lausanne, Arthur avait été un père distant et sévère qui voyait dans la paternité un devoir autant qu'un plaisir. Pour les trois enfants de son deuxième mariage, le père victorien se transforme en papa-gâteau qui invente des jeux et des histoires et supporte les caprices avec une bonne humeur constante. Les enfants Conan Doyle seront bien choyés; trop, peut-être.

Avec leurs camarades, ils mettent dans la maison une ambiance joyeuse et bruyante, à laquelle s'ajoutent les allées et venues des parents et amis. L'hospitalité des Conan Doyle est généreuse et chaleureuse. A condition d'être ponctuels à l'heure des repas, les enfants, comme les invités, vont et viennent à leur guise, font ce qui leur plaît. Surtout à la belle saison, Windlesham en vient à ressembler à une auberge espagnole. Sir Arthur aime cette ambiance décontractée, mais il a de plus en plus de mal à travailler chez lui. Quand la cabane qu'il se fait construire dans un coin retiré du jardin n'offre plus une réclusion suffisante, il se fait conduire en voiture dans quelque ville lointaine, d'où il rentre par le train; il aime écrire dans les trains. En désespoir de cause, il se réfugie dans un club londonien ou dans une chambre d'hôtel quand il lui faut la paix pour un entretien important ou pour terminer un travail urgent. Cela se produit de plus en plus souvent. Il apprécie d'autant plus le bonheur qu'il connaît en famille qu'il a moins de temps pour y goûter. C'est dans ce bonheur, autant que dans son sens du devoir, qu'il puise les forces pour mener à bien et son œuvre et ses campagnes. Pendant ces années d'avant-guerre, en effet, sir Arthur Conan Doyle va déployer une activité prodigieuse.

Le spectacle affligeant des luttes qui déchirent le pays en l'affaiblissant lui font craindre pour l'intégrité de l'Empire qui est, pour lui, le grand espoir de l'humanité. Cette crainte va désormais inspirer son œuvre et son action.

En septembre 1911, il annonce sa conversion au *Home Rule* pour l'Irlande, revenant ainsi sur le principe qui avait déterminé son engagement politique en 1885. En réalité, ce n'est pas lui mais les circonstances qui ont changé. L'*Unionism* n'avait jamais signifié pour lui que l'Irlande appartient à l'Angleterre, mais que les deux pays font également partie, avec l'Ecosse et le pays de Galles, de l'Empire britannique. La montée du séparatisme irlandais, qu'il avait suivie dans sa correspondance avec Casement, l'incite maintenant à penser que le *Home Rule* est la seule concession susceptible de garder l'Irlande, au même titre que le Canada et l'Afrique du Sud, dans le giron de la grande famille britannique. Il est trop loin des réalités irlandaises pour comprendre ou même imaginer — le nationalisme exalté de Casement lui semble un signe de folie — les passions qui déchirent ce pays, mais le sacrifice d'un principe qui lui est si cher depuis si longtemps est une preuve supplémentaire, s'il en fallait, de la sincérité de ses convictions impérialistes.

Ces mêmes convictions le conduiront, en 1912, à faire partie de la commission organisée par le magnat de la presse lord Northcliffe afin d'éviter que la déconfiture des athlètes britanniques aux jeux Olympiques de Stockholm ne se reproduise aux jeux suivants, prévus pour Berlin en 1916. Sir Arthur prend lui-même la présidence d'une fédération d'athlétisme, mais n'arrive pas à convaincre les multiples organisations sportives d'unir leurs efforts. Il a beau répéter qu'il est illogique de demander aux peuples soumis de se battre pour les couleurs britanniques dans les guerres coloniales tout en leur refusant le droit de défendre ces mêmes couleurs dans les compétitions sportives, ses collègues ne veulent pas d'une équipe impériale.

La commission connaît de graves difficultés financières. La présence de Northcliffe lui attire l'hostilité des autres journaux. Découragé, sir Arthur se retire de l'affaire. Les jeux de 1916 n'auront pas lieu, les peuples ayant alors d'autres soucis ; sir Arthur ne les regrettera pas.

Il sera d'ailleurs aussitôt absorbé par un rebondissement de l'affaire Slater. L'inspecteur Trench, de la police de Glasgow, révèle que ses collègues avaient suscité de faux témoignages. L'immoralité incontestée de Slater passe dès lors au second plan. Il s'agit bien d'une erreur judiciaire, sciemment provoquée par la police, avec la complicité des magistrats. Comment la Grande-Bretagne peut-elle servir d'exemple si ses institutions ne sont pas exemplaires ? La presse anglaise s'intéresse à l'affaire ; Conan Doyle ne peut refuser de faire de même. Sa brochure *Le cas d'Oscar Slater* paraît en 1912. La justice écossaise, cependant, n'aime pas que les Anglais se mêlent de ce qui ne les regarde pas. La campagne de presse à laquelle sir Arthur participe aboutit, en 1914, à une commission d'enquête qui aura pour mission de blanchir policiers et magistrats, mission qu'elle remplira à la lettre. Trench est chassé de la police. L'affaire Edalji avait déjà appris à Conan Doyle l'obstination du pouvoir juridique quand il s'agit de défendre la chose mal jugée. Les magistrats écossais sont encore plus entêtés que leurs homologues anglais. Sir Arthur a beau dénoncer cette *farce juridique,* il lui faudra encore treize années pour obtenir satisfaction.

Si l'Empire est menacé de l'intérieur par les scandales, il l'est aussi de l'extérieur, par l'Allemagne. Rien ne l'avait choqué, à son retour d'Afrique du Sud, autant que l'anglophobie allemande. L'hostilité de la France, après Fachoda et les commentaires acerbes de la presse anglaise à l'occasion de l'affaire Dreyfus, était compréhensible, mais il voyait dans l'Allemagne une nation parente et amie. Il est persuadé que les pays germaniques et protestants du Nord de l'Europe sont plus évolués que les peuples latins et catholiques du Sud. La philosophie et la littérature allemandes avaient formé sa jeunesse. Comme toute l'Europe, il voit dans l'éducation allemande, la science et la médecine allemandes, des modèles de modernité et de progrès. C'est lentement et à contrecœur qu'il se persuade que toute cette merveilleuse organisation sera bientôt tournée contre l'Empire britannique.

Il avait appuyé l'Entente cordiale, et cela d'autant plus qu'il partage la francophilie de sa mère. Ainsi, l'amiral Caillard et ses officiers, venus visiter la base navale de Portsmouth en 1905, seront reçus en grande pompe à Undershaw. En 1911, le prince Henri de Prusse propose un rallye automobile anglo-allemand en symbole d'amitié entre les deux nations. Sir Arthur, automobiliste émérite, est invité à y participer. Il en retire la certitude que l'Allemagne prépare la guerre.

D'abord, c'est au beau milieu du rallye que le *Panthère* arrive à Agadir. Le rallye ne serait-il qu'une diversion destinée à détourner l'attention anglaise d'une agression contre son allié français ? Sir Arthur a peine à le croire. Pendant la partie britannique du parcours ses soupçons se transforment en certitudes. Les officiers allemands postés dans chaque voiture se montrent bien curieux, surtout en ce qui concerne les ports et les fortifications. Comment mieux préparer une invasion qu'en faisant parcourir le pays par un groupe d'officiers d'état-major ? Sir Arthur avait facilement sympathisé avec les Autrichiens à Feldkirch, mais l'officier prussien est un type humain qui lui inspire la plus vive antipathie. Certes, les Anglais gagnent le rallye ; piètre consolation s'ils devaient par la suite perdre la guerre.

Sir Arthur n'installe pas à Crowborough un stand de tir analogue à celui qui servait de centre pour le recrutement de volontaires à Hindhead, mais il continue à réfléchir aux moyens d'assurer la défense du royaume sans prélever sur les effectifs réduits de l'armée d'active. Lord Roberts, soutenu par Rudyard Kipling, réclame la conscription. Sir

Arthur, pour sa part, s'en tient au vieux principe britannique que le service militaire obligatoire en temps de paix, loin d'être, comme en France un devoir du citoyen, est au contraire une atteinte à la liberté du sujet. Ces bataillons de cyclistes et d'automobilistes que sir Arthur imagine, soldats amateurs et occasionnels qui feraient la guerre à leurs moments perdus, ont quelque chose de touchant et de dérisoire. Sir Arthur sent bien l'approche de la guerre, mais ne s'imagine pas les formes qu'elle va prendre. Baden Powell, en fondant le mouvement scout, avait pensé à une préparation militaire pour les enfants. La préparation militaire que sir Arthur aimerait voir s'organiser, toujours avec le moins possible d'intervention de l'Etat, ressemble fort à du scoutisme pour adultes. L'hécatombe de 1914-18 n'aura rien de commun avec la guerre d'Afrique du Sud. Comme tout le monde, sir Arthur, se croyant en avance, retarde d'une guerre. Le choc n'en sera que plus traumatisant.

Rudyard Kipling avait refusé de participer à la campagne contre les atrocités du Congo de peur de pousser la Belgique dans les bras d'une Allemagne plus forte, sur les plans militaire et naval, que la Grande-Bretagne. « *J'aimerais que vous vous occupiez de cette question de la Marine*, écrit-il à Conan Doyle en septembre 1909, *et que vous me rassuriez* ». Conan Doyle va, en effet, s'occuper de la Marine, mais il ne va rassurer personne. Kipling s'inquiète bien tard, car en 1909 la réforme navale est en bonne voie. Dès 1903, l'amiral Fisher, constatant que ses navires étaient *trop faibles pour se battre, trop lents pour s'enfuir,* entreprend, avec les *Dreadnought* un programme de modernisation qui, après sa retraite en 1909, sera poursuivi par Winston Churchill.

Conan Doyle n'en est pas moins parmi les premiers à comprendre que la Grande-Bretagne est vulnérable à une guerre de course menée contre son commerce maritime, non par des bâtiments de surface mais par des sous-marins. Le sous-marin n'est pas une arme nouvelle ; la

Royal Navy en possède déjà quatre-vingts, mais on n'envisage pas de l'utiliser massivement contre des objectifs non militaires.

En réponse au général von Bernhardi, sir Arthur publie dans la *Fortnightly Review* de février 1913 un grand article : « *La Grande-Bretagne et la prochaine guerre.* » Il y affirme que le seul moyen de ravitailler le pays en cas de guerre, étant donné l'impossibilité pour les marines marchande ou militaire de passer et encore moins de lever un blocus sous-marin, serait un tunnel sous la Manche. L'opinion britannique n'est pas disposée à écouter ce message. Elle est trop attachée à son insularité, trop fière de sa suprématie maritime pour croire qu'elle puisse être si facilement atteinte. Sir Arthur est sommé de s'expliquer — en privé — par les autorités militaires, mais il ne parvient pas à secouer la léthargie de l'opinion.

Pour y parvenir, il écrit une nouvelle, *Danger,* qui ne paraîtra qu'au printemps de 1914. Il y montre comment une poignée de sous-marins pourrait en quelques semaines mettre l'Angleterre à genoux. Sir Arthur est admirablement renseigné sur le plan technique, mais *Danger* est une fiction. Les experts ne manquent pas d'en souligner les lacunes, les invraisemblances, les simplifications. La guerre sous-marine à outrance, en réalité, semble exclue pour des raisons moins techniques que morales. Les conflits armés sont encore soumis à des règles. La guerre totale qui n'épargne ni civils ni neutres n'est pas encore acceptée, pas plus par Conan Doyle que par les amiraux distingués qui lui objectent que le blocus sous-marin n'est pas *fair-play*. Etant romancier spécialisé dans l'épouvante, sir Arthur est habitué à se demander ce qui adviendrait si un tabou était transgressé. C'est son imagination de romancier et non sa technicité de stratège en fauteuil qui lui permet d'atteindre la prescience extraordinaire de *Danger*. Quand la guerre sous-marine à outrance sera décrétée, les autorités allemandes se feront un malin plaisir d'attribuer la paternité de cette stratégie universellement jugée immorale à ce chantre de la justice et de l'humanité qu'est sir Arthur Conan Doyle.

Quand sir Arthur dresse le bilan de ses nombreuses campagnes, dont on n'a cité que les plus marquantes, force lui est de constater que les résultats sont maigres. Rarement a-t-on déployé autant de fougue, noirci tant de pages, pour obtenir si peu. Il s'occupe de trop de causes pour pouvoir se donner à fond à chacune d'entre elles. Il est trop impulsif pour établir une hiérarchie dans le choix de ses engagements. Il veut agir sur l'opinion, c'est-à-dire sur la presse, mais ce n'est pas la presse qui gouverne la Grande-Bretagne. La seule action efficace est celle menée par un gouvernement animé d'une forte volonté politique et soutenu par une majorité parlementaire. Echaudé par ses échecs électoraux — il refusera en 1916 de se présenter au siège attribué aux universités écossaises — il ne veut être qu'un franc-tireur, libre des ambitions mesquines et des compromis sordides liés à l'exercice du pouvoir. Ce souci d'indépendance le condamne à une influence inter-mittente et inefficace.

Pour un homme qui croit à l'évolution, rien n'est permanent, tout doit changer. Sir Arthur ne peut cependant imaginer que l'Angleterre libérale évolue vers autre chose que davantage de libéralisme. Et voilà que l'impo-sant édifice libéral s'écroule sous les coups de butoir du séparatisme irlandais, du syndicalisme ouvrier, du mou-vement féministe. Il le constate en le déplorant, mais il est incapable de comprendre pourquoi. Aussi est-il souvent réduit à des réactions épidermiques. Le naufrage du *Titanic* lui inspire ce sentiment typiquement britannique qui consiste à transformer les désastres en triomphes de l'héroïsme face à l'adversité. Sa rhétorique emphatique sera cruellement détruite par la logique impitoyable et sarcastique de George Bernard Shaw. L'Anglais moyen préfère sans doute avoir tort avec Conan Doyle plutôt que d'avoir raison avec Shaw. Il n'en reste pas moins que l'idéal auquel sir Arthur se réfère, celui d'une Angleterre

stable, unie, prospère et tolérante qui, grâce à son vaste
Empire et en collaboration avec une Amérique qui lui
ressemblerait, conduirait l'humanité dans sa marche vers
le progrès sous les applaudissements admiratifs des peuples unanimes et reconnaissants, est une pure illusion qui
s'évanouit au moindre contact avec la réalité du xxᵉ
siècle. L'Angleterre libérale, qui se nourrit plus ou moins
inconsciemment de la même illusion, est en train de
mourir. Quelque chose en sir Arthur Conan Doyle mourra
avec elle.

Ne sachant comment expliquer les bouleversements de
l'époque, il les attribue à un accès de folie collective. Ainsi
note-t-il dans son journal en juillet 1912 : « *L'une des
caractéristiques bizarres de l'époque actuelle est une vague
de folie artistique et intellectuelle.* » Folies la philosophie
de Nietzsche, l'esthétique des futuristes italiens, l'art des
post-impressionnistes français. Folies aussi le fanatisme
nationaliste d'un Casement et les attentats des suffragettes, folies les grèves d'un syndicalisme qui croit bâtir la
prospérité de l'ouvrier sur les ruines de l'économie nationale. « *Il faut*, écrit-il, *autant qu'on le peut, barrer la
route à la folie.* » Telle sera, en effet, la consigne dans sa
vie publique. Il ne peut cependant éviter la question qui
surgit à tout esprit nourri de darwinisme : cette folie
collective signifie-t-elle la fin de l'évolution vers le progrès
et le début d'une régression vers la barbarie ?

Cette sombre interrogation domine les nouvelles écrites
en 1910-11 et qui seront recueillies en volume sous le titre
La dernière galère. Sir Arthur les place au premier rang de
son œuvre à cause des recherches historiques qu'elles
avaient exigées. Depuis sa visite à Constantinople, il est
passionné d'histoire ancienne. Il n'y a pas de site romain
ou saxon entre Crowborough et la mer qu'il n'ait arpenté
en long et en large à la recherche d'objets pour sa
collection. Ces nouvelles, cependant, relèvent plus de
l'allégorie que de l'évocation historique. Elles sont le fruit
d'une réflexion sur la fin des Empires dans laquelle Rome

et Byzance servent de métaphore pour le déclin de l'Empire britannique. Certaines sont en prise directe avec l'actualité. Ainsi, *La dernière galère* illustre ses thèses sur la préparation militaire, *La fin des légions* montre la nécessité pour les peuples soumis de la protection impériale. *L'arrivée des Huns* est un titre assez explicite pour se passer de commentaire. Des épisodes de l'histoire ancienne servent d'exemples de la désagrégation sociale et politique qui se produit quand le souci du bien public disparaît au profit des ambitions personnelles, quand les lois consacrées par la tradition cèdent devant le fanatisme religieux. Le ton est sobre et réaliste, l'ambiance y est sombre. L'image dominante est celle de la foule qui grouille dans la nuit que les flammes éclairent soudain. En dépeignant la chute de Rome et de Byzance, sir Arthur imagine, non sans un frémissement d'épouvante, la décadence de l'Angleterre.

Son tempérament est trop positif, trop lutteur, pour qu'il se donne entièrement à une méditation sur le déclin et la mort. Comme l'actualité lui offre peu de raisons d'espérer, il nourrit son optimisme de ses souvenirs de jeunesse. Il a maintenant dépassé la cinquantaine. C'est un moment de la vie où le passé, embelli par la nostalgie, s'offre comme un refuge contre les malheurs présents et à venir. Edimbourg ne sera jamais si présent dans son esprit et dans son œuvre que pendant ces années où il rumine la fin des empires. Dans ses souvenirs d'étudiant, il puisera l'inspiration d'un dernier et magnifique élan de créativité ; Edimbourg lui donnera Challenger.

Le point de départ est cependant tout autre. Le 3 mai 1910, Conan Doyle doit prendre la parole à l'occasion d'un banquet offert par le Royal Societies Club à l'amiral Peary, le vainqueur du pôle Nord. Sir Arthur tourne son compliment en forme de complainte ; les explorateurs, à force de dévoiler les mystères de la planète, privent les malheureux romanciers de leur dernière ressource, celle des pays inconnus. Il se rend compte alors que les pays inconnus sont justement une ressource qu'il n'avait jamais exploitée. Il avait puisé dans les mystères de la science et de l'histoire, mais non dans ceux de la géographie. En guise de témoin de son goût pour les faits scientifiques et historiques, le dernier objet de sa collection trône sur son bureau : un moulage d'empreintes d'iguanodon qu'il avait découvertes au fond d'une carrière près de Crowborough. D'où l'idée de combiner zoologie et géographie en une seule et grande aventure scientifique qui en plus lui permettra de montrer les mécanismes de l'évolution à l'œuvre.

La zoologie et l'anatomie faisaient partie de ses études médicales, la botanique aussi, mais non la géographie physique. Où donc situer son pays inconnu ? Sir Arthur pense d'abord au Congo, car il dispose de la documentation abondante fournie, dans un tout autre but, par Morel et Casement. Celui-ci, cependant, est en partance pour le Pérou, en mission officielle. Il s'agit d'enquêter sur les activités de la Putumayo Amazon Rubber Cie qui pratique en Amazonie les mêmes méthodes que Léopold II au Congo. Conan Doyle ne participe guère à la campagne en faveur des Indiens du Putumayo. L'Amérique latine relève de la sphère d'influence américaine, et la Monroe Doctrine n'a pas de partisan plus zélé que sir Arthur. Mais l'Amazonie, étant encore plus mystérieuse que le Congo, fait admirablement son affaire pour son roman. Il emmène donc Casement voir Sherlock Holmes à l'Adelphi Theatre, puis le convie à dîner à son club. Casement, intimidé et mal à l'aise, s'étonne d'être pressé de questions sur la topographie de l'Amazonie. Solitaire et sensible, Casement trouve sir Arthur trop envahissant ; il préfère que leurs rapports restent épistolaires. En effet, parmi les rares lettres qui lui parviennent en Amazonie se trouve un message de sir Arthur qui lui résume l'intrigue du roman en réclamant plus de précisions sur la flore et la faune. Entrepris donc dès 1910, *Le monde perdu* subit des modifications sensibles avant la rédaction, en automne 1911.

Il s'agissait, d'abord, d'envoyer des explorateurs découvrir en Amérique du Sud un plateau qui aurait échappé à l'évolution des espèces, où les hommes et les animaux préhistoriques mèneraient encore la lutte pour la vie. Si *Le monde perdu* en était resté là, ce ne serait pas autre chose qu'un traité de préhistoire agrémenté de quelques aventures romanesques. Mais en mettant à jour ses connaissances, il se surprend à rêver à l'époque de son initiation scientifique à Edimbourg. Peu importe que cette initiation ait été subie comme une corvée plutôt que vécue comme une aventure intellectuelle. Le Conan Doyle de 1875-80 n'était qu'un étudiant besogneux ; celui de 1911 est un romancier. Aussi va-t-il passer insensiblement du mode scientifique au mode romanesque. Ce sont le jeu des personnages, la mise en valeur des thèmes et non les faits scientifiques qui feront du *Monde perdu* un chef-d'œuvre.

Nombreux sont ceux qui ont vu en Conan Doyle un pionnier de la science-fiction. L'influence du *Monde perdu* sur le genre n'est pas contestable, mais rien n'était plus loin des intentions de l'auteur. Pour sir Arthur, il s'agit d'un roman historique d'un type particulier. L'historien s'appuie sur des documents mais, pour la préhistoire, aucun document ne vient apporter les informations que Froissart fournissait pour *Sir Nigel*. Pour la préhistoire, les documents sont les fossiles, les silex, les fouilles, complétés par les sciences naturelles comme, d'ailleurs, les sciences sociales viennent éclairer les témoignages écrits. Il s'agit donc d'un roman historique où les sciences naturelles remplacent les documents. Les descriptions du *Monde perdu* et de ses habitants sont aussi exactes et détaillées que le permet la science de l'époque.

Sir Arthur introduit une dimension supplémentaire qui manque cruellement à ses romans historiques classiques, celle du changement. En effet, *Micah Clarke, La compagnie blanche, Sir Nigel* ne sont que des évocations. Les personnages bougent, l'intrigue se dénoue, mais le cadre historique reste immobile. Dans *Le monde perdu,* on voit l'évolution à l'œuvre. Deux populations se disputent le

plateau : une tribu primitive mais humaine et les
hommes-singes. Ces derniers, ni tout à fait hommes ni
tout à fait singes, sont ce *maillon manquant* dans la chaîne
évolutive postulée par la science de l'époque. Le code
chevaleresque voudrait que les explorateurs aident les
plus faibles. La responsabilité scientifique leur fait un
devoir d'aider les plus forts, afin de faire progresser
l'humanité. Grâce aux explorateurs, les hommes-singes
seront vaincus et exterminés.

On a reproché ce carnage à Conan Doyle. C'est mal
comprendre la leçon du livre, leçon apprise, voici trente
ans déjà, dans les pages de Winwood Reade. Pour qu'elle
fasse évoluer l'humanité, la lutte pour la vie doit être
impitoyable. Les guerres, les massacres, en garantissant
la survie des plus forts, l'élimination des plus faibles, sont
les instruments du progrès. Epargner les hommes-singes,
ce serait trahir la vérité scientifique et historique. Si ses
valeurs morales sont aux antipodes d'un certain « darwinisme social », sir Arthur Conan Doyle n'est rien sinon un
auteur darwinien.

Il est aussi bien plus que cela. *Le monde perdu* est un
roman historique où l'historien se mue en scientifique ;
c'est aussi un roman de la recherche scientifique. De
même que le cycle Holmes vaut moins par les énigmes que
par la démarche qui conduit à la solution, *Le monde perdu*
tire son attrait de l'abnégation de deux vieillards qui
s'exposent à tous les dangers pour faire avancer la
connaissance. Le livre prend la forme d'une recherche de
trésor, mais le seul trésor qui intéresse les protagonistes
est la vérité scientifique, vérité qui ne peut être établie que
par la méthode expérimentale. Summerlee ne croira à la
survie d'animaux préhistoriques que sur preuves ; Challenger, reconnaissant la légitimité de son scepticisme,
s'engage à les fournir. D'où leur folle équipée à travers
l'Amazonie. Encore plus que le cycle Holmes, *Le monde
perdu* fait jouer le romantisme de la science. Et comme
l'essentiel du cycle Holmes réside dans le couple Holmes/

Watson et le décor de Baker Street, le meilleur du *Monde perdu* se trouve dans le jeu des personnages et les réunions publiques mouvementés qui ouvrent et clôturent l'aventure.

Les personnages sont au nombre de quatre. Malone, le journaliste sentimental et idéaliste dont les dépêches forment le récit, est Morel du *Congo Reform Association*. Lord John Roxton, dont le courage, l'adresse et le savoir-faire tireront le groupe de bien des situations inconfortables, est une transposition fictive de Roger Casement. Outre leur rôle dans les mécanismes du récit, ces deux personnages ont pour fonction, par leur sens pratique, de faire ressortir l'absorption intellectuelle des professeurs Summerlee et Challenger.

Summerlee, avec son physique desséché, son conservatisme méfiant, son esprit corrosif, est un portrait du professeur Christison, le grand toxicologue qui, pour des générations d'étudiants d'Edimbourg, était devenu une légende vivante bien avant la fin de sa très longue carrière. Son rôle dans le livre est de faire contrepoids, de montrer au lecteur et les petitesses et la grandeur de Challenger.

Celui-ci tire son nom du navire au bord duquel Wyvill Thomson, professeur d'histoire naturelle à Edimbourg, avait mené, au début des années 1870, l'un des plus grands voyages d'exploration océanographique du XIXe siècle. Son physique, avec une tête énorme et une grande barbe carrée, est celui du professeur d'anatomie, William Rutherford, dont l'assurance en chaire allait de pair avec une timidité maladive dans la vie privée. Les contradictions et contrastes que Conan Doyle donne à Challenger ne sont pas tout à fait ceux de son modèle. Challenger est égoïste en public, généreux en privé. Il accueille les journalistes à coups de pied, il est la tendresse même pour son épouse. Intellectuellement, il est le cerveau le plus évolué de l'univers ; physiquement, il est le parfait sosie du roi des hommes-singes. Avec sa voix tonitruante et ses rages incontrôlables, il est excessif en tout, sauf dans son dévouement à la science, où Conan Doyle estime que l'excès doit être la norme. Challenger n'est pas un héros conventionnel ni même sympathique ; c'est encore un point commun avec Holmes, surtout celui d'*Une étude en rouge*. Sa dimension héroïque, l'abnégation scientifique, est mise en valeur par le côté souvent pédantesque de son érudition, son amour-propre chatouilleux, l'échange incessant de sarcasmes puérils avec son ami détesté Summerlee. Avec Challenger, sir Arthur, sans le vouloir, donne à la science-fiction un personnage type, celui du Savant Fou. Mais la folie de Challenger n'a rien de pervertie ; au contraire, c'est un formidable débordement de vie. *Le monde perdu* est un livre qui éclate de santé.

En se replongeant dans ses souvenirs d'Edimbourg, sir Arthur s'est offert un bain de jouvence. La rivalité entre Challenger et Summerlee est une caricature de celle qui opposait les mandarins de la faculté de médecine, pour la plus grande joie des étudiants, qui trouvaient dans les petites phrases des professeurs le prétexte de grands coups de poing dans les amphithéâtres. De même, les réunions publiques qui, dans une ambiance faite autant de farce que de drame, ouvrent et ferment le livre sont la reproduction fidèle des quolibets, des chahuts, des effets oratoires et des querelles de procédure qui étaient les marques distinctives des assemblées étudiantes auxquelles assistait le jeune Arthur, moins pour participer aux débats que dans l'espoir, rarement déçu, d'une bagarre. Il y avait plus de spectacle — sur l'estrade et dans la salle — dans une réunion étudiante que dans n'importe quel théâtre. C'est cette ambiance ardente, enthousiaste et iconoclaste qui, avec les échanges d'injures juvéniles entre deux éminents scientifiques d'âge respectable, donne au livre une bonne humeur irrésistible. *Le monde perdu,* tout en étant un roman historico-scientifique, est aussi un roman comique.

Ce n'est pas, loin s'en faut, que sir Arthur trouve la

science risible, mais qu'il y puise un optimisme joyeux. La science est source de progrès. Conan Doyle ne veut pas se reconnaître en Sherlock Holmes ; avec Challenger, il fait, à certains égards, une caricature de lui-même. La photographie de Challenger dans le *Strand* représente Conan Doyle, affublé d'une fausse barbe pour la circonstance. Le déguisement lui plaît tant qu'il le met pour se promener à Londres, au grand ébahissement des badauds. Des parents et des amis s'étonnent de recevoir la visite d'un personnage extravagant qui leur tient des propos tantôt inintelligibles, tantôt injurieux avant de comprendre, grâce à un rire qui fait trembler les vitres, qu'ils sont en présence de sir Arthur Conan Doyle. Dans ces années sombres d'avant-guerre, alors qu'il lui semble voir le monde moderne succomber à la folie, Challenger, incarnation des certitudes optimistes de sa jeunesse, lui redonne sa joie de vivre.

Ce retour en arrière explique la forme archaïque de *La vallée de la peur,* qui rappelle celle d'*Une étude en rouge.* Sherlock Holmes doit sa réapparition, au printemps de 1914, surtout à des préoccupations financières. Sir Arthur écrit à Greenhough Smith : « *Ce sera mon chant de cygne, ou plutôt mon caquet d'oie.* » Sommé de s'expliquer sur cette menace de retraite anticipée, il répond : « *Si j'avais des rentes suffisantes, je me consacrerais à des travaux historiques et littéraires sérieux.* » Ses rentes, en effet, ne suffisent pas pour son train de vie.

Sir Arthur Conan Doyle a beau être l'écrivain le mieux payé du monde, quand il n'écrit pas il n'est pas payé. *Le monde perdu* est son premier roman depuis six ans. Les nouvelles se font rares : neuf en 1911, une seule en 1912, quatre en 1913. Ce n'est pas avec une production aussi faible qu'il peut financer l'entretien d'une grande propriété, des voyages, des automobiles de luxe, l'éducation de cinq enfants, les gages d'une quinzaine de domestiques. Sans compter que ses campagnes lui coûtent cher en brochures éditées à compte d'auteur et lots d'invendus.

Ses entreprises théâtrales ne sont guère rentables. Certes, il est toujours administrateur de Tuck & Cie et, depuis peu, de Besson & Cie, fabricant d'instruments de musique. Il possède aussi des parts dans une entreprise de construction mécanique à Birmingham. Ses investissements sont généralement mal inspirés. En 1912, il affirme avoir perdu £20 000 dans des affaires industrielles et commerciales. Au moment d'écrire *La vallée de la peur,* il est en train d'investir dans une mine dont le charbon se révèle incombustible. Le succès du *Monde perdu* rétablit la situation, mais il a encore besoin de renflouer les caisses. C'est ce qui l'oblige à se montrer plus communicatif que d'habitude. « *Le* Strand *me paie cette histoire si cher,* écrit-il au journal, *que ce serait grossier de ma part que de vous refuser des informations.* » Greenhough Smith apprend ainsi que le dernier roman de Sherlock Holmes sera comme le premier : la moitié du livre sera consacrée à un récit américain où Holmes ne figurera pas.

La formule du cycle Holmes convient à la nouvelle, non au roman. Sauf dans *Le chien des Baskerville,* qui doit sa réussite à l'ambiance et non à l'énigme, Conan Doyle ne parvient jamais à donner à une aventure holmesienne assez de volume pour faire à elle seule un roman. La moitié de *La vallée de la peur* est consacrée à la terreur qu'une société secrète fait régner sur le bassin houiller de la Pennsylvanie. Dans l'esprit de Conan Doyle, ce n'est pas du remplissage, mais une histoire passionnante qui mérite d'être contée.

Il s'inspire directement de la réalité. Au début des années 1870, un détective de l'agence Pinkerton, James McParlan, ayant infiltré une société secrète, les *Molly Maguires,* avait récolté assez de preuves pour faire condamner les meneurs. L'affaire avait fait l'objet de plusieurs livres. Sir Arthur l'avait entendue raconter de vive voix à deux reprises. Sam Burns, un policier américain, ainsi que W. A. Pinkerton en personne lui avaient fourni tous les détails, sans savoir qu'il en ferait un jour un livre. Pinkerton envisagera, d'ailleurs, de le poursuivre pour plagiat. Conan Doyle, en effet, ne change rien sauf les noms ; les patronymes irlandais et allemands reçoivent une consonance plus neutre, de manière à éviter tout reproche d'ordre politique. *La vallée de la peur* n'est cependant pas innocent. Les *Molly Maguires* étaient à l'origine une organisation syndicale obligée, face à la répression patronale, d'opter pour la clandestinité. Si son action devait devenir criminelle, elle se trouvait devant des employeurs qui utilisaient volontiers la manière forte. En occultant ce contexte de guerre sociale, Conan Doyle montre sa condamnation entière des syndicats dont les luttes, souvent violentes, désorganisent l'économie et la vie sociale britanniques. Cette désapprobation lui semble si naturelle qu'il se donne la peine de ménager les susceptibilités irlandaises et allemandes mais ne songe pas un seul instant à la sensibilité du monde ouvrier.

La partie américaine du livre est cependant conçue comme un récit d'aventures et non comme un tract anti-syndical. Il la fait cohabiter avec une aventure holmesienne en souvenir de l'époque antérieure à *Une étude en rouge* où il lisait Gaboriau et Vidocq. Il croit sincèrement qu'aucun lecteur ne devinera l'identité de la « taupe ». Il est persuadé que la scène où son détective se révèle est parmi les plus dramatiques qu'il ait écrites. Cependant, son « *Je suis Birdy Edwards de l'organisation Pinkerton* » rappelle trop les innombrables « *Je suis Vidocq* » pour surprendre qui que ce soit. Le genre avait trop évolué — notamment grâce à Conan Doyle — pour que ce type d'intrigue puisse encore mystifier. On ne peut relire le cycle Holmes sans tomber sur une notation, une déduction, une astuce qu'on n'avait pas appréciée à sa juste valeur ; peu nombreux sont les lecteurs qui se donnent le mal de relire la partie américaine de *La vallée de la peur*.

La partie holmesienne — une longue nouvelle en réalité — vaut nettement mieux. L'énigme est mieux ficelée que la plupart des nouvelles de cette période, mais il lui manque l'ambiance inimitable de Baker Street. Cependant, Moriarty est aussi diabolique que jamais, Lestrade aussi obtus, Watson aussi digne, Holmes aussi brillant, caustique et original. A l'époque d'*Une étude en rouge,* Conan Doyle pensait que les Mormons étaient plus intéressants que Sherlock Holmes ; trente ans plus tard, il répète son erreur. Amputé de sa partie américaine, *La vallée de la peur* se situe dans la bonne moyenne des aventures holmesiennes. Et même quand il est moyen, sir Arthur Conan Doyle est bien supérieur à ses concurrents et imitateurs.

Le manuscrit remis au *Strand,* sir Arthur est libre d'accepter l'invitation du gouvernement d'Ottawa de visiter, avec sa famille, les parcs nationaux canadiens. Profitant de l'occasion il va aussi parcourir l'Ouest des Etats-Unis. Son arrivée à New York est un triomphe. Sherlock Holmes est encore plus apprécié en Amérique qu'en Angleterre, et *La vallée de la peur,* à paraître en septembre, est déjà annoncé. Les journalistes sont encore plus nombreux — mais guère plus respectueux — que lors de sa tournée de 1894. Ils le suivent en masse à la grande fête foraine de Coney Island, où il tient à essayer toutes les attractions avec ses enfants. Malgré ses 55 ans, sir Arthur est le plus gamin de tous. Après un périple qui le conduit des Rocheuses à Montréal en passant par l'Ouest canadien, Conan Doyle, ravi et reposé, retrouve le calme de Windlesham. Quinze jours après, l'Europe est en guerre.

Sir Arthur cherche d'abord à s'engager, sans grand espoir. L'armée le trouvait déjà trop vieux pour la guerre des Boers ; il n'a pas rajeuni depuis. Il doit donc se contenter, par des brochures et des discours, d'encourager les autres à faire ce qu'il ne peut faire lui-même. Il prend l'initiative d'organiser à Crowborough un corps de francs-tireurs. Décidément, sir Arthur ne comprendra jamais que la défense du royaume, si elle concerne tous les sujets de Sa Majesté, relève d'abord de son gouvernement. Son corps de francs-tireurs sera aussitôt dissous par ordre ministériel, pour être vite reconstitué en vertu de directives officielles identiques aux statuts qu'il avait lui-même rédigés. Windlesham se vide et se remplit au fur et à mesure que les hommes, partis à la guerre, sont remplacés par leurs femmes. Innes part avec le corps expéditionnaire Malcolm Leckie aussi. Son neveu Oscar Hornung s'engage, ainsi que son fils Kingsley, celui-ci au désespoir de ses nombreuses admiratrices, car c'est un très beau jeune homme. Mary Foley Doyle est souvent à Windlesham, où s'installent aussi l'épouse danoise d'Innes et son fils. Les Conan Doyle accueillent Lily Loder-Symonds, une amie de Jean dont les trois frères sont partis à la guerre. En principe, elle s'occupe des enfants, mais elle est de santé délicate et les petits Conan Doyle sont particulièrement turbulents. Son utilité pratique est donc faible, mais elle deviendra l'amie et la confidente de toute la famille.

Jean s'occupe des réfugiés belges. Mary, l'aînée, travaille dans une usine de munitions le jour et consacre ses soirées à un centre de loisirs pour soldats. Sir Arthur fait ce qu'il peut. Le jardin est noir d'uniformes ; il tient table ouverte pour les régiments canadiens stationnés dans la région. Il fait des tournées de propagande en province. Comme en 1898, dès le début des hostilités, il se met à une histoire de la guerre. Il bombarde la presse de suggestions parfois bien inspirées — c'est à son initiative que les marins reçoivent des gilets de sauvetage. Et, tous les soirs, il fait l'exercice avec son corps de francs-tireurs, dans lequel, n'ayant aucune expérience du commandement, il est simple soldat. Un major venu en inspection est décontenancé d'apprendre que le quinquagénaire un peu enveloppé auquel il vient de donner du « mon brave » n'est autre que sir Arthur Conan Doyle.

Cet entraînement auquel il consacre joyeusement une heure tous les soirs après dîner est une consolation précieuse et dérisoire ; le bruit de la canonnade, que le vent porte certains soirs jusqu'à Crowborough depuis les Flandres, semble se moquer des écrivains vieillissants qui jouent au petit soldat. Sir Arthur dira que la Grande Guerre fut le point culminant de sa vie. Entendons par là, l'épreuve suprême. Epreuve affective, d'abord. Malcolm Leckie est tué dans les premiers jours de la retraite de Mons. La liste des parents et amis morts au champ d'honneur s'allonge tous les jours. Par-delà cette souffrance, partagée avec toutes les familles du Royaume, Conan Doyle subit aussi une épreuve morale et intellectuelle. « *Le choc de la guerre*, dira-t-il dans *Le message vital*, « *devait nous donner le courage d'arracher de vénérables illusions.* » Parmi ces *vénérables illusions* se trouvent ses convictions les plus chères et ses certitudes les plus profondes.

Il n'en laisse rien paraître. Pendant les deux premières années de la guerre, on ne verra que l'écrivain patriote, mettant son prestige et son talent au service du pays. Il collabore à l'effort de recrutement entrepris par Kitchener. Il intervient dans la presse, tantôt pour lancer des appels pour l'unité nationale, tantôt pour évoquer quelque point touchant à la conduite des opérations. Surtout, il se consacre à son histoire de la guerre. Un premier tome paraît dès 1917.

L'histoire immédiate est une contradiction dans les termes que sir Arthur ne résoudra pas. Comme il s'agit de soutenir le moral des populations, l'esprit critique lui est interdit. « *Une erreur et qui aurait pu être évitée,* écrit-il dans ses notes, *mais il ne faut pas dénoncer les généraux.* » Ce sont, en effet, les généraux — une cinquantaine — qui lui fournissent ses informations. Certains en profitent pour régler des comptes personnels par historien interposé. Prudent, il les ménage tous, se contentant de détailler l'ordre de bataille des armées britanniques. En réalité, il ne saisit ni les conditions matérielles ni les enjeux stratégiques de cette guerre de tranchées dont il raconte les péripéties sanglantes soit comme des joutes chevaleresques soit comme des exploits sportifs. Quand, à l'été de 1916, il est autorisé, à la faveur d'une mission quasi officielle, à visiter le front, il n'y verra ni plus ni moins que les centaines de personnalités diverses dont le témoignage peut être utile aux gouvernements. Sir Arthur, bien malgré lui, n'est qu'un embusqué de l'arrière, tributaire, pour ses renseignements, d'officiers d'état-major presque aussi éloignés que lui-même de la zone des combats. Son livre en souffre fatalement. On peut comprendre que l'histoire immédiate ne soit pas tout à fait de l'histoire ; on ne peut lui pardonner de ne pas être immédiate.

En donnant à son histoire un ton optimiste et lénifiant, sir Arthur croit servir la cause patriotique. Le pays a besoin d'exemples inspirationnels et non de vérités démoralisantes. Ces vérités, Sir Arthur les soupçonne même si, n'étant pas combattant, il ne peut ni les connaître ni les comprendre. Sous la carapace de l'écrivain jusqu'auboutiste, des idées et des émotions contradictoires s'agitent. Dans *Le message vital* il dira : « *Les causes du cataclysme et ses raisons… sont essentiellement religieuses et non politiques.* » Pendant les années 1914-17, sir Arthur Conan Doyle bouillonnera d'un ferment religieux sans précédent dans son existence.

Sa conception d'une lente et inévitable évolution vers le progrès guidée par une Providence bienveillante lui fournit une interprétation de l'univers selon laquelle la Grande Guerre serait un conflit entre les plus et les moins évolués, comme celui qui avait conduit à l'extermination des hommes-singes dans *Le monde perdu*. Il avait appris de Winwood Reade qu'une telle guerre, avec son cortège de souffrances, est un facteur de progrès pour l'humanité. Cette vision des choses justifie son soutien absolu et inconditionnel à l'effort de guerre, son refus d'envisager la moindre concession à l'Allemagne ennemie. Rappelons que depuis *Une étude en rouge* Winwood Reade est l'un des auteurs préférés de Sherlock Holmes.

Pendant sa courte visite aux armées françaises en août 1916, le général Humbert, croyant sans doute Holmes un personnage réel, interpelle Conan Doyle : « *Sherlock Holmes, est-il soldat ?* » Sir Arthur, pris au dépourvu, ne peut que bafouiller : « *Mais, mon général, il est trop vieux pour le service !* » Il faut plus qu'une boutade, cependant, pour l'amener à briser un silence de deux ans. Depuis le début des hostilités, il n'a écrit aucune œuvre de fiction. Il vit trop intensément le réel pour qu'il y ait place pour l'imaginaire. Vers la fin de 1916, cependant, il se met à *Son dernier coup d'archet*. Notons que le titre anglais signifie aussi *Son dernier salut*. Encore une fois, il veut que cette aventure soit la dernière. Elle sera, à la différence de celles écrites depuis 1908, mûrement réfléchie et longuement travaillée. L'intrigue — une affaire d'espionnage banale — ne demande pas un tel effort. Il ne s'agit ni de propagande ni d'évasion. Le *service de guerre* de Sherlock Holmes consiste à expliquer le pourquoi du conflit : non seulement l'agressivité allemande face à l'autosatisfaction imprévoyante britannique, mais une volonté divine. « *Un vent d'est se lève,* déclare Holmes, *un vent comme il n'en a jamais soufflé sur l'Angleterre. Il sera froid et aigre, Watson ; bon nombre d'entre nous n'assisteront pas à son accalmie. Mais c'est toutefois le vent de Dieu ; et une nation plus pure, meilleure, plus forte, surgira à la lumière du soleil quand la tempête aura passé.* » C'est la seule raison d'espérer et de lutter qui puisse être tirée de la science positive. C'est pourquoi cette prophétie est prononcée en guise d'adieu par ce rationaliste darwinien qu'est Sherlock Holmes.

La science positive, dans le cycle Holmes, est complétée par une dimension humaine, incarnée par Watson. Celui-ci est salué comme *le seul point fixe d'une époque changeante*. Watson, à l'origine le type de l'Anglais moyen, est une exception en 1914. Ses humbles et indispensables vertus ne sont plus à l'honneur. Ce changement n'est pas un progrès. Le génie est une affaire de gènes ; un Holmes peut surgir n'importe où et n'importe quand. Mais Watson est un produit social, et une société qui n'assure plus la reproduction de ses Watson est une société décadente. C'est pourquoi cette guerre, au lieu d'être, comme le voudrait la prophétie holmesienne, l'enfantement douloureux d'un monde meilleur, est plutôt *la malédiction divine... sur un monde dégénéré.*

La coexistence de la prophétie et de la nostalgie montre les courants contraires qui se disputent l'esprit de l'auteur. Il ne peut expliquer la guerre comme un simple conflit entre Britanniques civilisés et Allemands barbares. S'il ne se lasse pas de dénoncer la barbarie des Allemands — *des Peaux-Rouges européens, des esclaves conduits par des monstres* — il sait combien l'Allemagne est aussi le modèle même d'une société évoluée. Le progrès scientifique s'accompagne d'une atrophie du sens moral. Depuis *Le dernier tir* (1893), c'est sur cette dissociation du matériel et du moral que Conan Doyle fonde ses nouvelles les plus effrayantes. Il avait décrit le protagoniste de *L'entonnoir en cuir* (1902) en ces termes : « *Ses connaissances étaient plus grandes que sa sagesse et ses facultés nettement supérieures à son caractère.* » Cela s'applique aussi bien à l'ennemi allemand. Il avait coutume, dans sa fiction, de faire triompher le réconfort sur la peur en faisant échouer le désordre sur le rempart rassurant de la solidité de la civilisation britannique. Cette solidité étant compromise, une telle chute consolatrice lui est maintenant interdite. Il ne peut pas penser la guerre comme une aventure optimiste où, à l'instar des nouvelles holmesiennes, la raison finit par remettre de l'ordre dans l'univers. Au contraire, elle envahit son imagination comme un processus diabolique dont les données excluent le réconfort. Bref, il vit désormais la guerre comme une nouvelle d'épouvante qui serait en train, irrésistiblement, de se réaliser.

Dans la fiction, l'auteur est Dieu. Dans la réalité, seule l'intervention de la Providence peut conjurer l'épouvante.

Mais l'épouvante ne figure pas dans la religion d'une Providence bienfaisante qu'il professe depuis toujours. Aussi, au bout d'un long cheminement, sir Arthur Conan Doyle sera-t-il amené à changer de religion.

Remontons en 1906. Le *Daily Express* lance une enquête sur le déclin de l'esprit religieux. Sir Arthur répond que la pratique religieuse, qu'il qualifie de *ritualisme,* est un faux critère ; la vraie religion se mesure à la tolérance, la charité, le désir d'instruction et d'éducation, la maîtrise des appétits sensuels de l'animal humain. Selon ces critères, la Grande-Bretagne est une nation plus authentiquement religieuse en 1906 qu'à tout autre moment de son histoire. Cet optimisme ne résiste pas à la grande crise de l'Angleterre libérale. Les déclarations qui persistent à affirmer la santé morale des populations sont autant de triomphes de l'espoir sur l'expérience. En 1913, une allégorie qui a Challenger pour héros est encore plus explicite. Dans *La ceinture empoisonnée,* notre planète entre dans une zone atmosphérique qui met fin à toute vie sur terre ; seuls Challenger et ses amis survivent. Puis le monde sort de la zone empoisonnée et la vie reprend son cours. Par-delà les effets comiques et le rythme entraînant que sir Arthur sait imprimer au récit, il s'agit d'un conte moral : « *Personne ne peut réaliser l'étendue de son impuissance et de son ignorance, ni sentir comment il est soutenu par une main invisible tant que cette main ne se referme pas un instant pour le broyer.* » Il s'élève contre la matérialisme de l'époque, en englobant, comme toujours, le matérialisme comme doctrine scientifique et comme défaut moral dans une même condamnation. Il réclame un retour aux vraies valeurs : « *... le sens du devoir, le sentiment de la responsabilité, une juste appréciation de la gravité de la vie et de ses fins, l'ardent désir de nous développer et de progresser... des plaisirs sobres et modérés.* » Force lui est de constater que cet appel n'est pas entendu.

Comment lutter contre ce matérialisme envahissant, à

la fois cause et conséquence de la dégénérescence nationale ? Les Eglises ne sont d'aucun secours. Leur opposition à la réforme du divorce, leur réticence à le suivre
dans sa campagne contre le scandale du Congo, le rôle du
sectarisme dans la crise irlandaise, le confirment dans sa
conviction de l'inutilité des institutions ecclésiastiques.
Les Eglises font partie du problème et non de la solution.
Cette solution, car *science et religion sont synonymes,*
doit reposer sur des bases scientifiquement sûres. La seule
croyance religieuse qui se fonde sur l'observation des
phénomènes est le spiritisme, dont l'authenticité est
affirmée par des savants aussi respectables que Crookes,
Russel Wallace, Lombroso, Richet, Flammarion, sir
Oliver Lodge. « *Je crois*, écrit sir Arthur à un responsable
de la Société rationaliste en 1913, *que leurs observations
correspondent à une vérité objective.* »

Il en est persuadé, en effet, depuis 1887, époque de sa
première intervention dans *Light,* mais il s'agit d'une
conviction personnelle. Depuis son mariage en 1908, Sir
Arthur n'a guère fréquenté les milieux spirites. Jean,
comme Mary Foley Doyle, se méfie de l'occulte. Il
continue, cependant, de lire et de réfléchir. Certaines
nouvelles, notamment *Comment la chose arriva* (1913),
montrent sa familiarité avec les thèses spirites. Mais tout
cela n'est pas assez mûr pour passer du domaine de la
conviction intime à la profession de foi publique. Quand,
en août 1915, un journal lui demande des mots de
consolation pour les familles éprouvées, il s'y refuse : « *Je
ne peux rien dire ; seul le temps sait guérir.* » Un an plus
tard, cette discrétion n'est plus possible.

D'abord, sa propre foi dans la communication avec les
morts, foi qui l'habite depuis 1887, est ravivée par ses
expériences personnelles. Lily Loder-Symonds possède un
don de médium qui s'exprime par l'écriture automatique.
Sir Arthur n'y prête guère attention dans un premier
temps mais, avant sa mort en janvier 1916, Miss Loder-
Symonds transmet un message de Malcolm Leckie qui

semble si authentique qu'il doit emporter l'adhésion. En mars 1916, il explique dans *Light* comment son fils avait décrit ce qui se passait dans une pièce voisine. Citant d'autres exemples à l'appui, il en conclut que l'âme est bien indépendante du corps ; la preuve est de nouveau faite que le matérialisme est scientifiquement indéfendable.

Il s'écoulera encore une année avant que cette conviction ne provoque un engagement public. Tant qu'il pouvait garder le moindre espoir que la Providence manifestait sa bonté en guidant l'évolution de l'humanité vers le bien, il n'y avait pas de raison de privilégier la communication avec les morts au détriment des choses de ce monde. La foi en l'évolution bienfaisante qui le soutient depuis si longtemps est déjà ébranlée. « *Qu'on réfléchisse à l'effroyable condition du monde avant le coup de foudre récent qui l'a frappé*, s'écriera-t-il dans *Le message vital*. *En remontant le cours des siècles, en consultant les annales de la méchanceté de l'homme, trouverait-on rien de comparable à l'histoire des nations durant ces vingt dernières années ?... Qu'on songe à tout cela et qu'on dise si l'humanité a jamais présenté un aspect si peu aimable.* » Les événements de 1916-17 vont se charger de porter les derniers coups à sa foi, pourtant tenace, dans le Progrès.

Cette année 1916 est fertile en malheurs publics et privés. Lily Loder-Symonds meurt en janvier. Son neveu Oscar Hornung et son beau-frère Leslie Oldham sont morts au champ d'honneur. Les querelles publiques consécutives à l'échec de l'expédition des Dardanelles l'écœurent. Le soulèvement irlandais à Pâques confirme l'échec de ses trente années de combats politiques pour maintenir l'Irlande au sein de l'Empire. Morel, son compagnon et ami dans la campagne du Congo, se convertit au socialisme pacifiste, conversion que sir Arthur ressent comme une désertion. Roger Casement, dont l'action humanitaire tant au Congo qu'en Amazonie lui inspire de l'estime et de l'amitié, est en train d'être jugé

pour haute trahison. Sir Arthur prend la défense de
Casement, même quand il est mis au courant des fréquentations homosexuelles de l'accusé. Pour Conan Doyle,
l'homosexualité est une condition pathologique et non une
perversion morale. S'il organise et finance la défense de
Casement, s'attirant ainsi les foudres patriotiques de la
presse et de l'opinion, ce n'est pas parce qu'il excuse son
crime. La trahison de Casement lui semble au contraire
un dernier et triste exemple de cette folie qui mine depuis
des années la civilisation britannique. Surtout, le 1er juillet 1916 marque le début de la grande offensive sur la
Somme. Pendant les six années de la guerre d'Afrique du
Sud, l'Empire britannique avait perdu 24 000 hommes;
sur la Somme, il en perd 60 000 en l'espace de vingt-
quatre heures. Sir Arthur, comme toute la Grande-
Bretagne, est traumatisé par l'énormité des pertes
humaines. L'Angleterre triomphante du XIXe siècle ago-
nise depuis des années déjà; elle sera achevée dans la
boue et le sang des tranchées de la Somme.

Sir Arthur Conan Doyle s'en croit responsable, à titre
personnel. Il est depuis longtemps le chantre des gloires
impériales. Par son œuvre et par son action, il a créé les
conditions de l'élan patriotique qui a permis à lord
Kitchener d'obtenir un million d'engagements volontaires
en quelques mois. Ce sont ces volontaires qui sont
sacrifiés dans les tranchées. Certes, il veut croire que la
Somme est une victoire, mais il ne peut s'en cacher le prix.
Cela n'entame en rien sa volonté de poursuivre la guerre
jusqu'à la victoire, coûte que coûte. De toute son existence, Conan Doyle n'a jamais abandonné un combat.
Mais même si son propre fils est encore sain et sauf, il se
sent le père spirituel de ces dizaines de milliers de victimes
de l'hécatombe. Il leur doit, à elles comme à leurs
familles, réparation et consolation. La rhétorique patriotique ne suffit pas. Il faut répandre cette vérité, à ses yeux
scientifique, qu'il y a une vie après la mort biologique,
que les morts sont là, tout près de ceux qui les aiment,

désireux d'apporter la paix et la consolation si seulement
on voulait les écouter. « *Je puis parler de l'au-delà avec
l'autorité de la connaissance* », affirme-t-il dans *Le message vital*. Il faut maintenant mettre toute son autorité au
service de cette connaissance. Un monde dégénéré s'est
attiré cette punition apocalyptique qu'est la Grande
Guerre. Le seul moyen pour l'humanité de racheter ses
péchés, c'est le repentir inspiré par une communion
révérencieuse avec ses morts. Sir Arthur Conan Doyle n'a
pas retrouvé une foi en Dieu qu'il n'avait jamais perdue ;
il a perdu sa foi en l'humanité.

LE MISSIONNAIRE

> Il manquait à sir Arthur la ruse du serpent mais la sincérité de ses intentions était une évidence pour tous.
>
> Sir Oliver LODGE

Sir Arthur Conan Doyle a maintenant soixante ans. Elevé dans les certitudes de l'Angleterre victorienne, il avait atteint l'apogée de sa gloire pendant cette Belle Epoque dont l'insouciance optimiste est la première victime de la Grande Guerre. Après l'immense soulagement de la victoire, l'Europe et l'Amérique vont vivre les Années Folles. Sir Arthur est trop vieux pour cela, trop marqué par la vie, trop éprouvé par cette guerre qu'il a si intensément vécue sans pouvoir la faire. Pour la première fois, il se trouve en porte-à-faux avec son époque.

Comme en 1887, c'est le journal de la SPR, *Light,* qu'il choisit pour annoncer formellement ses convictions spirites. Ce sera chose faite dès novembre 1916. Le 7 octobre 1917, à Bradford, dans le Yorkshire, il tient sa première réunion publique en faveur du spiritisme. C'est, en réalité, une répétition; le 25 octobre 1917, à l'occasion d'une réunion organisée à Londres par la London Spiritualist Alliance sous la présidence de sir Oliver Lodge, Conan Doyle opère son véritable début de propagandiste ou, plutôt, de prédicateur. Sa conférence, revue et augmentée, sera publiée en avril 1918 sous le titre *La nouvelle révélation* et suivie, quelques mois plus tard, par *Le message vital.*

Ces deux livres représentent une reconfiguration d'idées

et de croyances qui sont les siennes depuis *Les lettres de Starke Munro*. Il y avait démontré l'inutilité de la théologie en faisant valoir que toutes les religions dispensaient un enseignement moral identique, fort semblable, d'ailleurs, à celui qu'on pourrait tirer du droit coutumier anglais qui n'avait pourtant rien de religieux. « *Selon moi,* écrivait-il à son ami Ryan en 1913, *la foi n'est pas nécessaire pour faire percevoir l'idée de Dieu et pour mettre au point une loi morale suffisante pour nos besoins. La raison suffit.* » Le respect de cette loi morale est la finalité de toute religion. « *La foi et les croyances sont peu de chose par rapport au comportement et au caractère,* affirme-t-il... *Si la foi ne se manifeste pas dans les actes, elle est vaine* » (*Le message vital*). La loi morale étant accessible à la seule raison, la religion est simplement un *ritualisme,* que chacun est libre de trouver sublime ou ridicule selon son goût et son humeur.

Conan Doyle donne au spiritisme un but utilitaire et pragmatique. « *Elargissez et spiritualisez vos pensées* », s'écrie-t-il dans *La nouvelle révélation*. « *Montrez-en les résultats par votre manière de vivre.* » Cette manière de vivre, c'est la maîtrise de soi, la tolérance, et les vertus qu'il avait vantées comme critères du véritable esprit religieux dans sa réponse au *Daily Express* en 1906. Il s'agit, en fait, des principes du parfait gentleman anglais, une morale toute watsonienne. La finalité du spiritisme est donc de faire respecter les préceptes que l'on trouverait dans n'importe quel manuel de civisme et de savoir-vivre de l'époque victorienne. Conan Doyle n'a rien d'un mystique ; son spiritisme n'a aucune dimension spirituelle.

Pourquoi donc le spiritisme serait-il plus nécessaire que les religions qu'il se plaît à pourfendre ? C'est qu' « *une épidémie de folie, s'étendant sur deux générations et deux continents et frappant des hommes et des femmes éminemment sains à tout autre point de vue* » (*La nouvelle révélation*) a fait en sorte que la raison ne permet plus de conclure à un univers évoluant inéluctablement vers le progrès, guidé par une Providence amie de l'homme. A l'époque des *Lettres de Starke Munro,* il niait le mal ; celui-ci n'était qu'un moindre bien au service du progrès. Le piteux état de l'univers, les millions de morts de la Grande Guerre, font que l'idée de Dieu et la loi morale ne sont plus accessibles à la seule raison. Aussi faut-il une religion.

Cette religion ne saurait se fonder sur la foi, car celle-ci entraîne des conséquences contraires à la morale. Toute l'histoire des Eglises le prouve ; la foi est génératrice d'intolérance, de sectarisme, de persécutions. La foi étant ainsi récusée et la raison impuissante, comment l'humanité pourrait-elle accéder à l'idée de Dieu et à la loi morale ? Dieu, comme à une époque antérieure de l'évolution humaine, s'est mis à la portée des hommes : « *Depuis quelques années, nous avons reçu, de source divine, une Nouvelle Révélation qui distance de beaucoup les plus grands événements religieux depuis la mort du Christ* » (*La nouvelle révélation*). Déjà, à l'époque des *lettres de Starke Munro,* Conan Doyle s'étonnait de ce que *la religion soit le seul domaine non évolutif* et que l'humanité moderne soit encore sous l'emprise d'une révélation vieille de deux millénaires. « *Le christianisme doit évoluer ou disparaître, c'est la loi de la vie* » (*La nouvelle révélation*). Evoluer, c'est reconnaître la nouvelle révélation qu'est le spiritisme. *Le message vital* (1919) montrera comment l'ancienne révélation devra être revue et corrigée par la nouvelle.

A la différence de l'ancienne révélation, la nouvelle ne s'adresse pas à la foi ; « *il y a quelque chose de plus fort que la foi, c'est la science* » (*La nouvelle révélation*). En effet, la science correspond mieux à l'état actuel de l'évolution. Par cette nouvelle révélation, Dieu a consenti à ouvrir à l'intelligence humaine un nouvel ordre de phénomènes, ceux de la vie après la mort biologique. Cet univers de l'au-delà n'a rien de surnaturel ; le surnaturel, c'est un thème courant dans ses nouvelles d'épouvante, n'est qu'un naturel provisoirement inexpliqué. Il s'agit donc d'abord d'authentifier les phénomènes spirites, ensuite d'expliciter les lois qui les régissent, comme les grands précurseurs scientifiques avaient arraché à la nature les secrets de l'électricité ou du magnétisme. Il faut pour cela toute la rigueur de la méthode scientifique. Cette démarche est celle de la SPR ; quoi qu'il en dise, elle n'est pas celle de Conan Doyle.

Certes, sir Arthur n'hésite pas à se prévaloir de l'autorité de la science. L'authenticité des phénomènes spirites est si bien attestée que « *d'autres témoignages sont superflus... le poids des dénégations retombe sur les incrédules* » (*La nouvelle révélation*). Il invoque à l'appui de cette thèse trois ordres d'arguments. D'abord, l'expérience personnelle : « *Je peux parler de l'au-delà avec l'autorité de la connaissance* » (*Le message vital*). Ensuite, l'autorité des scientifiques éminents qui se sont déclarés convaincus. Enfin, la notoriété publique. Voici, en effet, soixante-dix ans que les esprits frappeurs se sont manifestés chez les Fox à Hydesville. Depuis lors, des séances innombrables se sont tenues, des milliers de personnes ont vu les phénomènes en question. Il est inconcevable que tout cela n'ait été que supercherie, illusion, escroquerie. Et Conan Doyle de pourfendre *la folie négatrice* des incrédules.

Mais c'est la consolation et le réconfort qu'il cherche, et non une vérité scientifique. Là où les enquêteurs de la SPR ne voient qu'un champ d'investigations à exploiter avec la plus extrême prudence, Conan Doyle trouve mille sujets d'édification et d'émerveillement. La vie de l'au-delà, telle que les médiums la décrivent, ressemble parfaitement à ce qu'il voudrait qu'elle soit. Sa foi en une évolution inévitable vers le bien, guidée par la Providence est transposée de ce monde à l'au-delà. Dans *Les lettres de Starke Munro,* il avait affirmé que l'homme, ayant eu pour ancêtre *un singe anthropoï*de, pourrait bien avoir pour descendant *un archange*. Il déclare maintenant que chaque individu, à sa mort, est placé dans une zone plus ou moins élevée du monde des esprits, en fonction des vertus qu'il a manifestées ici-bas : « *Il serait inconcevable qu'un Raspoutine connaisse le même sort qu'un Père Damien.* » Même si la damnation éternelle n'existe pas, les bons seront récompensés et les méchants punis. Comme, dans la doctrine impérialiste, les peuples moins évolués sont aidés par ceux qui le sont plus, les esprits punis sont secourus par les bons, et s'élèvent ainsi vers le bonheur parfait. Ce bonheur parfait, si l'on s'en tient aux descriptions que Conan Doyle, instruit par les médiums, en fournit, correspond exactement à ces *plaisirs sobres et modérés* qu'il recommandait à ses compatriotes dans la conclusion de *La ceinture empoisonnée*. « *Nous arrivons*, dit-il, *à quelque chose de sain, de modéré, de raisonnable, compatible avec l'évolution graduelle et avec la bonté de Dieu* » (*Le message vital*). L'évolution graduelle et la bonté de Dieu étant ses deux idées-force, il ne peut que croire que ceux qui les annoncent disent vrai.

L'esprit critique indissociable de la démarche scientifique n'est donc plus de mise. En annonçant sa nouvelle révélation, il déclare donc : « *Son côté objectif cessait de m'intéresser car, ayant décidé que là était la vérité, il n'y avait plus à discuter. Son côté religieux était d'une signification infiniment plus considérable* » (*La nouvelle révélation*). Bientôt, il ira plus loin : l'esprit critique est non seulement inutile mais aussi immoral : « *Notre attitude devant le spiritisme*, écrira-t-il à Houdini[1], *ne devrait pas être celle d'un détective interrogeant un criminel présumé, mais celle d'une âme humble et reli-*

1. Houdini, Harry (1874/1926). Prestidigitateur de génie. De son vrai nom Erik Weisz, fils d'un rabbin hongrois émigré aux Etats-Unis, il emprunte son nom de scène à l'illusionniste français Robert-Houdin, auquel il consacre une étude (1908). Sa brillante carrière de prestidigitateur s'accompagne d'une lutte contre les charlatans et les faux médiums. Voir notamment *Miracle-mongers and Their Methods* (1920), *A Magician Among The Spirits* (1924).

gieuse qui aspire à l'aide et au réconfort. » Une telle attitude relève davantage de la foi que de la science. En effet, la science n'est que le prétexte — ou l'alibi — d'un discours d'ordre moral. Les publications de la SPR sont des comptes rendus de recherches ; *La nouvelle révélation* et *Le message vital* appartiennent à un tout autre genre. Ce sont, en réalité, des livres de piété. Le raisonnement et la démonstration s'effacent devant l'affirmation et l'exhortation. Malgré ses origines catholiques, Conan Doyle vit dans une culture protestante marquée par la prolifération de sectes regroupées autour d'un prédicateur charismatique. Le protestantisme anglo-saxon subordonne le sacerdoce, quand il ne le supprime pas, au ministère de la parole. Ce qui est nouveau pour sir Arthur, ce ne sont pas les croyances et les valeurs qu'il prêche — elles sont enracinées dans son univers mental depuis longtemps — mais leur mode d'expression. La morale qui sous-tend ses campagnes humanitaires, sociales, politiques, se situait dans le registre rationnel ; cette même morale se situe maintenant dans le registre religieux.

Le changement de mode d'expression entraîne un changement de mode de vie. Sir Arthur Conan Doyle n'est plus un auteur à succès, il est un prédicateur itinérant. Le changement de registre aura les conséquences fâcheuses qu'il avait si bien analysées chez d'autres. *Jouer avec le feu* (1900) est une nouvelle prophétique à plus d'un titre. Non seulement sir Arthur y formule toutes les objections au spiritisme qu'il s'efforcera de réfuter dans *La nouvelle révélation,* mais il y décrit aussi le protagoniste : « *Il avait commencé ses recherches avec un esprit libre ; elles prirent bientôt figure de dogmes. Il devint alors aussi positif, aussi fanatique, que le premier bigot venu.* » Comme toute prophétie porte en elle sa réalisation, la description s'applique parfaitement à Conan Doyle.

Il lui faudra cependant du temps pour en arriver là. Pendant l'automne et l'hiver 1917-18, il prêche le spiri-

tisme dans de nombreuses villes d'Angleterre et d'Ecosse.
Malgré l'opposition des Eglises — ses anciens maîtres, les
jésuites, sont particulièrement sévères — il rencontre un
succès qui n'est pas que de curiosité. Il n'y a guère de
famille du royaume qui ne pleure un fils, un frère, un
mari, un père. Tout porteur d'un message en provenance
des morts est assuré d'un accueil attentif. Sir Arthur
Conan Doyle, grande silhouette toujours droite, cheveux
gris, voix sonore et chaleureuse, ne convainc pas toujours,
mais sa sincérité est impressionnante.

Avant de convaincre les autres, il lui faut d'abord
convaincre ses proches. Mary Foley Doyle, maintenant
installée près de son fils, reste irréductiblement hostile au
spiritisme. Mary se rallie aux thèses de son père, mais
Kingsley, gravement blessé sur la Somme, reste réfractaire. Jean hésite encore. Les messages de son frère
Malcolm transmis par Lily Loder-Symonds avant sa mort
avaient ébranlé son scepticisme initial. Elle ne résistera
pas longtemps à l'enthousiasme de son mari.

Les enfants sont élevés dans les principes spirites. La
plus jeune ayant maintenant six ans, la nursery est
transformée en salle de séances. Sir Arthur continue de
gâter ses enfants plus que de raison. Il va jusqu'à publier
les histoires de pirates et de Peaux-Rouges qu'il se plaît à
leur raconter, avec des photographies des jeux qui s'en
inspirent. C'est un petit livre charmant, qui convient sans
doute mieux aux parents qu'aux enfants. Les petits Conan
Doyle, quand ils iront à l'école, seront taquinés sans merci
à cause des tendres révélations d'un papa qui aurait dû
apprendre à Stonyhurst qu'il vaut mieux que les compli-
cités familiales restent en famille.

Ni le bonheur familial ni la prédication spirite ne lui
font oublier la guerre. Son corps de francs-tireurs est
chargé de la surveillance d'un camp de prisonniers
allemands. Chaque soir, avant la séance dans la nursery,
le soldat volontaire deuxième classe Conan Doyle accomplit son devoir militaire en prenant son tour de garde.

Comme le blocus sous-marin cause des difficultés de ravitaillement, la famille et les invités voient leurs rations alimentaires réduites de moitié. Cette restriction ne s'applique ni aux domestiques ni aux militaires en permission. Windlesham continue de servir de lieu de détente pour les unités stationnées dans les environs. Sir Arthur fait des vers patriotiques. Ses brochures de propagande, dont certaines seront diffusées par les services officiels, continuent de paraître. La Royal Navy donne son nom à un dragueur de mines. Il s'ingénie à inscrire des messages codés dans les exemplaires de *La vallée de la peur* qu'il envoie, par la Croix-Rouge, à Willie Loder-Symonds, prisonnier en Allemagne. Au moment même où il prône l'amour universel dans *La nouvelle révélation* et se scandalise de l'axiome *œil pour œil, dent pour dent* dans *Le message vital,* il intervient dans la presse pour vanter l'utilité de la haine pour le moral des troupes et réclamer des représailles sanglantes contre l'Allemagne. Si sir Arthur inclut la Grande-Bretagne dans ses diatribes contre la dégénérescence de l'humanité, il croit voir dans l'héroïsme des combattants britanniques les premiers signes d'un redressement moral. Son engagement spirite ne modifie en rien sa volonté de poursuivre la guerre, coûte que coûte, jusqu'à la victoire finale. Cet homme est un bouledogue ; tous les esprits de l'au-delà ne suffiraient pas à faire lâcher prise à sir Arthur Conan Doyle.

Il est toujours président de la Divorce Law Reform Union. Aussi continue-t-il de mener campagne pour cette réforme, que les perturbations dues à la guerre rendent, à son sens, encore plus nécessaire. Si une séparation de trois ans pouvait se transformer automatiquement en divorce, affirme-t-il, les conjoints ainsi libérés fonderaient tant de nouvelles familles que la natalité accrue qui en résulterait comblerait rapidement les pertes de la guerre. Ce n'est qu'au début des années vingt qu'ayant passé la présidence à lord Birkenhead, il cesse de s'occuper de la question.

Quand il parle de combler les pertes, sir Arthur, en

septembre 1917, évalue les morts britanniques à 150 000 environ. Le chiffre exact est cinq fois supérieur. Une telle erreur de la part de l'homme qui se prétend le chroniqueur des opérations militaires en dit long sur l'esprit lénifiant de son histoire de la guerre. Ce n'est que lorsque son ami sir Hubert Gough, commandant la Ve Armée, est choisi comme bouc émissaire après les revers militaires du printemps de 1918 qu'il se permet, une fois n'est pas coutume, de se désolidariser des autorités civiles et militaires. Avec le temps (un volume des *British Campaigns* sort chaque année), cette chronique de la guerre devient une œuvre de piété nationale qui se propose moins de retracer les événements que de consoler les survivants.

Ainsi, tout en menant à bien ce qu'il avait entrepris, il se rapproche de ses préoccupations spirites. Les campagnes victorieuses de 1918 et l'armistice ne provoquent de sa part aucune réaction particulière. Contrairement à ce que l'on pourrait attendre, il ne participe pas au débat public sur la paix. Il ne perçoit pas la guerre comme un conflit humain qui appelle un règlement, mais comme une punition divine qui doit inciter les hommes au repentir.

Dès l'été 1918, en effet, il reprend son bâton de pèlerin pour une série de conférences dans les provinces anglaises. Il est sur le point de monter sur l'estrade à Nottingham, le 18 octobre 1918, quand Mary lui apporte le télégramme annonçant que Kingsley, retourné au front avant d'être remis de ses blessures, est mort de la grippe espagnole. La mort n'a plus rien d'affligeant pour sir Arthur ; au contraire, comme il l'avait écrit à Lily Loder-Symonds avant même l'annonce de sa conversion, elle représente *un progrès glorieux sur la vie*. Il entame donc sa conférence devant un public qui ne devine pas son émotion. Le programme de sa tournée ne sera pas modifié. Vers la fin de cette série de quarante conférences il apprend la mort de son frère Innes, qui succombe à une pneumonie en février 1919. Sir Arthur fera encore une vingtaine de réunions publiques cette même année.

Ces deuils qui le touchent de si près interviennent deux ans après son engagement spirite et donc ne sauraient en être la cause. Avant la fin de 1919, il croit, grâce au médium gallois Evan Powell, entrer en contact avec Kingsley et Innes. Ces séances à Cardiff achèvent la conversion de Jean, dont la résistance au spiritisme est déjà affaiblie par son désir de ne pas être exclue de ce qui est devenu la grande préoccupation de son mari.

Celui-ci, en effet, est toujours à l'affût de phénomènes susceptibles de confondre les matérialistes. L'année 1920 lui en apporte deux. Au mois de mai, il apprend que des fées ont été photographiées dans le Yorkshire par deux petites filles. Les tableaux de son oncle Dicky Doyle étaient remplis de fées ; Charles Altamont Doyle était persuadé de les avoir vues. Voici enfin la preuve — qu'y a-t-il de plus scientifique qu'une photographie ? — que ces ravissantes créatures appartiennent à la réalité et non exclusivement au folklore. Conan Doyle prend ses dispositions pour faire publier ces photographies dans le *Strand,* assorties d'un commentaire élogieux.

Pendant l'été, il emmène ses enfants à Brighton voir le grand prestidigitateur Houdini. C'est un spectacle étonnant. On charge Houdini de chaînes, on l'enferme dans une malle, qui est plongée dans un réservoir d'eau. Et, moins d'une minute après, Houdini réapparaît pour saluer le public.

Personne ne comprend comment il réussit de tels prodiges, sauf Conan Doyle. Celui-ci rend aussitôt visite à Houdini dans sa loge pour lui annoncer que son secret est percé à jour. Un Houdini étonné s'entend dire qu'il procède par dématérialisation. Grâce à des dons psychiques hors du commun, il se dématérialise pour se rematérialiser quelques secondes plus tard. Houdini a beau protester qu'il n'en est rien, sir Arthur n'en démord pas. Les médiums sont souvent accusés d'être des prestidigitateurs : c'est bien la première fois qu'un prestidigitateur est accusé d'être un médium.

Or, il se trouve que Houdini est lui aussi passionné de spiritisme, mais ses conclusions sont tout à fait opposées à celles de Conan Doyle. Depuis des années, il cherche à entrer en contact avec sa mère, dont la mort l'a désespérée, mais tous les médiums qu'il rencontre s'avèrent être des imposteurs. Houdini est le plus grand illusionniste du monde ; aucune supercherie n'échappe à sa vigilance. La liste de médiums démasqués par ses soins est longue et impressionnante. Les deux hommes éprouvent l'un pour l'autre sympathie, respect et admiration. Pour Conan Doyle, Houdini est un médium hors pair qui refuse d'avouer ses dons psychiques pour des raisons professionnelles ; pour Houdini, sir Arthur est « *sympathique, très intelligent, mais obsédé de spiritisme. N'étant pas initié au monde du mystère, n'ayant jamais appris les artifices de la prestidigitation, c'est la chose la plus simple du monde que de gagner sa confiance et de le tromper* ». A cause même de l'estime qu'ils se portent, chacun va penser qu'il est de la plus haute importance de rallier l'autre à sa cause. Ils échoueront tous les deux.

Quand les photographies des *fées de Cottingley* paraissent, sir Arthur est à l'étranger. Il s'agit, en effet, de faire le salut de l'humanité et non seulement de l'Angleterre. Il avait rendu visite à l'Anzac (Australian and New Zealand Army Corps) sur le front français en août 1918 ; aussi est-ce par l'Australie qu'il veut commencer l'évangélisation du monde.

Le voyage est pénible. Sir Arthur ressent les premières manifestations de la faiblesse cardiaque qui lui sera fatale. Il est nerveux et fatigué. La traversée de la mer Rouge, en plein mois d'août, se fait dans une chaleur qui l'épuise. Il parle de spiritisme aux autres passagers ; leur curiosité le console de ses insomnies. L'expédition va durer six mois. Il se produit dans toutes les grandes villes de l'Australie et puis, laissant sa famille à Sydney, part seul pour une tournée en Nouvelle-Zélande. L'Anzac avait subi de lourdes pertes, et les plaies sont encore ouvertes. L'af-

fluence est donc forte. Au total, 50 000 personnes assistent
à ses vingt-cinq conférences. Il lui arrive même de se voir
refuser l'accès de la salle par le service d'ordre sous
prétexte qu'il n'y a plus de place, même sur l'estrade. Le
clergé croit devoir exorciser les salles où il se produit. La
presse, par contre, accueille la nouvelle révélation avec
une gouaille bien australienne qui inspire à Conan Doyle
une tristesse apitoyée. C'est en Australie que lui parvient
la nouvelle de la mort de Mary Foley Doyle, mais les
deuils n'ont plus d'importance pour lui; il est consolé
d'avance.

Sur le chemin du retour, Conan Doyle, débarquant à
Marseille, passe par Paris afin d'assister à des séances
organisées par Charles Richet et le Dr Geley à l'Institut de
Métapsychique, avenue de Wagram. Une version fiction-
nalisée de ses séances avec le célèbre médium Eva C
figurera dans *Le pays des brumes.* Son séjour parisien est
interrompu par la mort de son beau-frère Hornung,
survenu à Saint-Jean-de-Luz. Hornung, comme Mary
Foley Doyle, ne tardera pas à rejoindre Kingsley et Innes
dans la troupe d'esprits qui reviennent, le soir, dans la
nursery à Windlesham.

Quand sir Arthur retrouve l'Angleterre fin février 1921,
la controverse suscitée par les *fées de Cottingley* fait
encore rage. Elle ne tourne pas à son avantage. Il affirme
que les photographies sont authentiques, puisque prises
par des petites filles. Les enfants sont des êtres purs, qui
ne sauraient ni tricher ni mentir. Position étonnante de la
part d'un homme qui en a élevé cinq. Il est d'ailleurs
persuadé que ses souvenirs de l'époque où il collaborait au
British Journal of Photography lui permettent de trancher
la querelle d'experts qui remplit les colonnes de la presse.
Les photographies sont truquées; les images de fées
superposées sur les clichés proviennent d'une publicité
vantant les mérites des veilleuses vendues par Price &
Sons Ltd. Sir Arthur a beau accabler les incrédules de son
froid mépris, tout le ridicule dans cette affaire est pour lui.

Son isolement s'en trouve aggravé. De vieux amis comme Jerome K. Jerome et James Barrie ne tiennent plus à le fréquenter. Il polémique avec des confrères et relations comme H. G. Wells et Edgar Wallace. Quand il organise, en 1924, une exposition des toiles de son père, seul George Bernard Shaw, avec son esprit de contradiction systématique, trouve du génie à l'artiste ; les autres, gênés par la matière plutôt que la manière, s'en tiennent à une politesse de circonstance. Chez les Doyle, père et fils, il y a vraiment trop de fées.

Il n'y a pas que les fées. Sir Arthur demeure persuadé de l'authenticité des photographies supranormales, même quand il s'avère que ces visages flous appartiennent, en réalité, à des personnalités sportives bien connues et bien vivantes. De même, il garantit l'authenticité des livres que différents auteurs — W. T. Stead, Jack London, Oscar Wilde, plus tard Thomas Hardy — auraient dictés à des médiums depuis l'au-delà. Il déclare que la psychométrie, qu'il avait utilisée dans ses nouvelles d'épouvante, sera désormais indispensable à la police.

Un jeune homme disparaît en 1921. Conan Doyle se fait fort de le retrouver, grâce à son psychométricien personnel, Horace Leaf. Le jeune homme sera en effet retrouvé, mais par des méthodes classiques, et cela presque devant les portes de Windlesham. Nullement découragé, sir Arthur fait intervenir le même Horace Leaf lors de la disparition d'Agatha Christie en 1926. Leaf n'annonce ses résultats, d'ailleurs médiocres, qu'une fois la romancière retrouvée. Ce qui n'empêche pas Conan Doyle de déclarer la psychométrie essentielle à une police bien faite. A quoi un responsable de Scotland Yard répond qu'il n'y a pas de place pour les fous dans ses services. Moins brutale, Agatha Christie se contente de taquiner sir Arthur : « *Une vraie fée de chez nous !* » s'exclame l'héroïne des *Associés contre le crime*. « *Devrions-nous en informer Conan Doyle ?* »

L'amusement moqueur résume assez bien les réactions du public devant les extravagances de sir Arthur.

Les autorités prennent la chose plus au sérieux. Certes, quand en 1923 la reine désire des manuscrits en miniature pour constituer la bibliothèque de la maison de poupées royale, sir Arthur est parmi les nombreux auteurs sollicités. Il donne une parodie, *Comment Watson apprit le tour,* qui est bien supérieure aux nouvelles de la même époque. Mais la pairie qui eût été la récompense normale de son œuvre, sans parler de ses services de propagandiste, lui est refusée. La Chambre des pairs a certes beaucoup perdu de son pouvoir et de son prestige, d'une part parce que son veto législatif est réduit et d'autre part parce que Lloyd George avait pris l'habitude regrettable, mais rentable, de vendre les titres de noblesse au plus offrant. Le nombre d'acheteurs empressés montre combien l'octroi d'un titre est toujours considéré comme un signe officiel de reconnaissance envers ceux qui ont bien mérité de la nation. Sir Arthur Conan Doyle a plus mérité que bien d'autres, mais il n'y aura pas droit. Ni le Premier ministre ni le roi — tous deux admirateurs de son œuvre — n'acceptent d'ouvrir la Chambre des pairs à un homme qui persiste à croire et à proclamer qu'il y a des fées au fond du jardin.

Il ne s'agit pas seulement de crédulité ou d'atavisme celte. On reproche souvent au spiritisme la futilité des phénomènes, la banalité des communications venues de l'au-delà. Conan Doyle, tout en ripostant que le caractère peu intellectuel des phénomènes est proportionné à l'abrutissement de la génération à laquelle ils s'adressent, est certain que le spiritisme lui aussi est sujet aux lois de l'évolution. Il faut donc passer de l'attirail habituel de la salle des séances à des manifestations supérieures : télépathie, voyance, psychométrie, photographies supranormales, etc. Tout ce qui ressemble à des phénomènes de ce genre, que ce soit les fées ou les livres attribués aux morts, est accueilli avec un enthousiasme qui efface le peu d'esprit critique qui lui reste.

Ses enthousiasmes ne sont pas toujours partagés par l'ensemble du mouvement spirite. Les enquêteurs austères de la SPR, même des amis comme sir Oliver Lodge et sir William Barret, estiment que sa crédulité jette le discrédit sur leurs recherches. Il n'y a d'ailleurs pas de place pour les fées dans la cosmologie spirite. En les adoptant, sir Arthur retombe, sans doute sans le savoir, dans la théosophie de Mme Blavatsky, qui est, pour les spirites, une hérésie abominable. L'organisation spirite la plus importante, la National Union of Spiritualists, comprend des athées et des agnostiques aussi bien que des croyants. Le caractère moralisant de la prédication de Conan Doyle divise ses membres et agace ses dirigeants. Sir Arthur reste membre de la SPR et de la NUS, mais il préfère la London Spiritualist Alliance et le British College of Psychic Science qui, en le portant à leur présidence, acceptent sa légitimité.

En 1925, il ouvre une librairie spirite à Londres, dont la direction est confiée à sa fille Mary. Il se retrouve au centre d'un petit groupe composé de sa famille et de clergymen — Leslie Curnow, Robert Lamond, Vale Owen, Horace Leaf — issus de confessions différentes mais tous spirites convaincus. Sir Arthur domine totalement ce groupe par la seule force de sa personnalité. Et puis, c'est lui, en grande partie, qui finance ses activités et ses publications. Il n'y a plus personne dans son entourage pour lui apporter la contradiction, refroidir ses enthousiasmes ou même lui imposer la plus élémentaire prudence dans ses déclarations publiques.

Sir Arthur ne perd cependant pas tout sens des réalités de la vie ici-bas, ne serait-ce que parce que la croisade spirite lui coûte fort cher. Les droits d'entrée de ses conférences ont permis de couvrir les frais de sa tournée australienne, mais si ces six mois ne lui coûtent rien, ils ne lui rapportent rien non plus. Entre l'été de 1918 et le printemps de 1921, il ne publie aucune œuvre de fiction. Et les frais de Windlesham et de son appartement londonien courent toujours. Aussi a-t-il de nouveau recours à Sherlock Holmes.

Il avait racheté les droits cinématographiques pour les revendre à la Stoll Film Company, qui est en train de tourner les aventures holmesiennes avec Eille Norwood dans le rôle principal. Sir Oswald Stoll est également propriétaire d'un réseau de théâtres. C'est pourquoi sir Arthur, dès son retour d'Australie, s'engage à faire une pièce en un acte ayant Holmes pour héros. Cette pièce, *The Crown Diamond*, tiendra l'affiche, à Londres et en province, pendant quelque dix-huit mois. En septembre 1921, sir Arthur accepte de prendre la parole dans un banquet public pour la première fois depuis 1914. L'organisateur est sir Oswald Stoll, qui souhaite fêter la sortie des premiers films holmesiens (il en tournera une cinquantaine). Ceux — et ils sont nombreux — qui comptent sur Sherlock pour détourner Conan Doyle du spiritisme reprennent espoir. En effet, *The Crown Diamond*, remanié et rebaptisé *La pierre de Mazarin* paraît dans le *Strand*. Le public est soulagé. Lloyd George félicite publiquement l'auteur. Il n'en reste pas moins que *La pierre de Mazarin* est parmi les plus faibles des nouvelles du cycle, ne serait-ce que parce que, pour faciliter la transformation de la pièce en nouvelle, Watson est déchu de son rôle de narrateur. Il le retrouve pour les quelques nouvelles publiées entre 1922 et 1924 qui, cependant, n'atteignent pas la qualité des aventures précédentes. Sir Arthur est plus que jamais à court d'énigmes. « *Je peux faire des nouvelles si j'ai de bonnes idées au départ*, écrit-il à Greenhough Smith, *mais mon stock personnel est épuisé.* » C'est Greenhough Smith qui lui fournit l'intrigue du *Pont de Thor*. Le Dr Voronov, chef du laboratoire de chirurgie expérimentale au Collège de France, et ses expériences de rajeunissement par greffe d'organes animaux semblent lui avoir suggéré celle de *L'homme qui grimpait*. Le *Strand* paie ces nouvelles d'autant plus cher (une demi-livre le mot) que Conan Doyle les distille au compte-gouttes. Ce n'est pas qu'il veut faire monter les enchères mais, plus simplement, que Holmes ne l'intéresse plus. Il est capable de se rappeler, sans effort, la place tenue par n'importe quel régiment dans l'ordre de bataille britannique pendant la Grande Guerre, mais quand il en vient à rédiger une nouvelle préface pour l'édition du cycle Holmes publiée par John Murray en 1928, il ne cite que deux dates et se trompe sur les deux. Aussi, quand le *Strand* lui réclame du Sherlock Holmes, écrit-il à Greenhough Smith : « *J'aimerais vous être agréable mais, comme vous le savez, je n'ai qu'un but dans la vie et, pour l'instant, je ne vois à l'horizon aucune littérature qui puisse vous être utile.* » Sherlock Holmes ne sert qu'à lui procurer les moyens financiers nécessaires à la poursuite du seul but de sa vie.

C'est pour mieux s'y consacrer qu'il met de l'ordre dans son œuvre littéraire. L'édition complète de ses poèmes paraît en 1922 ; il n'en fera plus. A partir de cette même année commencent à paraître les cinq volumes de ce qu'il pense être l'édition définitive de ses nouvelles. Son autobiographie, en réalité une suite de reportages sur différents aspects de sa vie, sort en 1924. C'est sa manière d'avertir ses fidèles lecteurs qu'il se retire de la vie littéraire. « *Je ne peux écrire que ce qui me vient* », écrit-il à Greenhough Smith. Il n'y a là aucun dilettantisme, plutôt une déclaration d'indépendance. Conan Doyle n'est plus un auteur professionnel. Sa plume n'est plus un outil de travail mais une arme au service de sa foi.

Encore faut-il avoir la force de s'en servir. Sir Arthur a maintenant dépassé la soixantaine. C'est un vieillard digne et imposant. Ses cheveux et moustaches sont blancs. Ses traits, perdant le léger empâtement de sa jeunesse, se sont affinés pour lui donner une belle tête de guerrier celte. Il est plus maigre, mais il se tient toujours très droit. Sa voix n'a rien perdu de sa sonorité. Il souffre cependant d'angine de poitrine. Le golf et la marche sont les seules activités physiques qui lui restent, et il se fatigue vite. Il devient sensible au froid. Le pardessus et le parapluie roulé — il les achète par demi-douzaine — font partie de sa silhouette. Il ne voit presque personne en dehors de la mouvance spirite. Les banquets publics, les déjeuners littéraires, les clubs londoniens ne le voient plus guère. Sa vie se partage, quand il n'est pas en tournée, entre Windlesham, son appartement londonien près de la gare de Victoria et, de 1925 jusqu'à sa destruction par les flammes en 1929, Bignell Wood, une vieille demeure dans cette New Forest où il s'était retiré pour écrire *La compagnie blanche*. Il y cherche la solitude, et il la trouve. Les commerçants ne livrent pas et le facteur n'apporte pas le courrier ; ils ont peur des fantômes. Où qu'il soit, en effet, sir Arthur organise des séances. En 1921, Jean se découvre le don de l'écriture automatique. En dehors de son activité missionnaire, sir Arthur mène une vie de vieil homme tranquille, entouré de sa famille. Il sait que ses forces sont désormais limitées mais, s'il les ménage, c'est pour mieux les dépenser pour la cause qui est maintenant sa seule raison de vivre.

En avril 1922, il arrive à New York avec Jean et les enfants pour une série de conférences. L'itinéraire prévu est presque celui de sa première tournée en 1894. Les organisateurs lui accordent une considération que le major Pond ne lui avait jamais montrée, mais ce voyage, avec ses réunions, ses heurts avec les journalistes, ses nombreuses séances avec des médiums inconnus et parfois complices de ses détracteurs, est une épreuve physique et nerveuse épuisante. Il tiendra néanmoins tous ses engagements, à commencer par une conférence devant trois mille cinq cents personnes au Carnegie Hall. « *C'était un public qui avait ses morts* », note un journaliste américain. Sir Arthur parle de l'au-delà avec une éloquence telle qu'une vague de suicides se déclenche à New York.

La presse est hostile à la nouvelle révélation. Sir Arthur convoque donc les journalistes, en leur promettant des images exceptionnelles. On s'attend à de banales photographies supranormales. Au lieu de quoi, apparaissent à l'écran des monstres préhistoriques qui gambadent et se battent au milieu d'une végétation luxuriante. Il s'agit en réalité d'une séquence d'effets spéciaux tirés d'un film du *Monde perdu* qui n'est pas encore sorti en salle, mais les journalistes mettent un certain temps à s'en rendre compte. Sir Arthur rit bien de sa mystification, mais la presse, qui n'aime que les plaisanteries qui ne sont pas à ses dépens, sera désormais encore plus hostile à la croisade spirite.

Après avoir prêché dans une dizaine de villes, les Doyle prennent quelques jours de repos à Atlantic City, où Houdini les rejoint. Jean croit pouvoir mettre le grand illusionniste en communication avec sa mère. Jean entre en transe. Sa main court sur le papier. Au fur et à mesure qu'elle remplit les feuilles, sir Arthur les passe en silence à Houdini. Celui-ci ne réagit pas, mais le contenu du message lui donne la certitude que l'auteur n'est pas sa mère. De crainte de blesser ses hôtes, il ne fera connaître sa déception que plus tard, par voie de presse. Conan Doyle, quand il en prend connaissance, interprète ce démenti comme une mise en cause de la sincérité de son épouse. Les deux hommes continuent de correspondre, mais leurs rapports n'auront plus la même cordialité.

La tournée américaine est un succès tel que sir Arthur décide d'y retourner l'année suivante. Entre avril et août 1923, il suit l'itinéraire de son voyage de 1914, à cette exception près qu'il fait un séjour à Hollywood avant de gagner le Canada par la côte ouest. Une revue savante. *The Scientific American,* organise des séances dans des conditions rigoureusement contrôlées dans l'espoir d'arriver à un jugement définitif sur les phénomènes spirites. Sir Arthur attend de ces expériences la confirmation scientifique de ses croyances. Le médium le plus extraordinaire et le plus convaincant sera cependant démasqué par Houdini. Cette affaire, dont tous les épisodes ne sont pas entièrement éclaircis, met fin à l'amitié entre les deux hommes.

Ce voyage, comme tous les autres, se retrouve dans un livre. Ces journaux de bord, rédigés à la hâte dans des trains et des chambres d'hôtel dans un style négligé et décousu, n'ont qu'un intérêt anecdotique. Ils se vendent d'ailleurs fort mal, à telle enseigne que son éditeur américain, de crainte de compromettre la réputation de l'auteur, refusera celui qui traite du voyage africain de 1928-29 en déclarant : « *On ne peut rien faire avec ses livres spirites.* » Sir Arthur avait déjà fait la même constatation. Aussi décide-t-il, dès 1924, de consacrer de vrais livres à la cause spirite.

Ainsi, une *Histoire du spiritisme* paraît en 1926. Le livre est en fait écrit par son ami Leslie Curnow. L'éditeur, cependant, veut le nom de Conan Doyle sur la couverture. Celui-ci remanie donc le travail de son ami pour lui donner une tournure toute personnelle. En contant sa propre conversion, il n'évite pas tout à fait la tentation de reconstituer le passé. Il n'est pas allé, en fait, du scepticisme à la conviction — il est persuadé de la réalité de la vie après la mort biologique dès 1887 — mais de la conviction à l'engagement. Pour que son cas soit exemplaire, il préfère évoquer une longue et patiente recherche de trente ans avant que son scepticisme ne soit emporté par des preuves irrésistibles. Le livre retrace aussi la carrière des grands médiums dont l'histoire se confond avec celle du mouvement spirite, mais c'est une œuvre de piété et non de référence. Il montre aussi combien son engagement spirite marginalise Conan Doyle par rapport à son public. Qui eût dit que l'auteur le mieux payé du monde en serait un jour réduit à se faire éditer à compte d'auteur ?

Il sait, en effet, qu'il en faut plus pour frapper le public. Tout en remaniant le manuscrit de Curnow, il se consacre aussi à un roman spirite, plus exactement, un documentaire romancé. Comme il s'identifie à Challenger, celui-ci entre aussi au service de la propagande. Challenger avait déclaré, dans *La ceinture empoisonnée,* qu'il détestait le matérialisme. Pour les besoins de la cause, il devient matérialiste au début du *Pays des brumes* pour être, bien sûr, converti au spiritisme à la fin. Cette conversion fournit au roman son seul fil conducteur. C'est un livre faible. La langue est aussi peu soignée que l'intrigue. Il porte les traces d'une rédaction hâtive. En effet, sir Arthur, craignant de mourir avant de l'avoir fini, sacrifie ses exigences d'écrivain à son désir d'achever son témoignage. Car c'est un témoignage. L'auteur assure ne rien conter qu'il n'ait lui-même vécu. On y trouve notamment le récit de ses séances parisiennes et du débat public qui l'avait opposé à Joseph McCabe de la Rationalist Press Association au Queen's Hall en mars 1920. Ce débat, à la vérité, avait été plus indécis que *Le pays des brumes* ne le laisserait supposer. Dans cette visite guidée du mouvement spirite, le guide est trop enthousiaste pour inspirer tout à fait confiance. Le documentaire fictionnalisé est un genre bâtard qui vise, en mettant le lecteur dans l'impossibilité de faire la part du documentaire et de la fiction, à saper sa résistance aux thèses de l'auteur. Sir Arthur en fait trop ; le lecteur sent que l'auteur veut le manipuler comme il manipule ce pauvre Challenger. Celui-ci sera le héros de deux autres nouvelles qui, sans être de la propagande spirite, ne valent guère mieux que *Le pays des brumes*.

Ce livre contient aussi un plaidoyer pour l'abrogation du Witchcraft Act (1733) et du Vagrancy Act (1824). La guerre avait suscité un grand intérêt pour le spiritisme. Le nombre d'associations affiliées à la NUS passe de 145 en 1914 à 309 en 1919. Les veuves et mères éplorées sont la proie de charlatans de tous ordres. Les pouvoirs publics utilisent les lois contre la sorcellerie pour réprimer les abus de confiance. Il arrive ainsi que des médiums de bonne foi soient aussi poursuivis devant les tribunaux. Le spiritisme n'est pas reconnu comme une religion, et ne cherche pas à l'être. La NUS choisit le statut juridique d'une société par actions. Il n'en reste pas moins que pour ceux qui partagent les croyances de Conan Doyle, les poursuites engagées contre les médiums relèvent de la persécution religieuse. La NUS s'élève contre cet état de choses dès 1916. Sir Arthur s'était joint à la campagne avant même *Le pays des brumes,* mais son crédit est trop diminué pour la faire aboutir. Les lois en question ne seront abrogées qu'au début des années cinquante.

Ce n'est pas sa seule déception. Certes, le spiritisme progresse dans les premières années après la guerre, et il peut se flatter que son action personnelle ajoute encore au rayonnement du mouvement. En reconnaissance de ses services, il sera nommé président d'honneur du Congrès Spirite International qui réunit les représentants d'une vingtaine de pays à Paris en septembre 1925. Mais sir Arthur comptait sur la nouvelle révélation pour faire le salut de l'humanité ; au fur et à mesure que passent les Années Folles, il devient de plus en plus clair que l'humanité n'a pas envie d'être sauvée.

Ecoutons le réquisitoire que Conan Doyle prête à un personnage du *Pays des brumes* : « *Les nations accumulent de nouvelles quantités de péchés ; or, le péché doit toujours être expié. La Russie est devenue un cloaque d'iniquité. L'Allemagne ne s'est pas repentie du terrible matérialisme qui a été à l'origine de la guerre. L'Espagne et l'Italie ont sombré alternativement dans l'athéisme et la superstition. La France a perdu tout idéal religieux. L'Angleterre, troublée, regorge de sectes sans intelligence et sans vie. L'Amérique a abusé d'occasions glorieuses, car au lieu de se conduire en frère plus jeune et affectueux de l'Europe blessée, elle entrave tout relèvement économique en réclamant le paiement de ses créances. Elle a déshonoré la signature de son propre président en refusant de se joindre à la SDN, qui représentait l'un des espoirs de demain. Toutes les nations ont péché, quelques-unes plus que d'autres ; leur punition sera exactement en proportion de leur péché.* » Les progrès de la science accentuent la régression morale : « *Voyez comment tout est utilisé pour le Mal. Nous avons appris à construire des machines volantes, et nous les utilisons pour bombarder les villes. Nous apprenons à naviguer sous les mers, et nous en profitons pour assassiner des marins. Nous maîtrisons la chimie, pour faire des explosifs et des gaz toxiques. Cela va de mal en pis. En ce moment même, il n'y a pas de nation sur terre qui ne complote pas secrètement le moyen d'empoisonner les autres. Est-ce pour cela que Dieu créa notre planète ? Dieu va-t-il laisser cela continuer ainsi ?* » Et le personnage d'évoquer le cataclysme apocalyptique : « *Guerre, famine, pestilence, séismes, raz de marée... et tout finira dans la paix et une gloire indicible.* » Il ne s'agit pas ici de vaines paroles prêtées par l'auteur à des personnages conçus pour représenter les franges les moins respectables du mouvement spirite. Ces prophéties correspondent à des messages spirites dont sir Arthur ne doute pas un seul instant, puisque c'est son épouse qui les transmet.

Dès le 10 décembre 1922, un esprit nommé Phenéas s'exprime à travers l'écriture automatique de Jean. Ce Phenéas aurait été un guerrier arabe. Alors que le bon vieux fantôme du folklore s'enracine dans la continuité, les esprits suscités par le spiritisme représentent une rupture. Aussi sont-ils le plus souvent chefs peaux-rouges, esclaves babyloniens, serviteurs des pharaons, etc. Le Phenéas en question est donc un guerrier arabe, d'une époque indéterminée mais ancienne.

Ses prophéties ne tardent pas à prendre une tournure apocalyptique. Le monde *sombre dans le cloaque du mal et du matérialisme*. La leçon de la guerre n'a pas été entendue ; Dieu prépare, pour punir les péchés du monde, des cataclysmes encore plus effroyables. En 1924, sir Arthur croit devoir prévenir le public que de grandes catastrophes se préparent, qui auront *un côté destructeur sur le plan physique, un côté rédempteur sur le plan psychique*. Phenéas, en 1925, précise les détails. L'Europe centrale sera ravagée par des tempêtes et des séismes. La Russie sera détruite, l'Afrique inondée. La guerre civile déchirera l'Amérique. Il y aura des éruptions extraordinaires au Brésil. Le Vatican, *ce cloaque d'iniquité,* sera rayé de la carte. L'Angleterre cependant restera *un phare,* ce sera *le centre vers lequel se tournera le monde entier.* Surtout Windlesham, autour duquel les esprits sont en train d'ériger *une centrale d'énergie* où le Christ se manifestera avant son Second Avènement. Et les esprits de féliciter Conan Doyle du *message, semblable à celui du Christ, que vous donnez au monde.* Le rôle dévolu à sir Arthur est plutôt celui de Jean le Baptiste : il doit *préparer les intelligences, en sorte que les hommes, quand le réveil viendra, seront prêts à le recevoir.* Pour Conan Doyle, ces messages, transmis par Jean soit par écrit soit, à partir de 1924, oralement, sont d'ordre factuel et doivent être pris au pied de la lettre. En août 1926, il intervient le plus sérieusement du monde dans une docte controverse sur la question de savoir si on a le droit de semer la panique en révélant aux populations les cataclysmes promis. Les Doyle, selon les instructions de Phenéas, gardent précieusement toutes ces prophéties en vue d'une éventuelle publication : *Pheneas Speaks* paraîtra en 1927.

Quant à son sort personnel, sir Arthur n'a aucune inquiétude. Dans un journal personnel intitulé *Le cours des événements selon la prophétie* il note : « *Il faudra quelques années pour que le processus se réalise pleinement, mais je survivrai jusqu'à la fin, et puis je passerai de l'autre côté avec toute ma famille.* » Il est ironique de constater combien ses obsessions ramènent ce détracteur de l'Ancien Testament au discours des prophètes d'Israël : plus triste de conclure de ce schéma messianique classique que Conan Doyle souffre d'une forme aiguë mais banale de manie religieuse.

Ceci étant, il n'est pas surprenant que les six dernières nouvelles de Sherlock Holmes, écrites en 1925-26, quand la folie prophétique bat son plein, ne soient pas à la hauteur de sa réputation. Un homme qui attend la fin du monde pour l'année prochaine n'a pas à se soucier du jugement de la postérité. Conan Doyle n'a plus envie de se plonger dans l'univers holmesien et encore moins de se donner le mal nécessaire pour atteindre la perfection formelle des premières aventures. Il n'est pas impossible que certaines des nouvelles parues dans le *Strand* entre 1921 et 1927 (date de leur parution en librairie sous le titre des *Archives de Sherlock Holmes*) remontent en réalité à une époque antérieure mais soient restées au fond d'un tiroir parce que de qualité inférieure. Sir Arthur est maintenant moins exigeant avec lui-même.

Tout se passe, en effet, comme s'il avait choisi la facilité. Même sans compter les nouvelles où Watson n'est pas narrateur, on ne retrouve plus l'enchevêtrement de récits multiples qui faisait la richesse des premières nouvelles. Il n'y a plus d'intrigues construites à partir d'incidents délicieusement bizarres mais, au contraire, des phénomènes exotiques et macabres : un fauve déchaîné, un monstre marin, un lépreux, un poison sud-américain. Ces nouvelles relèvent moins du genre policier que de celui de l'épouvante. Tous les effets et tous les procédés sont grossis et donc déformés. Le personnage de Holmes devient plus caricatural et moins cohérent. Il se montre vis-à-vis de Watson à la fois plus amical et plus méprisant. Dans *La pensionnaire voilée* il dispense des conseils moraux conformes aux thèses spirites, dans *Les trois pignons,* il se montre tour à tour grossier et raciste. Il s'agit, dans ce dernier recueil, d'une version bien appauvrie de la formule géniale des années 1890.

Pourtant, la littérature policière s'est considérablement enrichie depuis lors. Austin Freeman, avec son Dr Thorndyke, y a introduit une technique scientifique plus réaliste que celle de Holmes. Agatha Christie, sans atteindre la complexité psychologique ni la qualité d'écriture des premières nouvelles holmesiennes, façonne des énigmes sophistiquées et cohérentes. G. K. Chesterton, en prenant volontairement le contrepied de Conan Doyle, invente avec le père Brown un détective qui se sert de son expérience de l'âme humaine comme Sherlock Holmes de sa loupe. Que ce soit par imitation ou par réaction, toute cette littérature dérive de Conan Doyle, mais celui-ci, dans *Les archives* revient, par une sorte de régression, aux procédés gothiques caractéristiques de l'époque où le genre policier ne s'était pas encore dégagé de la littérature à sensation.

Surtout, ces dernières nouvelles n'ont plus la bonne humeur irrésistible des premières. Le rédacteur de *Punch* ne s'y trompe pas, puisqu'il s'écrie : « *Chaque phrase est comme une lamentation, chaque conte une oraison funèbre.* » Cet optimisme d'autrefois se nourrissait de la certitude que le bien serait toujours vainqueur dans la lutte pour la vie, même si cette lutte devait éternellement recommencer. Les victoires passagères ne suffisent plus à arracher Holmes à son pessimisme ; « *Toute la vie n'est-elle pas pathétique et futile ?* » dit-il dans *Le marchand de couleurs retiré des affaires*. « *Nous atteignons, nous saisissons. Nous serrons les doigts. Et que reste-t-il finalement dans nos mains ? Une ombre. Ou pis qu'une ombre : la souffrance.* » La prophétie de Phenéas et la science positive de Holmes conduisent toutes deux à constater la vanité des choses humaines.

La détérioration de la qualité des dialogues montre combien sir Arthur, à l'écoute de Phenéas, est devenu sourd au discours quotidien de ses compatriotes. Tout en prêchant la tolérance, en effet, il ne supporte plus, depuis quelque temps, la contradiction. Même Innes devait lui écrire : « *Quand j'expose mes opinions devant toi, j'ai l'impression d'être un lapin devant un boa constrictor.* » Le mot *folie* revient de plus en plus souvent sous sa plume pour caractériser ses adversaires. Ses opinions sont de plus en plus primaires et réactionnaires. « *Un médecin n'a besoin que d'un coup d'œil donné à un crâne pour prédire* le crime », déclare-t-il péremptoirement dans *Le message vital.* Il a une fâcheuse tendance à croire que son diplôme de médecin, obtenu quarante-cinq ans auparavant, lui confère une sorte d'infaillibilité universelle. Il se met à réclamer la ségrégation définitive des criminels endurcis, par simple mesure administrative et sans autre forme de procès. Ses réactions devant les Etats-Unis des années vingt, sans atteindre le délire antisémite d'un H. G. Wells, sont loin de l'optimisme naïf de sa jeunesse. Dans *La dernière ressource,* les Américains honnêtes, assimilés aux Anglo-Saxons, finissent par liquider les méchants, assimilés aux immigrés latins et slaves. Ainsi Conan Doyle, qui avait commencé comme accoucheur de nouvelles familles, finit (ce sera la dernière nouvelle publiée de son vivant) par une apologie de la légitime défense digne d'un scénario de Charles Bronson. De même, lui qui avait justifié l'impérialisme par la promotion des peuples soumis, profitera de son voyage africain pour se déclarer hostile à la scolarisation des indigènes. Ses croyances religieuses ne sont pas plus extravagantes que l'occultisme de W. B. Yeats, mais alors que ces convictions enrichissent l'œuvre et la personnalité du poète irlandais, elles appauvrissent celles de Conan Doyle.

Ce durcissement de sa sensibilité se révèle encore lors du dernier épisode de l'affaire Slater. En 1927, le journaliste écossais W. Park apporte la preuve définitive de l'innocence de Slater. Les témoins à charge, maintenant domiciliés aux Etats-Unis, reviennent sur leurs déclarations. Slater est libéré et sa condamnation cassée par la cour d'appel en juillet 1928. Contrairement aux conseils de Conan Doyle, qui voulait qu'il réclame davantage, Slater accepte la somme de £ 6 000 à titre de compensation. Sur quoi, Conan Doyle exige que Slater lui rembourse les £ 1 000 qu'il avait avancées pour sa défense. Juridiquement, sir Arthur est dans son droit. Il y a cependant une certaine mesquinerie à harceler ainsi un malheureux qui a cette compensation pour seule ressource, et toute sa vie à refaire. Slater n'avait jamais été un personnage recommandable, et dix-huit ans de travaux forcés pour un crime qu'il n'avait pas commis n'avaient rien fait pour améliorer son caractère. Puisque sir Arthur dépense sans sourciller des sommes énormes pour la propagande spirite, pourquoi cet acharnement, pour £ 1 000 seulement, contre la victime de la justice d'un pays qui n'est même pas le sien ? Conan Doyle avait souvent remarqué que même le meilleur des hommes, à force de s'attacher exclusivement aux dogmes de sa religion, devenait borné, voire méchant. Il n'échappe pas à la règle qu'il avait lui-même énoncée, mais n'a plus assez de lucidité pour le comprendre.

Les dernières années de sa vie sont des années sombres. L'accueil très mitigé fait à l'édition définitive de ses *British Campaigns in Europe* (1928) montre encore combien il est devenu étranger à son époque. Il avait voulu, en menant à bien cet énorme travail, écrivait-il, « *tresser une couronne de lauriers pour nos morts* ». L'air du temps n'est pas aux oraisons funèbres. Les témoignages de ceux qui, à la différence de Conan Doyle, avaient fait la guerre — Robert Graves, Wilfrid Owen, Edmund Blunden, Siegfrid Sassoon — sont remplis de révolte, de colère, de souffrance et de désillusion. Réaction inévitable et peut-être excessive, mais qui traduit une réalité humaine que sir Arthur ne peut s'imaginer. Sa rhétorique patriotique et sentimentale sonne horriblement faux.

Les prophéties de Phenéas se révèlent fausses, elles aussi. Les années passent, et les cataclysmes annoncés se font attendre. Sir Arthur en vient à se demander, dans une lettre à un ami, si Jean et lui-même n'ont pas été victimes *d'un extraordinaire canular manigancé dans l'au-delà*. Il est vrai qu'il avait toujours dit qu'il y avait *des hooligans aussi bien que des anges* parmi les esprits. Cependant, le schéma messianique satisfait chez sir Arthur des besoins à la fois intellectuels et affectifs ; il ne veut pas l'abandonner. Même en 1928, il écrit encore :

« *La date de cette crise est rapprochée. Elle prendra la forme de convulsions naturelles et politiques, et ses conséquences seront bouleversantes.* » Un tel entêtement dans la crédulité lui coûte la sympathie et le soutien non seulement de son public mais aussi d'une partie importante du mouvement spirite.

Ainsi, en 1928, il présente à la conférence annuelle de la NUS une motion ainsi conçue : « *Nous, dans le monde occidental, reconnaissons l'enseignement primitif et l'exemple de Jésus de Nazareth, et les considérons comme un modèle idéal pour notre conduite.* » La motion ne sera pas soumise au vote. La NUS s'intéresse aux phénomènes spirites et non à un quelconque enseignement religieux; elle ne veut pas aliéner une partie de ses adhérents en se transformant en Eglise chrétienne. La même année, la London Spiritualist Alliance, soucieuse de se démarquer des faux médiums, refuse de s'associer à la campagne contre le Witchcraft Act. Conan Doyle quitte aussitôt l'organisation, dont il avait été président. Il supporte de plus en plus mal la prudente rigueur de la SPR. L'agacement, il est vrai, est réciproque. « *Bien sûr, Conan Doyle dit des choses qui sont vraies* », affirme sir Oliver Lodge, qui est pourtant son ami, « *mais pour les dire, il faudrait avoir fait de véritables études littéraires et théologiques, et ce n'est pas son cas.* » Au début de 1930, sir Arthur perd enfin patience. Accusant les enquêteurs de la SPR de *négation obtuse* et de *perversité puérile,* il démissionne avec fracas de ce qui est devenu, selon lui, *une organisation antispirite.* Le spiritisme s'organise autour des médiums plutôt que dans des cadres institutionnels rigoureux. Il n'en reste pas moins que Conan Doyle se trouve, à la fin de sa vie, en marge des organisations les plus représentatives du mouvement.

Le mouvement lui-même est en perte de vitesse. Avec le temps, les plaies de la guerre se referment, une nouvelle génération arrive à maturité. Si le spiritisme retient encore l'attention, c'est en tant que source de faits divers bizarres et exotiques et non en tant que source d'inspiration morale et religieuse. Sir Arthur n'abandonne pas le combat, mais son dernier roman, *Le gouffre Maracot,* publié en 1929, trahit la conscience qu'il a de son échec.

Il s'agit d'une allégorie déguisée en science-fiction. Le professeur Maracot et ses deux compagnons se trouvent sur un continent sous-marin, l'Atlantide. Derrière les merveilles et les menaces technologiques — la nourriture synthétique, l'énergie nucléaire, la télévision, une chenille munie d'un rayon mortel — se retrouve le schéma messianique. Le peuple de l'Atlantide est *un peuple dégénéré* car, dans sa course effrénée aux plaisirs, il ne veut pas écouter les sages qui lui prêchent le repentir — pas plus que l'humanité moderne ne veut écouter des sages comme Conan Doyle. L'Atlantide est donc vouée à la destruction, mais sera sauvée par le mysticisme de Maracot, qui incarne cette synthèse de la science et de la religion à laquelle sir Arthur aspire depuis longtemps.

Les parallèles avec *Le monde perdu* sont explicites ; le sous-titre est *Le monde perdu sous les mers.* Mais Maracot n'a pas la dimension à la fois humaine et héroïque de Challenger. Il n'y a pas d'équivalent pour Summerlee, ce qui appauvrit sensiblement le jeu des personnages. La bonne humeur et la joie de vivre font cruellement défaut. Comme dans *Les archives de Sherlock Holmes,* Conan Doyle abandonne l'architecture de l'intrigue et la justesse de ton au profit des procédés grossiers de l'épouvante. Il voulait traiter la légende de l'Atlantide, la mort d'une civilisation. « *C'est un grand thème* reconnaît-il, *trop grand pour que je le traite correctement.* » La multiplication de machines et de créatures bizarres ne cache pas les incohérences de l'allégorie. La langue est approximative, la syntaxe relâchée, la grammaire douteuse ; on se heurte à de nombreux américanismes de mauvais aloi. *Le gouffre Maracot* est une œuvre où la fatigue le dispute à la lassitude.

Sir Arthur n'arrête pas pour autant son activité de

missionnaire. La carte du monde sur le mur de son bureau à Windlesham, avec des étiquettes pour marquer les villes où il a porté la bonne parole, lui rappelle qu'il reste des terres à évangéliser. En novembre 1928, il part avec sa famille pour une tournée de cinq mois en Afrique qui le conduira du Cap jusqu'à Nairobi, avec, en route, une halte pleine de nostalgie à Bloemfontein. A l'occasion d'une séance, un esprit lui apprend que *l'Empire britannique est protégé du ciel plus que toute autre institution humaine*. C'est l'une des rares consolations qui lui restent.

Ses fils sont maintenant de grands jeunes gens. Leur mère aime à répéter qu'ils vont consacrer leur vie au spiritisme. Ceux qui les voient, engoncés dans des costumes trop serrés, poser avec leurs parents sur le quai de la gare avant le départ peuvent penser, à leur petit air mutin, qu'il n'en sera rien. Ils se passionnent pour les avions et les voitures de course, ils commencent à porter au sexe opposé un intérêt qui n'a rien de spirituel. S'ils accompagnent leur père en Afrique, c'est moins pour prêcher le spiritisme que pour chasser le grand fauve. Sir Arthur ne peut rien refuser à ses enfants. Il leur offre des bolides, intervient même auprès des tribunaux quand ils sont poursuivis pour excès de vitesse. A soixante-dix ans, il fait le tour du circuit de Brooklands à plus de 100 km/heure, rien que pour partager leurs sensations. Bien que ses principes enseignent le respect de toute vie — il faisait campagne contre l'emploi de plumes d'oiseaux dans les chapeaux — il les accompagne volontiers à la chasse dans la savane africaine. Ils veulent une tête de rhinocéros. Les guides vont en trouver un, mais endormi. Les règles de la chasse interdisent de tuer la bête durant son sommeil. Alors que ses fils, fusil en main, se tiennent à une distance prudente, le septuagénaire, emmitouflé dans son éternel pardessus malgré le soleil africain, s'avance seul, d'un pas lent et digne, réveiller le pachyderme en le taquinant du bout de son parapluie. S'il ne fallait garder qu'une seule image de sir Arthur Conan Doyle, ce serait celle-là.

De retour en Angleterre en mars 1929, il repart au début de l'automne pour la Hollande, la Belgique et les pays scandinaves. C'en est trop pour ses forces. Il est foudroyé par une crise cardiaque, et c'est en fauteuil roulant qu'il retourne à Windlesham. Il a coutume, depuis des années, de prendre la parole devant les spirites réunis à l'Albert Hall, à Londres le 11 novembre. Ses médecins sont unanimes ; s'il y va, il n'en reviendra pas. Il y va, et il en revient, mais très affaibli. Une insuffisance rénale s'est ajoutée à l'angine de poitrine. Il ne peut plus quitter Windlesham, car une crise, nécessitant le recours à des bouteilles d'oxygène, peut survenir à tout moment. Il travaille sans énergie et sans conviction à une édition définitive de son œuvre et, en effet, cette Crowborough Edition n'aura de définitif que le nom. Pour tuer le temps, il s'initie à la peinture. Surtout, il rêve devant sa carte du monde. Athènes, Rome, Constantinople, ces métropoles des anciennes religions sont des lieux tout désignés pour recevoir la nouvelle révélation. Dans son for intérieur, il sait que c'est un autre départ qu'il devra bientôt prendre. Il l'attend avec une sérénité mêlée de curiosité. Conan Doyle ne craint rien, surtout pas la mort.

Il dresse le bilan de sa vie. Son œuvre littéraire est imposante, et il en tire une légitime fierté, mais il la tient pour peu de chose à côté de sa croisade religieuse. Il y a consacré quinze années de sa vie : dix livres de propagande, le même nombre de brochures, deux romans, une traduction du *Jeanne d'Arc* de Léon Denis et pas moins de quatre cent cinquante interventions dans la presse. Il a prononcé des centaines de conférences devant des centaines de milliers de personnes, il a parcouru l'Europe, l'Amérique du Nord, l'Australie, la Nouvelle-Zélande et l'Afrique. Selon son biographe officiel, il avait consacré au spiritisme la somme, colossale pour l'époque, de £ 250 000. Ce qui l'avait à la fois fasciné et rebuté chez ses maîtres jésuites, c'était leur mépris des valeurs du siècle, leur indifférence à ce qui n'était pas le but de leur vie, leur volonté d'aller jusqu'au bout de leur engagement. Sir Arthur Conan Doyle doit plus qu'il ne le pense à l'exemple des Pères Jésuites.

Comme il ne peut quitter Windlesham, il convoque la *Fox Movietone News* pour témoigner une dernière fois de cette foi qu'il porte en lui. « *S'agissant du spiritisme, sir Arthur,* fait le journaliste, *vous croyez...* » pour être réduit au silence par un regard de ces yeux gris-bleu qui ont paralysé bien des interlocuteurs « *Je ne crois pas,* réplique sir Arthur, *je sais.* » Ce sera son dernier mot.

Mais ce ne sera pas son dernier geste. Il apprend que le Home Secretary accepte de recevoir une délégation spirite pour évoquer une éventuelle abrogation du Witchcraft Act. Il veut en être, et l'opposition de ses médecins comme de sa famille n'y fera rien. Il se traîne donc jusqu'à Londres, conduit la délégation chez le ministre, participe, dans la faible mesure de ses moyens, à une discussion qui, comme il le craignait, n'aboutit à rien. Il revient à Windlesham totalement épuisé mais avec le sentiment d'avoir fait son devoir.

Une semaine plus tard, ses fils seront réveillés en pleine nuit et envoyés d'urgence à la ville la plus proche chercher de l'oxygène. Palliatif inutile. Sir Arthur demande qu'on le lève. Il avait vécu debout, en combattant ; un Doyle ne meurt pas dans son lit. Calé dans son fauteuil préféré, face au paysage qu'il avait tant aimé, entouré de ses enfants, sa main dans la main de sa femme, sir Arthur Conan Doyle s'éteint enfin à l'aube, le 7 juillet 1930.

ÉPILOGUE

Le royaume des morts est le véritable royaume des vivants. Forte de cette conviction, la famille de sir Arthur Conan Doyle refuse, par principe, de porter le deuil. Son enterrement, dans le jardin de Windlesham, devant la cabane où il aimait travailler, est une fête pour la famille et les amis. Le 13 juillet 1930, près de huit mille personnes se pressent dans l'Albert Hall pour un dernier hommage public. Un médium, montrant du doigt la chaise vide laissée sur l'estrade entre Jean et son fils aîné, s'écrie : « *Il est là, il est parmi nous !* » D'autres médiums, dont Jean, en d'autres lieux, auront la certitude de recevoir des communications. Il n'est pourtant nul besoin de médium : il suffit de regarder la devanture des librairies pour bien voir que sir Arthur est toujours parmi nous.

Conan Doyle compte, en effet, parmi les principaux artisans de notre imaginaire. Dans une œuvre littéraire considérable — une vingtaine de romans, quelque deux cents nouvelles — on retiendra surtout les éléments où le mode scientifique s'efface au profit du mode romanesque : le cycle Holmes, le cycle Gérard, la première partie du cycle Challenger. Il conviendrait d'ajouter un certain nombre de nouvelles, notamment *Le capitaine de l'étoile polaire,* qui auraient suffi à faire à elles seules sa réputation, même si Sherlock Holmes et Watson n'étaient pas venus s'en charger. Conan Doyle est un conteur, donc un illusionniste, et comme tout illusionniste qui se respecte, il a plus d'un tour dans son sac.

T. S. Eliot disait de lui qu'il figurait parmi les meilleurs auteurs dramatiques de son époque. Entendons par là qu'il est moins un prosateur qu'un scénariste. C'est sans doute pour cela que son œuvre passe si facilement de la page à l'écran. Ce n'est pas un hasard si les genres qui le comptent parmi leurs précurseurs et praticiens — policier, épouvante, anticipation, aventure — sont ceux qui gardent la faveur du grand public. L'animal humain se distingue des autres espèces en ceci qu'il a besoin qu'on lui raconte des histoires. En répondant mieux que quiconque à cette exigence fondamentale, Conan Doyle a bien mérité de l'humanité.

L'histoire d'une vie est aussi de ces histoires dont nous avons besoin. Celle de Conan Doyle fait partie de notre patrimoine au même titre que son œuvre. Un homme ne se réduit pas à ses livres. Dans Conan Doyle, il y a du Holmes et du Watson, du Gerard et du Challenger, mais la personnalité qu'il se forge pour lui-même dans les épreuves de la vie est aussi passionnante que les personnages qu'il fabrique pour le plaisir du public. Devant les dilemmes de l'homme moderne face à la fois à sa science et à son histoire, sir Arthur montre un courage et une droiture exemplaires. Il se trompe sans doute souvent, mais il ne veut tromper ni lui-même ni les autres. Il est de cette race aujourd'hui presque éteinte, celle du gentleman anglais que décrit André Maurois : « *Un gentleman, un vrai, voyez-vous, c'est bien près d'être le type le plus sympathique qu'ait encore produit l'évolution du pitoyable groupe de mammifères qui fait en ce moment quelque bruit sur la terre.* » Il ne saurait y avoir de meilleure épitaphe pour sir Arthur Conan Doyle.

INDEX

BIBLIOGRAPHIE

A — Œuvres de sir Arthur Conan Doyle.

Œuvres littéraires complètes (20 volumes). Préface et Notes de Gilbert Sigaux, Lausanne, Ed. Rencontre (épuisé).

Parmi les œuvres actuellement disponibles en librairie en France, il faut d'abord citer :

Conan Doyle, « l'Intégrale », Ed. Néo (en cours de parution).

L'intégrale du cycle Sherlock Holmes est disponible chez R. Laffont (Collection Bouquins) et dans le Livre de Poche. Des éléments du cycle Holmes se trouvent également chez de nombreux éditeurs, notamment les Editions Ulysse et les Editions Presse-Pocket.

Pour ce qui est de la partie non holmesienne de l'œuvre, les titres suivants sont actuellement disponibles :

Le Livre de Poche Jeunesse

La ceinture empoisonnée.
Le monde perdu.

Ed. Néo (en plus de l'Intégrale signalée plus haut)

Au pays des brumes.
La ceinture empoisonnée, La machine à désintégrer, Quand la terre hurla.

La compagnie blanche.
Du fond de l'abîme.
Sir Nigel.

UGE (Collection 10/18)

La hachette d'argent.
L'horreur des altitudes.
Mon ami l'assassin et autres histoires de mystère.
Le mystère de Cloomber.
Rodney Stone.
Le train perdu.

Il convient également de citer :

Le dernier tireur, Ed. Balland.
Histoire du spiritisme, Ed. du Rocher.
La main brune, Gallimard, Folio Junior, Enigmes.
Souvenirs et aventures, Ed. de l'Encre.

Signalons enfin que divers éléments du cycle Holmes sont disponibles en édition bilingue chez Longman et Bordas.

B — CHOIX D'OUVRAGES SUR LA VIE ET L'ŒUVRE DE SIR ARTHUR CONAN DOYLE.

A Bibliography of Arthur Conan Doyle, Richard Lancelyn Green and John Michael Gibson, Oxford, Soho Bibliographies 23, Clarendon Press, 1983.

The Unknown Conan Doyle ; Essays on Photography, Compiled with an Introduction by John Michael Gibson and Richard Lancelyn Green, London, Secker & Warburg, 1982.

The Unknown Conan Doyle; Letters to the Press, Edited and Introduced by John Michael Gibson and Richard Lancelyn Green, London, Secker & Warburg, 1986.

Conan Doyle; His Life and Work, Hesketh Pearson, London, Methuen & Co, 1943.

The Life of sir Arthur Conan Doyle, John Dickson Carr, London, John Murray, 1949. (Traduction d'André Algarron, *La vie de sir Arthur Conan Doyle,* Paris, Laffont, 1958.)

Sir Arthur Conan Doyle ; l'homme et l'œuvre, Pierre Nordon, Paris, Didier, Etudes Anglaises 17, 1964.

The Adventures of Conan Doyle, Charles Higham, London, Hamish Hamilton, 1976

Conan Doyle ; A Biographical Solution, Ronald Pearsall, London, Weidenfeld & Nicolson, 1977.

Portrait of an Artist; Conan Doyle, Julian Symons, London, Whizzard Press/André Deutsch, 1979.

The Quest for Sherlock Holmes, Owen Dudley Edwards, Edinburgh, Mainstream Publishing, 1983.

Bloodhounds of Heaven, Iain Ousby, Cambridge, Mass. & London, Harvard University Press, 1976.

Sherlock Holmes and His Creator, Trevor H. Hall, London, Duckworth, 1978.

Form and Ideology in Crime Fiction, Stephen Knight, London, MacMillan, 1980.

And Always a Detective, R. F. Stewart, London, David & Charles, 1980.

The Uncollected Sherlock Holmes, Sir Arthur Conan Doyle, Compiled by Richard Lancelyn Green, London, Penguin Books, 1983.

Spiritualism and Society, G. K. Nelson, London, Routledge & Kegan Paul, 1969.

The Spiritualists, Ruth Brandon, London, Weidenfeld & Nicolson, 1983.

FILMOGRAPHIE

A — Œuvres de sir Arthur Conan Doyle adaptées pour le cinéma ou la télévision. Les œuvres sont classées par ordre de parution en librairie et les adaptations par ordre chronologique.

01. UNE ÉTUDE EN ROUGE, 1887.

1914 : *A Study in Scarlet* (GB), long métrage.
Moss — D. George Pearson
Holmes : James Braginton

1914 : *A Study in Scarlet* (EU), court métrage.
Gold Seal (Universal) — D. Francis Ford
Holmes : Francis Ford ; Watson : Jack Francis

1933 : *A Study in Scarlet* (EU), long métrage.
World Wide — D. Edwin L. Marin
Holmes : Reginald Owen ; Watson : Warburton Gamble

1968 : *A Study in Scarlet* (GB), téléfilm.
BBC-TV — D. Henri Safran
Holmes : Peter Cushing ; Watson : Nigel Stock

1981 : *A Study in Scarlet* (Australie), dessin animé long métrage :
voix de Peter O'Toole (Holmes)
D. Eddy Graham

1982 : *A Study in Scarlet* (URSS), série télévisée soviétique.
Lenfilms — D. Ivor Maslennikov
Holmes : Vassily Livanov · Watson : Vitaly Solomin

02. LE SIGNE DES QUATRE, 1890.

1905 : *The Adventures of Sherlock Holmes* (EU).
Vitagraph — D. J. Stuart Blockton
Holmes : Maurice Costello

1913 : *Sherlock Holmes Solves the Sign of the Four* (EU), court
métrage.
Thanhauser
Holmes : Harry Benham

1923 : *The Sign of Four* (GB), long métrage.
Stoll — D. Maurice Elvey
Holmes : Eille Norwood ; Watson : Arthur Cullin

1932 : *The Sign of Four* (GB), long métrage.
Associated Radio — D. Graham Cutts
Holmes : Arthur Wontner ; Watson : Ian Hunter

1968 : *The Sign of Four* (GB), téléfilm.
BBC-TV — D. William Sterling
Holmes : Peter Cushing ; Watson : Nigel Stock

1981 : *The Sign of Four* (Australie), dessin animé long métrage : voix
de Peter O' Toole (Holmes).
D. Eddy Graham

1982 : *The Sign of Four* (URSS), série télévisée soviétique.
Lenfilm — D. Ivor Maslennikov
Holmes : Vassily Livanov ; Watson : Vitaly Solomin

1983 : *The Sign of Four* (EU), téléfilm américain tourné en Angle
terre.
Mapleton Films — D. Desmond Davis
Holmes : Ian Richardson ; Watson : David Healey

03. GIRDLESTONE & CIE, 1890.

1915 : *The Firm of Girdlestone* (GB).
London (Jury) — D. Harold Shaw
Ezra Girdlestone : Fred Graves ; John Girdlestone : Charles Rack

04. A STRAGGLER OF '15, 1891.

1933 : *The Veteran of Waterloo* (GB).
National Talkies
Corporal Brewster : Jerrold Robertshaw

05. UN SCANDALE EN BOHÊME, 1891.

1921 : *A Scandal in Bohemia* (GB), court métrage.
Stoll — D. Maurice Elvey
Holmes : Eille Norwood ; Watson : Hubert Willis

1951 : *A Scandal in Bohemia* (GB), série télévisée britannique.
BBC-TV — D. Ian Atkins
Holmes : Alan Wheatley ; Watson : Raymond Francis

1982 : *A Scandal in Bohemia* (URSS), série télévisée soviétique.
Lenfilm — D. Ivor Maslennikov
Holmes : Vassily Livanov ; Watson : Vitaly Solomin

1984 : *A Scandal in Bohemia* (GB), téléfilm.
Granada-TV — D. Paul Annett
Holmes : Jeremy Brett ; Watson : David Burke

06. LA LIGUE DES ROUQUINS, 1891.

1921 : *The Red-Headed League* (GB), court métrage.
Stoll — D. Maurice Elvey
Holmes : Eille Norwood ; Watson : Hubert Willis

1951 : *The Red-Headed League* (GB), série télévisée britannique.
BBC-TV — D. Richard M. Grey
Holmes : John Longden ; Watson : Campbell Singer

1954 : *The Red-Headed League* (EU), série télévisée américaine
tournée en France.
Guild Films — D. Sheldon Reynolds
Holmes : Ronald Howard ; Watson : Howard Marion Crawford

1965 : *The Red-Headed League* (GB), téléfilm.
BBC-TV — D. Peter Duguid
Holmes : Douglas Wilmer ; Watson : Nigel Stock

1976 : *The Return of the World's Greatest Detective* (EU), adaptation
très libre.
NBC-TV — D. Dean Hargrove
Holmes : Larry Hagman ; Watson : Jenny O'Hara

1985 : *The Red-Headed League* (GB), téléfilm.
Granada-TV — D. John Bruce
Holmes : Jeremy Brett ; Watson : David Burke

07. UNE AFFAIRE D'IDENTITÉ, 1891.

1921 : *A Case of Identity* (GB), court métrage.
Stoll — D. Maurice Elvey
Holmes : Eille Norwood ; Watson : Hubert Willis

08. LE MYSTÈRE DU VAL BOSCOMBE, 1891.

1912 : *The Mystery of Boscombe Vale* (franco-britannique), court métrage.
Eclair — D. Georges Tréville
Holmes : Georges Tréville ; Watson : Mr Moyse

1922 : *The Boscombe Valley Mystery* (GB), court métrage.
Stoll — D. George Ridgwell
Holmes : Eille Norwood ; Watson : Hubert Willis

1968 : *The Boscombe Valley Mystery* (GB), téléfilm.
BBC-TV — D. Viktors Ritelis
Holmes : Peter Cushing ; Watson : Nigel Stock

09. LES CINQ PÉPINS D'ORANGE, 1891.

1945 : *The House of Fear* (EU), long métrage. Adaptation très libre.
Universal — D. Roy William Neill
Holmes : Basil Rathbone ; Watson : Nigel Bruce

10. L'HOMME À LA LÈVRE TORDUE, 1891.

1921 : *The Man with the Twisted Lip* (GB), court métrage.
Stoll — D. Maurice Elvey
Holmes : Eille Norwood ; Watson : Hubert Willis

1951 : *The Man with the Twisted Lip* (GB), série télévisée britannique.
BBC-TV — D. Richard M. Grey
Holmes : John Longden ; Watson : Campbell Singer

1965 : *The Man with the Twisted Lip* (GB), téléfilm.
BBC-TV — D. Eric Taylor
Holmes : Douglas Wilmer ; Watson : Nigel Stock

1986 : *The Man with the Twisted Lip* (GB), téléfilm.
Granada TV — D. Patrick Lau
Holmes : Jeremy Brett ; Watson : Edward Hardwicke

11. L'ESCARBOUCLE BLEUE, 1892.

1923 : *The Blue Carbuncle* (GB), court métrage.
Stoll — D. George Ridgwell
Holmes : Eille Norwood ; Watson : Hubert Willis

1968 : *The Blue Carbuncle* (GB), téléfilm.
BBC-TV — D. Bill Bain
Holmes : Peter Cushing ; Watson : Nigel Stock

1984 : *The Blue Carbuncle* (GB), téléfilm.
Granada TV — D. David Carson
Holmes : Jeremy Brett ; Watson : David Burke

12. LE RUBAN MOUCHETÉ, 1892.

1912 : *The Speckled Band* (franco-britannique), court métrage.
Eclair — D. Georges Tréville
Holmes : Georges Tréville

1923 : *The Speckled Band* (GB), court métrage.
Stoll — D. George Ridgwell
Holmes : Eille Norwood ; Watson : Hubert Willis

1931 : *The Speckled Band* (GB), long métrage.
Bristish & Dominion — D. Jack Raymond
Holmes : Raymond Massey ; Watson : Athole Stewart

1949 : *The Adventure of the Speckled Band* (EU), série télévisée
américaine.
Marshall/Grant/Realm TV — D. Sobey Martin
Holmes : Alan Napier ; Watson : Melville Cooper

1964 : *The Speckled Band* (GB), téléfilm.
BBC-TV — D. Robin Midgley
Holmes : Douglas Wilmer ; Watson : Nigel Stock

1982 : *The Case of the Speckled Band* (EU), série télévisée américaine
tournée en Pologne et diffusée en Allemagne.
Filmways — D. Sheldon Reynolds & Val Guest
Holmes : Geoffrey Whitehead ; Watson : Donald Pickering

1982 : *The Speckled Band* (URSS), série télévisée soviétique.
Lenfilm — D. Ivor Maslennikov
Holmes : Vassily Livanov ; Watson : Vitaly Solomin

1984 : *The Speckled Band* (GB), téléfilm.
Granada TV — D. John Bruce
Holmes : Jeremy Brett ; Watson : David Burke

13. LE POUCE DE L'INGÉNIEUR, 1892.

1923 : *The Engineer's Thumb* (GB), court métrage.
Stoll — D. George Ridgwell
Holmes : Eille Norwood ; Watson : Hubert Willis

14. UN ARISTOCRATE CÉLIBATAIRE, 1892.

1921 : *The Noble Bachelor* (GB), court métrage.
Stoll — D. Maurice Elvey
Holmes : Eille Norwood ; Watson : Hubert Willis

15. LE DIADÈME DE BÉRYLS, 1892.

1912 : *The Beryl Coronet* (franco-britannique), court métrage.
Eclair — D. Georges Tréville
Holmes : Georges Tréville ; Watson : Mr Moyse

1921 : *The Beryl Coronet* (GB), court métrage.
Stoll — D. Maurice Elvey
Holmes : Eille Norwood ; Watson : Hubert Willis

1965 : *The Beryl Coronet* (GB), téléfilm.
BBC-TV — D. Max Varnell
Holmes : Douglas Wilmer ; Watson : Nigel Stock

16. LES HÊTRES-ROUGES, 1892.

1912 : *The Copper Beeches* (franco-britannique), court métrage.
Eclair — D. Georges Tréville
Holmes : Georges Tréville ; Watson : Mr Moyse

1921 : *The Copper Beeches* (GB), court métrage.
Stoll — D. Maurice Elvey
Holmes : Eille Norwood ; Watson : Hubert Willis

1965 : *The Copper Beeches* (GB), téléfilm.
BBC-TV — D. Gareth Davies
Holmes : Douglas Wilmer ; Watson : Nigel Stock

1985 : *The Copper Beeches* (GB), téléfilm.
Granada TV — D. Paul Annett
Holmes : Jeremy Brett; Watson : David Burke

17. FLAMME D'ARGENT, 1892.

1912 : *Silver Blaze* (franco-britannique), court métrage.
Eclair — D.Georges Tréville
Holmes : Georges Tréville; Watson : Mr Moyse

1923 : *Silver Blaze* (GB), court métrage.
Stoll — D. George Ridgwell
Holmes : Eille Norwood; Watson : Hubert Willis

1937 : *Silver Blaze* (GB), long métrage.
Twickenham Film Productions — D. Thomas Bentley
Holmes : Arthur Wontner; Watson : Ian Fleming

1977 : *Silver Blaze* (GB), téléfilm.
Harlech TV — D. John Davies
Holmes : Christopher Plummer; Watson : Thorley Walter

18. LA BOITE EN CARTON, 1893.

1923 : *The Cardboard Box* (GB), court métrage.
Stoll — D. George Ridgwell
Holmes : Eille Norwood; Watson : Hubert Willis

19. LA FIGURE JAUNE, 1893.

1921 : *The Yellow Face* (GB), court métrage.
Stoll — D. Maurice Elvey
Holmes : Eille Norwood; Watson : Hubert Willis

20. L'EMPLOYÉ DE L'AGENT DE CHANGE, 1893.

1922 : *The Stockbroker's Clerk* (GB), court métrage.
Stoll — D. George Ridgwell
Holmes : Eille Norwood; Watson : Hubert Willis

21. LE « GLORIA SCOTT », 1893.

1923 : *The « Gloria Scott »* (GB), court métrage.
Stoll — D. George Ridgwell
Holmes : Eille Norwood ; Watson : Hubert Willis

22. LE RITUEL DES MUSGRAVE, 1893.

1912 : *The Musgrave Ritual* (franco-britannique), court métrage.
Eclair — D. Georges Tréville
Holmes : Georges Tréville ; Watson : Mr Moyse

1922 : *The Musgrave Ritual* (GB), court métrage.
Stoll — D. George Ridgwell
Holmes : Eille Norwood ; Watson : Hubert Willis

1943 : *Sherlock Holmes Faces Death* (EU), long métrage. Adaptation très libre.
Universal — D. Roy William Neill
Holmes : Basil Rathbone ; Watson : Nigel Bruce

1968 : *The Musgrave Ritual* (GB), téléfilm.
BBC-TV — D. Viktors Ritelis
Holmes : Peter Cushing ; Watson : Nigel Stock

1986 : *The Musgrave Ritual* (GB), téléfilm.
Granada TV — D. David Carson
Holmes : Jeremy Brett ; Watson : Edward Hardwicke

23. LES PROPRIÉTAIRES DE REIGATE, 1893.

1912 : *The Reigate Squires* (franco-britannique), court métrage.
Eclair — D. Georges Tréville
Holmes : Georges Tréville ; Watson : Mr Moyse

1922 : *The Reigate Squires* (GB), court métrage.
Stoll — D. George Ridgwell
Holmes : Eille Norwood ; Watson : Hubert Willis

1951 : *The Reigate Squires* (GB), série télévisée britannique.
BBC-TV — D. Ian Atkins
Holmes : Alan Wheatley ; Watson : Campbell Singer

24. LE TORDU, 1893.

1923 : *The Crooked Man* (GB), court métrage.
Stoll — D. George Ridgwell
Holmes : Eille Norwood ; Watson : Hubert Willis

1984 : *The Crooked Man* (GB), téléfilm.
Granada TV — D. Alan Grint
Holmes : Jeremy Brett ; Watson : David Burke

25. LE PENSIONNAIRE EN TRAITEMENT, 1893.

1921 : *The Resident Patient* (GB), court métrage.
Stoll — D. Maurice Elvey
Holmes : Eille Norwood ; Watson : Hubert Willis

1984 : *The Resident Patient* (GB), téléfilm.
Granada TV — D. David Carson
Holmes : Jeremy Brett ; Watson : David Burke

26. L'INTERPRÈTE GREC, 1893.

1922 : *The Greek Interpreter* (GB), court métrage.
Stoll — D. George Ridgwell
Holmes : Eille Norwood ; Watson : Hubert Willis

1968 : *The Greek Interpreter* (GB), téléfilm.
BBC-TV — D. David Saire
Holmes : Peter Cushing ; Watson : Nigel Stock

1985 : *The Greek Interpreter* (GB), téléfilm.
Granada TV — D. Alan Grint
Holmes : Jeremy Brett ; Watson : David Burke

27. LE TRAITÉ NAVAL, 1893.

1912 : *The Stolen Papers* (franco-britannique), court métrage.
Eclair — D. Georges Tréville
Holmes : Georges Tréville ; Watson : Mr Moyse

1922 : *The Naval Treaty* (GB), court métrage.
Stoll — D. George Ridgwell
Holmes : Eille Norwood ; Watson : Hubert Willis

1968 : *The Naval Treaty* (GB), téléfilm.
BBC-TV — D. Antony Kearey
Holmes : Peter Cushing; Watson : Nigel Stock

1984 : *The Naval Treaty* (GB), téléfilm.
Granada TV — D. Alan Grint
Holmes : Jeremy Brett; Watson : David Burke

28. LE DERNIER PROBLÈME, 1893.

1923 : *The Final Problem* (GB), court métrage.
Stoll — D. George Ridgwell
Holmes : Eille Norwood; Watson : Hubert Willis

1985 : *The Final Problem* (GB), téléfilm.
Granada TV — D. Alan Grint
Holmes : Jeremy Brett; Watson : David Burke

29. LES EXPLOITS DU BRIGADIER GÉRARD, 1896.
LES AVENTURES DU BRIGADIER GÉRARD, 1903.

1915 : *Brigadier Gerard* (GB)
Walturdaw — D. Bert Haldane
Gérard : Lewis Waller

1927 : *The Fighting Eagle* (EU)
D. Donald Crisp
Gérard : Rod La Rocque

1970 : *The Adventures of Gerard* (GB), long métrage.
United Artists — D. Jerzy Skolimowski
Gérard : Peter McEnery

30. RODNEY STONE, 1896.

1913 : *The House of Temperly* (GB)
London (Jury) — D. Harold M. Shaw
Sir Charles Temperly : Ben Webster

1920 : *Rodney Stone* (GB)
Screen Plays (BEF) — D. Percy Nash
Rodney Stone : Robertson Braine; Polly Hinton : Ethel Newman

31. L'ONCLE BERNAC, 1897.

1921 : *Un drame sous Napoléon* (Fr)
D. Gérard Bourgeois
Emile Drain, Germaine Rouer, Rex Davis

32. LA TRAGÉDIE DU KOROSKO, 1898.

1923 : *The Fires of Fate* (GB)
Gaumont-Westminster — D. Tom Terris
Colonel Egerton : Nigel Barrie

1932 : *The Fires of Fate* (GB)
BIP-Wardour — D. Norman Walker
Colonel Egerton : Lester Matthews

33. LE CHIEN DES BASKERVILLE, 1902.

1914 : *Der Hund von Baskerville* (All), long métrage.
Vitascope — D. Rudolph Meinert
Holmes : Alwin Neuß

1915 : *Le Chien des Baskerville* (Fr)
Productions Pathé

1921 : *The Hound of the Baskervilles* (GB), long métrage.
Stoll — D. Maurice Elvey
Holmes : Eille Norwood ; Watson : Hubert Willis

1929 : *Der Hund von Baskerville* (All)
Erda Film — D. Richard Oswald
Holmes : Carlyle Blackwell ; Watson : Georges Seroff

1932 : *The Hound of the Baskervilles* (GB), long métrage.
Gainsborough — D. V. Gareth Gundrey
Holmes : Robert Rendel ; Watson : Frederick Lloyd

1937 : *Der Hund von Baskerville* (All)
Ondra-Lamec Film — D. Karl Lamec
Holmes : Bruno Güttner ; Watson : Fritz Odemar

1939 : *The Hound of the Baskervilles* (EU), long métrage.
20th Century-Fox — D. Sidney Lanfield
Holmes : Basil Rathbone ; Watson : Nigel Stock

1959 : *The Hound of the Baskervilles* (GB), long métrage.
Hammer Films — D. Terence Fisher
Holmes : Peter Cushing ; Watson : André Morell

1968 : *The Hound of the Baskervilles* (GB), téléfilm en deux épisodes.
BBC-TV — D. Graham Evans
Holmes : Peter Cushing ; Watson : Nigel Stock

1972 : *The Hound of the Baskervilles* (EU), téléfilm.
Universal — D. Barry Crane
Holmes : Stewart Granger ; Watson : Bernard Fox

1978 : *The Hound of the Baskervilles* (GB), long métrage. Parodie.
Hemdale — D. Paul Morrissey
Holmes : Peter Cook ; Watson : Dudley Moore

1981 : *Sherlock Holmes and the Baskerville Curse* (Aust), dessin
animé long métrage : voix de Peter O'Toole (Holmes).
D. Eddy Graham

1982 : *The Hound of the Baskervilles* (GB), téléfilm en quatre
épisodes.
BBC-TV — D. Peter Duguid
Holmes : Tom Baker ; Watson : Terence Rigby

1982 : *The Hound of the Baskervilles* (URSS), série télévisée soviéti-
que.
Lenfilm — D. Ivor Maslennikov
Holmes : Vassily Livanov ; Watson : Vitaly Solomin

1983 : *The Hound of the Baskervilles* (EU), téléfilm américain tourné
en Angleterre.
Mapleton Films — D. Douglas Hickox
Holmes : Ian Richardson ; Watson : Donald Churchill

34. LA MAISON VIDE, 1903.

1921 : *The Empty House* (GB), court métrage.
Stoll — D. Maurice Elvey
Holmes : Eille Norwood ; Watson : Hubert Willis

1931 : *The Sleeping Cardinal* (GB), long métrage. Adaptation libre
incorporant des éléments tirés du *Dernier problème*.
Twickenham Film Studios — D. Leslie Hiscott
Holmes : Arthur Wontner ; Watson : Ian Fleming

1951 : *The Empty House* (GB), série télévisée britannique.
BBC-TV — D. Ian Atkins
Holmes : Alan Wheatley ; Watson : Raymond Francis

1986 : *The Empty House* (GB), téléfilm.
Granada TV — D. Howard Baker
Holmes : Jeremy Brett ; Watson : Edward Hardwicke

35. L'ENTREPRENEUR DE NORWOOD, 1903.

1922 : *The Norwood Builder* (GB), court métrage.
Stoll — D. George Ridgwell
Holmes : Eille Norwood ; Watson : Hubert Willis

1985 : *The Norwood Builder* (GB), téléfilm.
Granada TV — D. Ken Grieve
Holmes : Jeremy Brett ; Watson : David Burke

36. LES HOMMES DANSANTS, 1903.

1923 : *The Dancing Men* (GB), court métrage.
Stoll — D. George Ridgwell
Holmes : Eille Norwood ; Watson : Hubert Willis

1942 : *Sherlock Holmes and the Secret Weapon* (EU), long métrage.
Adaptation très libre.
Universal — D. Roy William Neill
Holmes : Basil Rathbone ; Watson : Nigel Bruce

1968 : *The Dancing Men* (GB), téléfilm.
BBC-TV
Holmes : Peter Cushing ; Watson : Nigel Stock

1984 : *The Dancing Men* (GB), téléfilm.
Granada TV — D. John Bruce
Holmes : Jeremy Brett ; Watson : David Burke

37. LA CYCLISTE SOLITAIRE, 1904.

1921 : *The Solitary Cyclist* (GB), court métrage.
Stoll — D. Maurice Elvey
Holmes : Eille Norwood ; Watson : Hubert Willis

1968 : *The Solitary Cyclist* (GB), téléfilm.
BBC-TV — D. Viktors Ritelis
Holmes : Peter Cushing ; Watson : Nigel Stock

1984 : *The Solitary Cyclist* (GB), téléfilm.
Granada TV — D. Paul Annett
Holmes : Jeremy Brett ; Watson : David Burke

38. L'ÉCOLE DU PRIEURE, 1904.

1921 : *The Priory School* (GB), court métrage.
Stoll — D. Maurice Elvey
Holmes : Eille Norwood ; Watson : Hubert Willis

1986 : *The Priory School* (GB), téléfilm.
Granada TV — D. John Madden
Holmes : Jeremy Brett ; Watson : Edward Hardwicke

39. PETER LE NOIR, 1904.

1922 : *Black Peter* (GB), court métrage.
Stoll — D. George Ridgwell
Holmes : Eille Norwood ; Watson : Hubert Willis

1968 : *Black Peter* (GB), téléfilm.
BBC-TV — D. Antony Kearey
Holmes : Peter Cushing ; Watson : Nigel Stock

40. CHARLES-AUGUSTE MILVERTON, 1904.

1922 : *Charles Augustus Milverton* (GB), court métrage.
Stoll — D. George Ridgwell
Holmes : Eille Norwood ; Watson : Hubert Willis

1932 : *The Missing Rembrandt* (GB), long métrage. Adaptation très
libre.
Twickenham Film Studios — D. Leslie Hiscott
Holmes : Arthur Wontner ; Watson : Ian Fleming

1965 : *Charles Augustus Milverton* (GB), téléfilm.
BBC-TV — D. Philip Dudley
Holmes : Douglas Wilmer ; Watson : Nigel Stock

41. LES SIX NAPOLÉONS, 1904.

1922 : *The Six Napoleons* (GB), court métrage.
Stoll — D. George Ridgwell
Holmes : Eille Norwood ; Watson : Hubert Willis

1944 : *The Pearl of Death* (EU), long métrage. Adaptation très libre.
Universal — D. Roy William Neill
Holmes : Basil Rathbone ; Watson : Nigel Bruce

1965 : *The Six Napoleons* (GB), téléfilm.
BBC-TV — D. Gareth Davies
Holmes : Douglas Wilmer ; Watson : Nigel Stock

1986 : *The Six Napoleons* (GB), téléfilm.
Granada TV — D. David Carson
Holmes : Jeremy Brett ; Watson : Edward Hardwiche

42. LES TROIS ÉTUDIANTS, 1904.

1923 : *The Three Students* (GB), court métrage.
Stoll — D. George Ridgwell
Holmes : Eille Norwood ; Watson : Hubert Willis

43. LE PINCE-NEZ EN OR, 1904.

1922 : *The Golden Pince-Nez* (GB), court métrage.
Stoll — D. George Ridgwell
Holmes : Eille Norwood ; Watson : Hubert Willis

44. UN TROIS-QUARTS A ÉTÉ PERDU, 1904.

1923 : *The Missing Three-Quarter* (GB), court métrage.
Stoll — D. George Ridgwell
Holmes : Eille Norwood ; Watson : Hubert Willis

45. LE MANOIR DE L'ABBAYE, 1904.

1922 : *The Abbey Grange* (GB), court métrage.
Stoll — D. George Ridgwell
Holmes : Eille Norwood ; Watson : Hubert Willis

1965 : *The Abbey Grange* (GB), téléfilm.
BBC-TV — D. Peter Cregeen
Holmes : Douglas Wilmer ; Watson : Nigel Stock

1986 : *The Abbey Grange* (GB), téléfilm.
Granada TV — D. Peter Hammond
Holmes : Jeremy Brett ; Watson : Edward Hardwicke

46. LA DEUXIÈME TACHE, 1904.

1922 : *The Second Stain* (GB), court métrage.
Stoll — D. George Ridgwell
Holmes : Eille Norwood ; Watson : Hubert Willis

1951 : *The Second Stain* (GB), série télévisée britannique.
BBC-TV — D. Ian Atkins
Holmes : Alan Wheatley ; Watson : Raymond Francis

1968 : *The Second Stain* (GB), téléfilm.
BBC-TV — D. Henri Safran
Holmes : Peter Cushing ; Watson : Nigel Stock

1986 : *The Second Stain* (GB), téléfilm.
BBC-TV — D. John Bruce
Holmes : Jeremy Brett ; Watson : Edward Hardwicke

47. L'AVENTURE DE WISTERIA LODGE, 1908.

1921 : *The Tiger of San Pedro* (GB), court métrage.
Stoll — D. Maurice Elvey
Holmes : Eille Norwood ; Watson : Hubert Willis

1968 : *Wisteria Lodge* (GB), téléfilm.
BBC-TV — D. Roger Jenkins
Holmes : Peter Cushing ; Watson : Nigel Stock

48. LES PLANS DU BRUCE-PARTINGTON, 1908.

1922 : *The Bruce Partington Plans* (GB), court métrage.
Stoll — D. George Ridgwell
Holmes : Eille Norwood ; Watson : Hubert Willis

1965 : *The Bruce Partington Plans* (GB), téléfilm.
BBC-TV — D. Shuan Sutton
Holmes : Douglas Wilmer ; Watson : Nigel Stock

49. L'AVENTURE DU PIED DU DIABLE, 1910.

1921 : *The Devil's Foot* (GB), court métrage.
Stoll — D. Maurice Elvey
Holmes : Eille Norwood ; Watson : Hubert Willis

1965 : *The Devil's Foot* (GB), téléfilm.
BBC-TV — D. Max Varnel
Holmes : Douglas Wilmer ; Watson : Nigel Stock

50. L'AVENTURE DU CERCLE ROUGE, 1911.

1922 : *The Red Circle* (GB), court métrage.
Stoll — D. George Ridgwell
Holmes : Eille Norwood ; Watson : Hubert Willis

51. LA DISPARITION DE LADY FRANCES CARFAX, 1911.

1923 : *The Disappearance of Lady Frances Carfax* (GB), court métrage.
Stoll — D. George Ridgwell
Holmes : Eille Norwood ; Watson : Hubert Willis

1965 : *The Disappearance of Lady Frances Carfax* (GB), téléfilm.
BBC-TV — D. Shuan Sutton
Holmes : Douglas Wilmer ; Watson : Nigel Stock

52. LE MONDE PERDU, 1912.

1925 : *The Lost World* (EU), long métrage.
D. Harry Hoyt
Challenger : Wallace Beery

1960 : *The Lost World* (EU), long métrage.
D. Irwin Allen
Challenger : Claude Rains

53. L'AVENTURE DU DÉTECTIVE AGONISANT, 1913.

1921 : *The Dying Detective* (GB), court métrage.
Stoll — D. Maurice Elvey
Holmes : Eille Norwood ; Watson : Hubert Willis

1951 : *The Dying Detective* (GB), série télévisée britannique.
BBC-TV — D. Ian Atkins
Holmes : Alan Wheatley ; Watson : Raymond Francis

54. LA VALLÉE DE LA PEUR, 1915.

1916 : *The Valley of Fear* (GB), long métrage.
G. B. Samuelson (Moss) — D. Alexander Butler
Holmes : H. A. Saintsbury ; Watson : Arthur M. Cullin

1935 : *The Triumph of Sherlock Holmes* (GB), long métrage.
Real Art — D. Leslie Hiscott
Holmes : Arthur Wontner ; Watson : Ian Fleming

1981 : *A Valley of Fear* (Aust), dessin animé long métrage : voix de Peter O'Toole (Holmes).
D. Eddy Graham

55. SON DERNIER COUP D'ARCHET, 1917.

1923 : *His Last Bow* (GB), court métrage.
Stoll — D. George Ridgwell
Holmes : Eille Norwood ; Watson Hubert Willis

56. LA PIERRE DE MAZARIN, 1921.

1923 : *The Mazarin Stone* (GB), court métrage.
Stoll — D. George Ridgwell
Holmes : Eille Norwood · Watson : Hubert Willis

1951 : *The Mazarin Stone* (GB)
BBC-TV — D. Duncan Richardson
Holmes : Andrew Osbourn ; Watson : Philip King

57. LE PROBLÈME DU PONT DE THOR, 1922.

1923 : *The Mystery of Thor Bridge* (GB), court métrage.
Stoll — D. George Ridgwell
Holmes : Eille Norwood ; Watson : Hubert Willis.

1968 : *Thor Bridge* (GB), téléfilm.
BBC-TV — D. Antony Kearey
Holmes : Peter Cushing ; Watson : Nigel Stock

58. L'ILLUSTRE CLIENT, 1925.

1965 : *The Illustrious Client* (GB), téléfilm.
BBC-TV — D. Peter Sasdy
Holmes : Douglas Wilmer ; Watson : Nigel Stock

59. LES TROIS GARRIDEB, 1925.

1937 : *The Three Garridebs* (EU), dramatique pilote réalisée par NBC
à titre d'expérience, avant l'inauguration du service télévision par la
chaîne.
NBC-TV — D. Robert Palmer
Holmes : Louis Hector ; Watson : William Podmore

60. LE MARCHAND DE COULEURS RETIRÉ DES AF-FAIRES, 1927.

1965 : *The Retired Colourman* (GB), téléfilm.
BBC-TV — D. Michael Hayes
Holmes : Douglas Wilmer ; Watson : Nigel Stock

61. L'AVENTURE DE SHOSCOMBE OLD PLACE, 1927.

1968 : *Shoscombe Old Place* (GB), téléfilm.
BBC-TV — D. Bill Bain
Holmes : Peter Cushing ; Watson : Nigel Stock

Sur les soixante titres que comporte le cycle Holmes, six seulement
— *L'homme qui grimpait* (1923), *Le vampire du Sussex* (1924), *Les
trois pignons* (1926), *Le soldat blanchi* (1926), *La crinière du lion*
(1926), *La pensionnaire voilée* (1927) — n'ont jamais été portés à
l'écran.

B — Adaptations cinématographiques de la pièce de théâtre *Sherlock Holmes* (1899) de William Gillette.

1916 : *Sherlock Holmes* (EU), long métrage.
Essanay — D. Arthur Berthelet
Holmes : William Gillette ; Watson : Edward Fielding

1922 : *Sherlock Holmes* (EU), long métrage.
Goldwyn Pictures — D. Albert Parker
Holmes : John Barrymore ; Watson : Roland Young

1981 : *Sherlock Holmes* (EU), enregistrement de la représentation de la pièce donnée au Williamstown Theater Festival, Massachusetts.
HBO-TV — D. Gary Halverson & Peter H. Hunt
Holmes : Frank Langella ; Watson : Richard Woods

C — Œuvres cinématographiques mettant en scène des personnages du cycle Holmes.

1907 : *Le Rival de Sherlock Holmes* (Ital)
Productions Arturo Ambrosio

1908 : *The Adventures of Sherlock Holmes* (Danemark), séries de courts métrages.
D. Holgar Madsen
Holmes : Holgar Madsen

1915 : *A Study in Skarlit* (GB), court métrage. Parodie.
Comedy Combine — D. Fred & Will Evans
Sherlokz Homz : Fred Evans ; Prof Moratorium : Will Evans

1929 : *The Return of Sherlock Holmes* (EU), long métrage.
Paramount — D. Basil Dean
Holmes : Clive Brook ; Watson : H. Reeves- Smith

1932 : *Sherlock Holmes* (EU), long métrage.
Fox — D. William K. Howard
Holmes : Clive Brook ; Watson : Reginald Owen

1937 : *Der Mann der Sherlock Holmes War* (All), long métrage.
D. Karl Hartl
Holmes : Hans Alben ; Watson : Heine Ruhmann

1939 : *The Adventures of Sherlock Holmes* (EU), long métrage.
20th Century-Fox — D. Alfred Werker
Holmes : Basil Rathbone ; Watson : Nigel Bruce

1942 : *Sherlock Holmes and the Voice of Terror*
1943 : *Sherlock Holmes in Washington*
1944 : *The Scarlet Claw*
      Sherlock Holmes and the Spider Woman
1945 : *The Woman in Green*
      Pursuit to Algiers
1946 : *Terror by Night*
      Dressed to Kill

Universal — D. Roy William Neill
Holmes : Basil Rathbone ; Watson : Nigel Bruce
Série américaine de longs métrages.

1953 : *The Adventure of the Black Baronet* (EU), dramatique tirée de
la nouvelle de John Dickson Carr et Adrian Conan Doyle.
CBS-TV — D. Robert Mulligan
Holmes : Basil Rathbone ; Watson : Martyn Green

1954 : *The Adventures of Sherlock Holmes* (EU), série en trente-neuf
épisodes, tournée en France.
Guild Films — D. Sheldon Reynolds
Holmes : Ronald Howard ; Watson : Howard Marion Crawford

1962 : *Sherlock Holmes und das Halsband des Todes* (All), long
métrage.
CCC/Criterion/INCEI — D. Terence Fisher
Holmes : Christopher Lee ; Watson : Thorley Walters

1965 : *A Study in Terror* (GB), long métrage.
Compton/Mirisch/Sir Nigel — D. James Hill
Holmes : John Neville ; Watson : Donald Houston

1970 : *The Private Life of Sherlock Holmes* (EU), long métrage tourné
en Angleterre.
Phalanx/Mirisch/Sir Nigel — D. Billy Wilder
Holmes : Robert Stephens ; Watson : Colin Blakely

1972 : *The Longing of Sherlock Holmes* (Tchécoslovaquie)
Czech Films AD — D. Stepan Spalsky
Holmes : Radovan Lukavsky ; Watson : Vaclav Voska ; sir Arthur
Conan Doyle : Josef Parocka

1974 : *Dr Watson and the Darkwater Hall Mystery* (GB), téléfilm sur
un scénario de Kingsley Amis.
BBC-TV — D. James Cellan Jones
Watson : Edward Fox

1975 : *The Adventure of Sherlock Holmes Smarter Brother* (EU), long
métrage tourné en Angleterre.
Jouer — D. Gene Wilder
Holmes : Douglas Wilmer ; Watson : Thorley Walters

1975 : *The Interior Motive* (EU)
Kentucky Educational TV — D. George Rasmussen
Holmes : Leonard Nimoy ; Watson : Burt Blackwell

1976 : *Sherlock Holmes in New York* (EU), téléfilm.
20th Century-Fox — D. Boris Sagal
Holmes : Roger Moore ; Watson : Patrick Macnee

1976 : *The Seven-Per-Cent Solution* (EU), long métrage tourné en
Angleterre. Scénario tiré par Nicolas Meyer de son roman du même
titre.
Universal — D. Herbert Ross
Holmes : Nicol Williamson ; Watson : Robert Duvell

1979 : *Murder by Decree* (GB/Canada), long métrage.
Saucy Jack/Decree — D. Bob Clark
Holmes : Christopher Plummer ; Watson : James Mason

1982 : *Sherlock Holmes and Dr Watson* (EU), série américaine en
vingt-cinq épisodes, tournée en Pologne et diffusée en Allemagne.
Filmways — D. Sheldon Reynolds & Val Guest
Holmes : Geoffrey Wheatcroft ; Watson : Donald Pickering

1984 : *The Masks of Death* (GB), téléfilm.
Tyburn/Channel 4 — D. Roy Ward Baker
Holmes : Peter Cushing ; Watson : John Mills

TABLE DES MATIÈRES

Cet ouvrage a été composé
par l'Imprimerie BUSSIÈRE
et imprimé sur presse CAMERON
dans les ateliers de la S.E.P.C.
à Saint-Amand-Montrond (Cher)
en octobre 1988

Nº d'édit. 2432. Nº d'imp. : 5586-1559.
Dépôt légal : octobre 1988.
Imprimé en France